Kunst-Reiseführer in der Reihe DuMont Dokumente

Übersichtskarte in der vorderen Einbandklappe

Bewaffnete Bauern (Ausschnitt). Holzschnitt von Hans Tirol. 1530

Werner Dettelbacher

Zwischen Neckar und Donau

Kunst, Kultur und Landschaft
von Heidelberg bis Heilbronn,
im Hohenloher Land, Ries, Altmühltal
und an der oberen Donau

Verlag M. DuMont Schauberg

Einband Vorderseite: Neuburg a. d. Donau, St. Peter und Hofkirche

Einband Innenklappe: Dinkelsbühl, Faulturm am Stadtweiher

Einband Rückseite: Weltenburg a. d. Donau, Klosterkirche

Karte in der Einbandklappe: Graph. Atelier R. Hainlein, Würzburg
© 1976 Verlag M. DuMont Schauberg, Köln
Alle Rechte vorbehalten
Druck: Gebr. Rasch & Co., Bramsche
Buchbinderische Verarbeitung: Boss-Druck, Kleve

Printed in Germany   ISBN 3-7701-0862-2

Inhalt

Vorbemerkung 8

Überblick

Landschaften und Leute 9

Stichworte zur Geschichte des Zwischenstromlandes 12

Der Limes 15

I Am Neckar

Heidelberg 25
Blick vom Philosophenweg – Karlstor – Karl-Theodor-Brücke – Haus zum
›Ritter‹ – Heilig-Geist-Kirche – Schicksal der ›Bibliotheca Palatina‹ und der
Manessischen Handschrift – zweimalige Zerstörung Heidelbergs – Rathaus –
Schloß (Festsaalbau, Ruprechtsbau, Brunnenhalle, Ottheinrichsbau, Fried-
richsbau, Faßbau, Bibliotheksbau) – Schloßgarten – Jesuitenkirche – Alte
und Neue Universität – Peterskirche – Kurpfälzisches Museum – Providenz-
kirche – Marstall – Ausflug auf den Heiligenberg

Auf der Burgenstraße von Heidelberg bis Heilbronn 59
Kloster Neuburg – Dilsberg ob Neckargemünd – Neckarsteinach – Ab-
stecher nach Schönau – Hirschhorn – Eberbach – Stolzeneck – Zwingenberg –
Die Minneburg – Neckarelz – Mosbach – Hochhausen – Burg Hornberg –
Schloß Horneck ob Gundelsheim – Burg Guttenberg – Burg Ehrenberg –
Wimpfen im Tal (Stiftskirche) – Bad Wimpfen am Berg (Roter und Blauer
Turm, Pfalzkapelle, Steinhaus, ev. Stadtkirche, Fachwerkhäuser, Domini-
kanerkirche) – Schloß Lehen – Neckarsulm – Weinsberg und Burg ›Weiber-
treu

Heilbronn 81
St. Kilian – Rathaus – Käthchenhaus – Fleischhaus – Der ›Deutschhof‹ –
Götzenturm

II An Jagst und Kocher

Die Jagst aufwärts bis Ellwangen 88
Neudenau – Jagsthausen – Kloster Schöntal – Abstecher nach Aschhausen –
Krautheim – Dörzbach – Unterregenbach – Morstein – Ruine Leofels –
Kirchberg – Crailsheim – Ellwangen (Stiftskirche, Kreuzgang, Jesuiten-
kirche, Schloß (Museum), Wallfahrtskirche auf dem Schönenberg)

Die Straße der Hohenlohe-Residenzen 120
Das Haus Hohenlohe – Öhringen – Schloß Neuenstein – Waldenburg –
Langenburg ob der Jagst – Bartenstein

Schwäbisch Hall und die Comburgen 129
Schwäbisch Hall (Salzquelle, Haalplatz, Marktbrunnen, St. Michael, der
›Neubau‹, Keckenburg) – Groß-Comburg (Michaelskapelle, Erhartskapelle,
Klosterkirche, Antependium und Radleuchter, Kreuzgang) – Klein-Com-
burg – Vellberg und Stöckenburg

III An Altmühl und Wörnitz

An der Altmühl bis Kelheim 138
Von der Altmühl – Herrieden – Ornbau – Altenmuhr – Gunzenhausen –
Abstecher zum Kloster Heidenheim – Abstecher nach Ellingen, nach Weißen-
burg, zur Wülzburg und zum Karlsgraben – Pappenheim – Solnhofen –
Dollnstein und Rebdorf – Eichstätt (Willibaldsburg, Heilig-Geist-Spital,
Dom mit Mortuarium und Kreuzgang, Residenzplatz, Bauten am Leonrod-
platz, Sommerresidenz, Hl. Grab, Rathaus, St. Walburg) – Pfünz – Inching –
Abstecher nach Buchenhüll – Kipfenberg – Kinding – Beilngries – Rieden-
burg – St. Martin zu Aicholding – Prunn – Essing – Höhlen zwischen Prunn
und Kelheim – Kelheim (Stadtanlage, Spitalkirche, Befreiungshalle auf dem
Michelsberg)

Vier Reichsstädte an der Romantischen Straße 184
Feuchtwangen (Stiftskirche, Kreuzgang, Heimatmuseum) – Dinkelsbühl
(Mauerring und Tore, das ›Deutsche Haus‹, St. Georg) – Nördlingen (Rund-
gang von Tor zu Tor, Rathaus, Tanzhaus, St. Georg mit ›Daniel‹, Hallhaus,
Gerberviertel) – Donauwörth (Verlust der Reichsunmittelbarkeit, Reichs-
straße, Hl. Kreuz, Pfarrkirche Maria Himmelfahrt)

Rund um das Ries 197
Harburg – Wemding und Maria Brünnlein – Oettingen – Abstecher nach
Auhausen und zum Hesselberg – Hochaltingen – Maihingen – Wallerstein –
Abstecher nach Baldern – Hohenaltheim und Mönchsdeggingen.

IV An der Donau bis Weltenburg 220

Abstecher zur Abtei Kaisheim – Schloß Leitheim – Bertholdsheim und
Bergen – Neuburg an der Donau (Provinzialbibliothek, Hofkirche, Schloß
und Schloßkapelle, Gobelins im Weveld-Haus, St. Peter) – Jagdschloß
Grünau – Ingolstadt (Befestigung, Spitalkirche, Altes Rathaus, St. Moritz,
›Hohe Schule‹, Liebfrauenmünster, Santa Maria de Victoria, Minoritenkirche,
Herzogsschloß) – Klosterkirche Weltenburg.

V Praktische Reisehinweise 233

»Was Leib und Seele zusammenhält« (Gaststätten und Bräuche in Heidelberg – Gast auf der Burg und im Schloß – Von den Weinen am unteren
Neckar und am Kocher – Festspiele, Schloßkonzerte, Kinderzeche – Volksfeste, Umzüge, Märkte – Etwas über die Leute, Küche und Keller)

Ausgewählte Literatur 231

Raum für Reisenotizen 244

Namenverzeichnis 249

Orts- und Sachregister 256

Fotonachweis 260

Vorbemerkung

Der Erfolg des Kunstreiseführers ›Franken‹ hat den Verlag M. DuMont Schauberg ermutigt, einen Kunstreiseführer ›Zwischen Neckar und Donau‹ folgen zu lassen. Damit kann ich mein Versprechen einlösen, das Land um Jagst, Kocher und Altmühl vorzustellen, nachdem diese Gebiete im Kunstreiseführer ›Franken‹ nicht mehr berührt werden konnten. Neben bekannten Kunststädten wie Heidelberg, Heilbronn und Eichstätt werden auch diesmal weniger bekannte vorgewiesen wie die Comburg, Ellwangen oder Weltenburg, die einen Besuch verdienen. Gelegentlich sind Abstecher vorgeschlagen worden, damit dem Reisenden – sollte er genügend Zeit haben – verborgene Kunstschätze oder landschaftliche Höhepunkte nicht entgehen.

Auf den ›Gelben Seiten‹ wurden Ausflüge in die Gastronomie unternommen, Schloßhotels und Weine nachgewiesen, Volksfeste und Märkte notiert und Eigenarten der Bewohner festgehalten, denn »der Mensch lebt nicht von Kunst allein«. Die Auswahl mußte knapp gehalten werden, Vollständigkeit konnte nie erstrebt werden. Daher werden Sie Ihren Notizblock füllen können in dem angenehmen Gefühl, mehr als der Autor gesehen zu haben. Erschlossen ist unser Gebiet u. a. durch Teilstücke der ›Burgenstraße‹ (Heidelberg–Heilbronn–Rothenburg), der ›Romantischen Straße‹ (Feuchtwangen–Donauwörth) und der ›Deutschen Ferienstraße Ostsee–Alpen‹ (Gundelsheim/Neckar–Jagsthausen–Hall–Ellwangen–Dinkelsbühl–Eichstätt–Kelheim). Ein guter Straßenatlas erleichtert die Zusammenstellung individueller Routen und auch die Lektüre des Kapitels ›Überblick‹.

Nicht um mit Wissen zu beeindrucken, sondern um zeitliche Einordnung zu ermöglichen, wurden reichlich Bau- und Lebensdaten angegeben. Hinter Künstlernamen steht die Lebenszeit, hinter Herrschernamen nur die Regierungszeit.

Danken möchte ich allen, die mir geholfen haben, diesen Band zuwege zu bringen, auch den Kollegen, die mir die richtigen Adressen verschafften. Für kritische wie hilfsbereite Durchsicht einiger Abschnitte bin ich dankbar den Herren Dr. med., Dr. phil. W. von Moers-Messmer und L. Merz (für Heidelberg), H. Baier (für Schloß Heidelberg und die Burgenstraße bis Eberbach), J. Löb (für Eberbach), W. Gauß (für Heilbronn) und Dr. G. Schörner (für Eichstätt), die sich viel Mühe gegeben haben. Für die anregende und großzügige Betreuung des Bandes habe ich Frau Inge Bodesohn, für die Mitarbeit an den Registern Frau Ute Leutloff zu danken.

Werner Dettelbacher

Überblick

Landschaften und Leute

Entscheidend geformt wurde das schwäbisch-fränkische Stufenland, dem unser Reise-
gebiet angehört, durch die Bildung der Alpen im Tertiär. Unter den von Süden an-
brandenden Druckwellen zerbrachen die Deckschichten über den variskischen Gebirgs-
stümpfen wie eine Eisdecke in Schollen. Diese wurden an manchen Stellen hochgekippt,
übereinandergeschoben oder versenkt. Dabei stürzte im Westen unseres Gebietes der
Oberrheingraben ein, Teilstück einer Zerrungsfuge, die im Südwesten durch die Saône-
Rhône-Senke, nach Norden durch die hessischen Senken bis zum Oslograben markiert
ist. Hier brach der Scheitel eines kristallinen Grundgebirges ein, dessen Flanken stehen
blieben. In unserem Gebiet blieb der Odenwald als Flanke stehen, der seine Steilseite
zum Oberrheingraben zeigt, während er nach Osten sanfter abfällt. Doch nicht nur er
wurde angehoben und leicht schräg gestellt, sondern alle Schichten, die auf ihm lasteten.
Den ständigen Angriffen der Witterung hielten diese Schichten in den vergangenen
60 Millionen Jahren nicht stand, sie wurden abgetragen. Am weitesten nach Südosten
verdrängt wurde die Juraformation mit Platten- und Riffkalken, die in einem tropisch-
warmen Flachmeer vor 155 Millionen Jahren entstanden sind. Beim Vordringen in die
südliche Frankenalb am Altmühllauf lernen wir die älteren Schichten des Dogger
(Braunjura) mit dem Eisensandstein und des Lias (Schwarzer Jura) mit seinen Mergeln
und Tonschiefern kennen. Etwas besser hielt sich der Keuper, vor allem in Mulden-
gebieten, die nicht so der Verwitterung ausgesetzt waren. Entstanden vor rund 165
Millionen Jahren in einem zunächst feuchten, dann tropisch-heißen Klima, stammen
seine verschiedenen Sandsteine aus küstennahen Schwemmfächern, aus Deltaniederun-
gen und Strandseen. Die grauen bis braunen Sandsteine sind z. T. als Werksteine geeignet, zumal aus den Brüchen der Frankenhöhe. Die nächste Scholle, die wir von Südosten, also von der gemächlichen Steigung her betreten, besteht aus Muschelkalk und
entstand vor 175 Millionen Jahren in flachen Meeren. Diese waren im trocken-heißen
Klima stark eingedunstet und bekamen durch weitere Überflutungen neue Schichten
geliefert. Im Nordwesten, den Odenwald bedeckend, treffen wir den Buntsandstein
an, der am widerstandsfähigsten war und daher noch als Deckschicht über dem kristallinen Grundstock des westlichen Odenwaldes erhalten blieb. Die durch den Unterlauf
des Neckar durchschnittenen Lagen der Platten- und Felssandsteine von herrlicher

DIE GEOGRAPHISCHE LAGE

dunkel- bis hellroter Färbung, ausgezeichnete Werksteine liefernd, entstanden vor 185 Millionen Jahren in den Schwemmfächern küstennaher Flüsse und Watten der Niederungen aus sandigen und tonigen Ablagerungen. Das Heidelberger Schloß und die Bergfriede der Neckarburgen sind z. B. aus diesem Material, das widerstandsfähiger als Keupersandstein ist; beide Materialien sind für den Plastiker besonders geeignet.

Eine Sonderstellung nimmt das Ries ein. War man früher der Ansicht, ein mächtiger Gasausbruch habe den Gesteinsdeckel abgehoben und dieses fast kreisrunde Becken geschaffen, so erhärtet sich jetzt die Theorie, ein Meteoriteneinschlag habe diesen Krater vor rund 15 Millionen Jahren geschaffen. Wie die Verformung und Verschmelzung der Gesteine am Kraterrand ausweisen, habe dabei eine Kraft gewaltet, wie sie Tausende von Atombomben vom Typ Hiroshima entwickeln. Die Fruchtbarkeit des Rieses wird allerdings dem See verdankt, der hier entstand und ablagerte, bis die Wörnitz die Jurasperre bei Harburg durchbrach.

Die Landschaften unseres Gebietes werden durch die Flüsse bestimmt. Handel und Schiffahrt waren auf sie angewiesen, die Anfänge von Gewerbe und Manufaktur machten sich ihre Wasserkraft zunutze. Heute ist nur der kanalisierte Neckar als Großschiffahrtsstraße befahrbar, doch wurden z. B. die Betriebe am Kocher ausgebaut, auch wenn seine Wasserkraft längst nicht mehr ausreicht, um den Bedarf an Energie zu decken. Eine Großschiffahrtsstraße, der Rhein-Main-Donau-Kanal, soll bis ca. 1992 den Weg von Nürnbergs Hafen bis zum Osthafen Regensburg zurückgelegt haben; immerhin ist der Juraübergang das schwierigste, daher teuerste Stück der Trasse von Mainz nach Regensburg.

Beherrschend ist in unserem Gebiet allerdings die Landwirtschaft, deren Produkte in den zahlreichen kleinen und mittleren Zentren vermarktet und verarbeitet werden. Wie sehr es dabei auf den Boden, seinen Mineralreichtum und auf das lokale Klima ankommt, zeigen so ergiebige Gebiete wie das Heilbronner Becken und das Ries. Daß man auch bei mittelmäßigen Bedingungen durch Fleiß und die Kunst der Veredelung etwas mehr erreichen kann, das beweisen die Obsthaine um Öhringen, die Winzergemeinden am Kocher oder die Viehzucht im Kreis Schwäbisch Hall, wo 80 % der landwirtschaftlichen Einnahmen aus der Viehhaltung stammen. Wie nahe die Unterschiede in der natürlichen Ausstattung liegen, zeigt am besten das Hohenloher Land. Jagst und Kocher samt Zuflüssen haben sich tief in den Muschelkalk eingeschnitten, bilden im harten unteren und im Haupt-Muschelkalk steile, bis 200 Meter hohe Felswände (›Kleebe‹ gen.), die in schweren Steigungen überwunden werden müssen, um auf die begünstigte Hochfläche zu gelangen. Die steinigen Weinberge sind meist aufgegeben worden, liegen öd oder sind mit Obstbäumen bepflanzt; im Talgrund überwiegen die Wiesen. Die Hochfläche dagegen bietet auf steinarmer Lettenkohle tiefgründigen Verwitterungslehm und stellenweise angewehten Löß, also bestes Ackerland. Da man früh die Realteilung aufgab – das Austeilen des väterlichen Erbes –, so blieben in den Dörfern größere Höfe erhalten, die sich in Mulden ducken, um dem kalten Winterwind der Hohenloher Ebene zu entgehen. Die Keuperstufe hingegen mit

ihrem Abfall nach Westen und Nordwesten ist ihres armen Sandsteins wegen ein Wald-
land geblieben, so die Südwestflanke unseres Gebietes, die Löwensteiner-, Mainhardter-
und Limpurger Berge, aber auch im Osten die Crailsheimer Haardt, die Frankenhöhe,
die Ellwanger Berge. Überall dort, wo das zerfallende Gestein keine Mineralien enthielt oder zu flache Gründe hergab, blieb der Wald erhalten, so der Oettinger Forst am
Nordrand des Rieses, der Weißenburger Wald mit seinen Fortsetzungen nach Süden
und Osten, der Köschinger Forst nördlich Ingolstadt u. a. Mitunter ließ der wasser-
durchlässige Juraboden gar keinen Wald mehr aufkommen, wie die Wacholderheide
bei Gungolding und Arnsberg an der Altmühl zeigt.

Die Menschen, die in diesem verschobenen Trapez mit den Eckpunkten Heidelberg–
Bartenstein–Kelheim–Donauwörth leben, werden von Volkskundlern und Dialekt-
forschern vier Stämmen zugewiesen. Im Nordwesten wohnen Pfälzer, die südwestliche
Gruppe des fränkischen Stammes, noch untergliedert in die Rheinpfälzer links und die
Kurpfälzer rechts des Stromes. Dank einer anderen Geschichte und anderer Nachbarn
und deren Einflüsse hebt sich die Kurpfälzer Art und Mundart von der Ostfrankens
ab, obwohl beide ihre Wurzel im Fränkischen haben. Gemeinsam ist ihnen die leb-
hafte Redeweise, die leichte Art, Schwierigkeiten zu überwinden oder zu umgehen,
auch die Neigung zu Gesellgkeit, Spott und Schadenfreude. Die (Ost-)Franken, die
das Hohenloher Land und das obere Altmühltal bewohnen, sind als Dorf- und Klein-
stadtbürger zurückhaltender. In die nach 1803 zu Baden und Württemberg geschenkten
Gebiete zogen Beamte, insbesondere Pfarrer und Lehrer aus den Kerngebieten ein,
die Schwäbisch zur Umgangssprache der Honoratioren erhoben, die das Fränkische in
Schulen und Kirchen der Städte und Städtchen verdrängte, zudem ein badisches oder
württembergisches Staatsgefühl vermittelte. Wer von der Schwäbischen Alb ins Hohenlohische versetzt wurde, war meist hochzufrieden und blieb seßhaft. Wen aber das
Schicksal vom Bodensee oder dem Breisgau ins Bauland (nordöstlich Mosbach) ver-
schlug, der hatte Sehnsucht nach milder Luft und früher Obstbaumblüte, verfluchte das
›badische Sibirien‹ und strebte von dannen. Seit dem Zustrom von Flüchtlingen und
Heimatvertriebenen, seit der Bildung des Staates Baden-Württemberg (1952) haben
sich die Unterschiede nachhaltig verwischt, die sich früher in der Stammes- und Kon-
fessionszugehörigkeit ausgeprägt hatten. Daß es diesen Franken nicht an Intelligenz
gebrach, beweist die anerkennende Bezeichnung ›Prälatenwinkel‹ für das südliche
(württembergische) Hohenlohe; daß sie oft auswandern mußten, um anderswo besser
zurecht zu kommen, das zeigen Goethes Großmutter väterlicherseits und sein Groß-
vater mütterlicherseits (Textor), die genauso aus dem südwestlichen Franken stammen
wie einige der Vorfahren von Eduard Mörike, Justinus Kerner, Gustav Schwab und
Chr. Fr. D. Schubart, die doch allesamt als wackere Schwaben gelten.

Schwaben siedeln im Ellwanger Bereich und im Ries, also im Südwesten unseres
Gebietes. Die Rieser Schwaben, von Franken und Bayern auf drei Seiten belagert,
haben in Mundart, Tracht und Brauchtum eigene Formen bewahrt, auch wenn ihr
Land nach 1803 zu Bayern geschlagen wurde. Gleich ihren Stammesbrüdern im Kern-

GESCHICHTLICHE ANFÄNGE

gebiet wird ihnen Zähigkeit im Verfolgen der Ziele, Geschicklichkeit, Findigkeit und ein Hang zum Grübeln nachgesagt, der allerdings um Ellwangen durch jahrhundertealten Katholizismus, im Ries durch behäbige Lebensart gemildert wird. Der Hang zur Bildung von Zirkeln und Konventikeln, der bis zur Abkapselung führen kann, ist weniger ausgeprägt. Mit den Franken hat man die Neugierde und die höfliche Behandlung Fremder gemeinsam, mit den Bayern das Selbstbewußtsein.

Der bayerische Stamm, der das Areal jenseits der Linie Donauwörth–Beilngries besetzt hielt, inzwischen bis Wemding und Eichstätt vorgedrungen ist, hat die offene Art, die Begabung für Musik und festlichen Brauch, für Selbstdarstellung und hohe Selbsteinschätzung mit den Stammesbrüdern südlich der Donau gemein, jedoch, da zumeist auf kargem Boden lebend, nicht die Möglichkeit, mit großen Höfen, reichen Dörfern und stattlichen Rücklagen zu prunken. Seit der Gebietsreform von 1972 gehören Stadt und Landkreis Eichstätt zum Regierungsbezirk Oberbayern, dessen nördliches Zentrum Ingolstadt wie ein Sog auf die Bevölkerung des mittleren Altmühltales wirkt.

Gemeinsam ist allen vier Stämmen, die gastliche, freundliche Aufnahme, die Hilfsbereitschaft, die der Reisende antrifft. Noch (!) ist hier der Fremde kein ›Faktor‹ des Fremdenverkehrs, sondern wirklich Gast.

Stichworte zur Geschichte des Zwischenstromlandes

Von den Kelten, die als erstes Volk unser ganzes Gebiet besiedelten, wissen wir noch zu wenig, da Ausgrabungen nur sporadisch angelegt sind und sich mehr der römischen oder germanischen Epoche zuwenden. Befestigte Stadtanlagen wie Neuburg/Donau oder Kelheim, Herrensitze und Fliehburgen wie Stöckenburg/Vellberg sind wie die zahlreichen Viereckschanzen noch ungenügend erkundet. Eine Ausnahme machen keltische Münzen und Kleinbronzen, die früh in Sammlungen eingingen und eine Vorstellung geben von der handwerklichen Kultur und dem Götterhimmel der Kelten.

Als die Römer im 1. Jh. n. Chr. den westlichen Teil unseres Reisegebietes besetzten und durch den Limes schützten (s. nächstes Kapitel), da rotteten sie ja nicht die keltische Bevölkerung aus, auf deren Landwirtschaft sie angewiesen waren, sondern die kulturellen Einflüsse Roms (in Garnisionstädten natürlich stark verdünnt) vermischten sich mit dem, was die Kelten zu bieten hatten, zu einer provinzialrömischen Legierung, bei der Kunstfertigkeiten wie Feldvermessung, Haus- und Straßenbau, Keramik und Münzprägung obenan standen.

Durch die Alemannenangriffe erschüttert, räumten die Römer diesen Teil Obergermaniens und zogen sich auf die Flußgrenze von Rhein und Donau zurück. Die Alemannen (= Männer, von ihren Nachbarn Sweben gen.), von der unteren und mittleren Elbe stammend, hatten 213 schon das Obermaingebiet inne, als sie zum ersten Sturm auf den Limes ansetzten, beherrschten dann das rechtsrheinische Gebiet vom Bodensee zur Neckarmündung, dehnten nach dem Tod des Aëtius († 454) ihre Herrschaft in die Nordschweiz und die Vogesen aus und eroberten das Land zwischen Bodensee und Lech.

Ihre Macht wurde 496 durch die Franken unter Chlodwig in der Schlacht von Zülpich gebrochen. Nach einem vergeblichen Aufstand der Alemannen 506 wurden die nördlichen Gaue zwischen unterem Neckar und mittlerem Main von Franken besetzt, das Land als Königsgut eingezogen, fränkische Siedlungen angelegt. Als Linie der Siedlungen und dann des Dialektes zwischen Schwaben und (Ost-)Franken spielte sich die Südgrenze des Hohenloher Landes ein, die östlich Heilbronn beginnt und über Ellwangen südlich Dinkelsbühl und Weißenburg zieht. Während der ganze Rieser Kessel zum schwäbischen Bereich zählt, beginnt östlich davon das bayerische Stammesgebiet, das die 515–525 eingewanderten Gruppen, die unter dem Namen der Bajuwaren zusammengefaßt wurden, besetzten. Unter fränkischer Billigung nahmen sie das untere Altmühltal bis Beilngries und das Donautal von Wörth bis Weltenburg, das in Kapitel IV behandelt wird. Während der fränkischen Oberherrschaft drang das Christentum in diese Gebiete vor, von irischen Mönchen verbreitet, deren bekannteste Kilian, Columban und Gallus gewesen sind. Eine straffe kirchliche Organisation gab diesem Gebiet erst Bonifatius durch die Einrichtung der Bistümer Würzburg (742), Eichstätt (745) und Augsburg (739); der Nordwesten mit Heidelberg und Wimpfen war vom Bistum Worms aus (gegründet um 340) kirchlich organisiert worden.

Seit Otto I. (936–973) die Bischöfe mit Verwaltungsaufgaben des Reiches betraute, wächst deren Einfluß und schließlich durch Schenkungen ihr weltliches Territorium. Ausgangs des Mittelalters besaßen im Norden unseres Gebietes Anteile die Hochstifte Worms und Würzburg samt dem Erzstift Mainz, im Süden und Südosten die Hochstifte Augsburg und Eichstätt, dazu kam Streubesitz des Deutschen Ritterordens. Als ihre Vögte und Verwalter, vor allem aber im Dienst der Kaiser taten sich einige Familien aus altem Adel hervor, denen es ebenfalls gelang, ein Territorium aus Schenkungen, Erbfall und Heiratsgut zusammenzubringen. Am einflußreichsten waren die Pfalzgrafen, die einen Sitz im Kurfürstenkollegium erhielten, dann die Hohenlohe, die ein ansehnliches Gebiet zwischen Heilbronn und Rothenburg erringen konnten, die Oettingen, die das Ries beherrschten. In der Stauferzeit gewannen die Reichsdienstmannen als Verwalter des Reichsgutes, das im östlichen Schwaben und im angrenzenden Franken reichlich war, Einfluß. Ihnen gelang zumeist der Zugang zum niederen Adel, der seinerseits Lehensnehmer der Bischöfe, Klöster oder der oben genannten Territorialherren war. Die erfolgreichsten Reichsministerialen waren die Marschälle von Pappenheim, die westlich Eichstätt ein eigenes Territorium aufbauten. Aus dem Adel des Hohenloher Landes, das einst mit 270 Burgen bestückt war, sitzen heute noch die Stetten, Crailsheim und Berlichingen auf Burgen, die seit 600–800 Jahren in Familienbesitz sind.

Durch die Staufer begünstigt, machten sich einige Städte in verkehrsgünstiger Lage und daher Handelsmittelpunkte in der kaiserlosen Zeit von früheren Bindungen frei

REICHSSTÄDTE · BAUERNKRIEG · REFORMATION

und damit reichsunmittelbar. Die ›Städtefreunde‹ Rudolf von Habsburg (1273–91) und Ludwig der Bayer (1314–47) sicherten des ›Reiches Städte‹ rechtlich ab, benutzten sie als Gegengewicht zu eigenmächtigen Territorialherren, hatten in ihnen ihre zuverlässigsten Steuerzahler und Zulieferer zum Reichsheer. Von den Reichsstädten unseres Gebietes – Heilbronn, Hall, Nördlingen, Dinkelsbühl, Weißenburg, Gunzenhausen, Donauwörth – erlebten die letztgenannten zwei das Ende des Alten Reiches (1803/06) nicht mehr in Selbständigkeit. Der Reichtum und der fromme Stolz der Reichsstädte führte zu den imposanten gotischen Kirchen wie St. Georg in Dinkelsbühl, St. Georg in Nördlingen, St. Michael in Hall und St. Kilian in Heilbronn mit dem Turm aus der Renaissance. Sie hatten als Kirchenbauherrn den Adel abgelöst, der vor allem die großen Klosteranlagen gefördert hatte, wie Kaisheim, Heidenheim, Ellwangen und Auhausen, wie die Comburg und St. Peter im Wimpfen, oder vorher, in der Kreuzzugsbegeisterung Schöntal an der Jagst, das im Barock ein ganz anderes Gewand erhielt.

Ein kurzer Einschnitt war der Bauernkrieg von 1525, der mißglückte Aufstand gegen Adel und Geistlichkeit, der viele Burgen und einige Klöster, vor allem deren Archive, niederbrannte. Die Katastrophe kam erst mit dem Dreißigjährigen Krieg, der begann, als Pfalzgraf Friedrich, das Haupt der protestantischen Union, sich zum König von Böhmen wählen ließ, womit ein Kernland (und eine Kurstimme) dem Reich der Habsburger entrissen worden wäre. Unser Gebiet hatte mit den Anliegern in Franken, Schwaben und der Pfalz die meisten Durchzüge und Plünderungen auszuhalten; bis zu zwei Drittel der Bevölkerung wurden getötet oder von Seuchen dahingerafft. Die Rheinpfalz erlebte nach diesem Aderlaß noch 1689 und 1693 im Pfälzischen Erbfolgekrieg das System der verbrannten Erde, die Zerstörung der Städte bis auf die Grundmauern.

Davon erholten sich die mittleren und kleinen Staaten erst zu Anfang des 18. Jh., doch floß das Geld der Duodezfürsten* jetzt in Schloßbauten, in Parks und Amtshäuser der Residenzstädtchen, von denen unser Gebiet zahlreiche enthält (s. S. 120 ff., ›Die Straße der Hohenlohe-Residenzen‹). Während z. B. Heidelberg und Ellwangen einzelne schöne Barockhäuser präsentieren, ist der Eindruck in Eichstätt geschlossener; die Stadt hat in Gabrieli einen hervorragenden Gestalter gefunden. Reiche Abteien wie Schöntal und Ellwangen oder die Deutschordenskommende Ellingen konnten sich barocke Schlösser bauen lassen oder sich wenigstens einen Sommersitz im Geschmack des Rokoko leisten wie die Reichsabtei Kaisheim in Leitheim an der Donau. Dort, wo aber der Landesherr evangelisch oder gar reformiert (Pfalz) war, da wurden die Kirchen zum großen Teil ausgeräumt, da Malerei und Plastik als götzendienerisch, zumindest aber ablenkend galten. Das rühmenswerte Gegenbeispiel ist Hall. Neue Kirchen wurden in diesem überwiegend evangelischem Gebiet schlicht gehalten. Den Jubel des Barock muß man daher in Schöntal und Comburg, Ellwangen (Wallfahrts-

---

* Kleinfürsten, benannt nach dem Buchformat Duodez.

14

Streit zwischen armen und reichen Bauern. Holzschnitt des Petrarca-Meisters. 1519/20

kirche) und Ingolstadt (Sta. Maria de Victoria), schließlich in Weltenburg, der Schöpfung der Brüder Asam, aufsuchen.

Mit der Säkularisation der geistlichen Gebiete und der Mediatisierung der Fürstentümer, Graf- und Ritterschaften 1803–09 fiel der Osten an das Königreich Bayern, die Mitte an das Königreich Württemberg und der Nordwesten an das Großherzogtum Baden, alle von Napoleons Gnaden. Dadurch verschwanden zwar viele Kleinstaaten, aber auch die Mäzene, die bis dahin die Künstler mit Aufträgen versorgt hatten. Die Klöster waren aufgehoben, die ehem. Landesherren behielten ihre Schlösser und ihren Privatbesitz, mehrten aber jetzt ihre eigenen Sammlungen und ihr Privatvermögen. Aus öffentlichem Besitz wanderten wertvolle Stücke in die neuen Landeshauptstädte, nach Karlsruhe, nach Stuttgart und München. Für die neuen Mäzene, für die Industriellen, lag und liegt das Gebiet abseits, besitzt nennenswerte Industrie nur in Heilbronn/Neckarsulm und in Ingolstadt. Was dem Land aber an Schätzen aus früheren Jahrhunderten geblieben ist – es ist erstaunlich viel – zeigen die folgenden Kapitel.

Der Limes

Ende des 1. Jh. n. Chr. gab Kaiser Domitian (81–96) die römische Angriffspolitik in Obergermanien auf, nachdem Markomannen und Quaden an der mittleren Donau immer wieder ins Reichsgebiet einfielen und Truppen banden. Der obergermanische Heeresbezirk wurde in eine Provinz verwandelt, die durch Kastelle und Wachtposten entlang der Grenze (limes) geschützt wurde. Dabei nahm der Untermain von Miltenberg bis Seligenstadt und der Neckar von Mosbach bis Cannstadt einen Grabenbau ab. Von starken Kastellen wie Neckarburken, Wimpfen, Heilbronn-Böckingen, in denen größere Truppeneinheiten lagen, wurde die Sicherung betrieben, auf Wachttür-

DER LIMES

men das Vorfeld observiert, jede Gefahr durch Feuer- und Rauch-Signale von Turm zu Turm bis zum Kastell gemeldet. Der ›nasse Limes‹ (= Flußlauf) bei Obernburg und Wörth am Main wurde durch eine Reihe Kastelle im Odenwald mit dem am mittleren Neckar verbunden. Das östlich vorgelagerte Land wurde erst Mitte des 2. Jh. durch den vorderen Limes einverleibt. Dieser begann bei Bürgstadt/Miltenberg, zog südöstlich um Walldürn, dann schnurgerade 80 Kilometer nach Süden, im Rücken die Kastelle Walldürn, Osterburken, Jagsthausen, Westernbach, Öhringen, Mainhardt, Murrhardt. Beim Haghof nahe dem Kastell Welzheim sprang der Limes etwas nach Osten und erreichte bei Lorch seinen südlichsten Punkt. Hier begann der rätische Limes, der wegen Eisenvorkommen im 2. Jh. nach Norden ausgebuchtet worden war. Er zog von Lorch nach Schwäbisch Gmünd, dann an Böbingen und Hüttingen vorbei, verlief zwischen Gunzenhausen und Dinkelsbühl, wo er heute noch zu sehen ist, nördlich Ellingen vorbei und in leichtem Bogen über die Höhen nördlich Eichstätt nach Kipfenberg. Dort hat er seinen vorliegenden Graben wieder und zieht westlich bis vor Sandersdorf (B 299), dann als gut erkennbare ›Teufelsmauer‹ zur Hadrianssäule an der Donau, zehn Kilometer stromaufwärts von Kehlheim (s. Übersichtskarte in der vorderen Einbandklappe).

Im Unterschied zum alten Neckarlimes bestand die Befestigung zwischen Main und Lorch, die spätestens 161 unter Kaiser Antoninus Pius (138–161) begonnen wurde, aus einer Palisade, aus Wall und Graben dahinter, und aus steinernen Wachttürmen, deren Grundmauern z. T. erhalten blieben. Die 166 Kilometer lange Steinmauer (Teufelsmauer), die auf Pfahlrosten Bäche und die Altmühl überquerte, wurde erst nach dem Alemanneneinfall von 213 gebaut, konnte aber diesen zähen Gegner auf die Dauer nicht abhalten. Schon 233 brachen die Alemannen erneut durch, wurden 236 unter Kaiser Maximinus Thrax (235–238) nochmals zurückgedrängt und alle beschädigten Kastelle (z. B. Öhringen) wieder aufgebaut. Doch 259/260 räumten die Römer endgültig das vom Limes umspannte Rätien. Der letzte römische Münzfund stammt aus dieser Zeit. Die ständigen Thronwirren und die äußeren Angriffe an vielen Reichsgrenzen hatten zur Abberufung von Legionen, zur ›Verdünnung‹ der zurückbleibenden Einheiten geführt. Auf die Dauer wäre durch die relativ unbeweglichen Einheiten zu Fuß der Limes nicht zu halten gewesen; zwischen Miltenberg und Welzheim z. B. stand keine größere Reitereinheit.

Wer die Überreste eines Kastells besehen will, sei auf Osterburken (südlich des Bahnhofs) verwiesen, auf das in Jagsthausen vollständig ausgegrabene Kastellbad (noch 244–247 gebaut) oder auf das Kastell in Pfünz/Altmühl. Die wertvolleren Funde wie Statuen, Inschriftsteine usw. sind in die großen Landesmuseen in Karlsruhe und Stuttgart gelangt, die Stücke aus dem Altmühlbereich auf der Willibaldsburg über Eichstätt zu betrachten. Einzelstücke bewahren auch die Museen Jagsthausen, Künzelsau und Mainhardt. Auf der Deutschen Generalkarte (1:200 000) ist der Limes eingezeichnet, auf guten Verkehrskarten sind auch die Römerstraßen des Limeshinterlandes vermerkt, die als Landstraßen und Feldwege heute noch benutzt werden, so die berühmte von Weißenburg nach Eichstätt und Nassenfels.

2 BAD WIMPFEN am Neckar

3 HEIDELBERG Blick auf Stadt und Schloß vom Philosophenweg aus

4 BURG HORNBERG bei Neckarzimmern

5 VELLBERG Blick auf Schloß und Rathaus   6 ALTMÜHLTAL mit Burg Prunn ▷

7 Stift COMBURG bei Schwäbisch Hall

8 SCHWÄBISCH HALL   Rathaus

9 DINKELSBÜHL   Deutsches Haus
o WEISSENBURG/Bayern   Ellinger Tor

I Am Neckar

Heidelberg

Den besten Blick auf die Altstadt von Heidelberg und das Schloß auf halber Höhe gegenüber hat man vom PHILOSOPHENWEG (Ft. 3), der sich rechts des Neckars, in Neuenheim beginnend, um den Südfuß des Heiligenberges legt. Das Panorama der Altstadt zwischen Theodor-Heuss-Brücke im Westen und dem Stauwehr mit Doppelschleuse im Osten liegt aufgerollt zu unseren Füßen. Eingefügt in die Neckarfront sind Stadthalle und Marstall. Mit leichtem Schwung zieht die Karl-Theodor-Brücke hinüber ans linke Ufer und entläßt Fischer- und Steingasse zum Marktplatz mit der Heilig-Geist-Kirche, dem Zentrum der Altstadt. Rechts von ihrem hohen Turm ragen die Türme der Jesuitenkirche, der Peters- und Providenzkirche über die steilen Giebel. Eine Etage darüber und an den linken Rand unseres Blickfelds gerückt, steht sandsteinrot die schönste Schloßruine Deutschlands vor dem dunkelgrünen Waldhang des Königstuhls (Abb. 1). Diesen vielbesungenen einmaligen Blick auf die Stadt zwischen Strom und Steilhang, auf ein Areal von maximal 2000 Meter Länge und 400 Meter Breite gelagert, sollte man in sich aufnehmen, ehe man zur Entdeckung der Altstadt aufbricht. Das neue Heidelberg mit seinen Universitätsinstituten, mit Bahnhof, Industrieanlagen und dem US-Hauptquartier liegt im Westen, schon in der Rheinebene und auf dem Gelände der eingemeindeten Orte Neuenheim, Handschuhsheim, Rohrbach, Kirchheim, Wieblingen.

Wer mit dem Neckar, also von Osten, von Schlierbach herkommt, trifft auf das KARLSTOR, einen barocken Torbau von Pigage, der einem antiken Triumphbogen nachgebildet ist. Wie sein (inzwischen abgebrochenes) Gegenstück am Westausgang der Stadt, das Mannheimer Tor, war es nur noch als Prunkstück gedacht, enthielt allerdings drei unterirdische Gefängnisse. Es ist eine Art Denkmal für Karl Theodor von Pfalz-Sulzbach geworden, den ›Landesvater‹, der 1777 auch Bayern erbte, mangels legitimer Erben aber beide Kurstaaten 1799 an Max Joseph von Pfalz-Zweibrücken hinterließ. Ein prachtliebender, kunstverständiger Fürst, regierte er meist von Mannheim aus, der im Schachbrettgrundriß an der Mündung des Neckar in den Rhein angelegten Stadt, verwendete viel Geld und Phantasie auf Schloß und Garten von Schwetzingen.

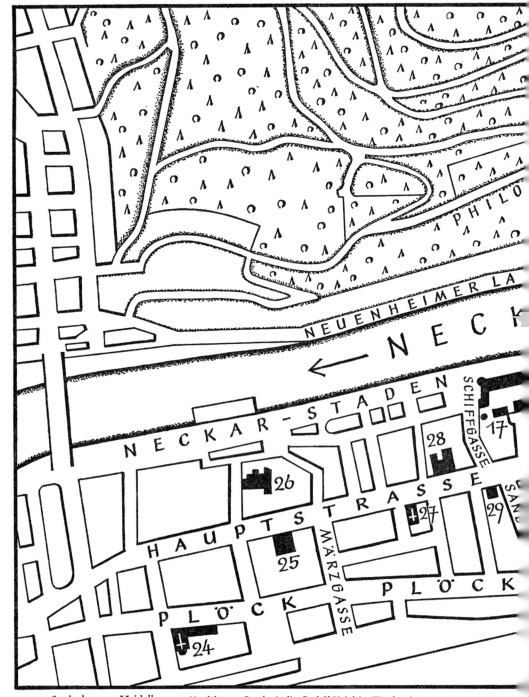

Stadtplan von Heidelberg   (Ausführung: Graph. Atelier Rudolf Hainlein, Würzburg)
1 Karlstor   2 ›Roter Ochs‹ und ›Seppl‹   3 Buhlsches Haus   4 Pflege Schönau   5 Palais Boisserée
6 Karlsplatz   7 Akademie der Wissenschaften   8 Schloß   9 Kornmarkt   10 Rathaus   11 Heilig-Geist-Kirche   12 Ehem. Hofapotheke   13 Haus zum ›Ritter‹   14 Bibienahaus   15 Alte Brücke

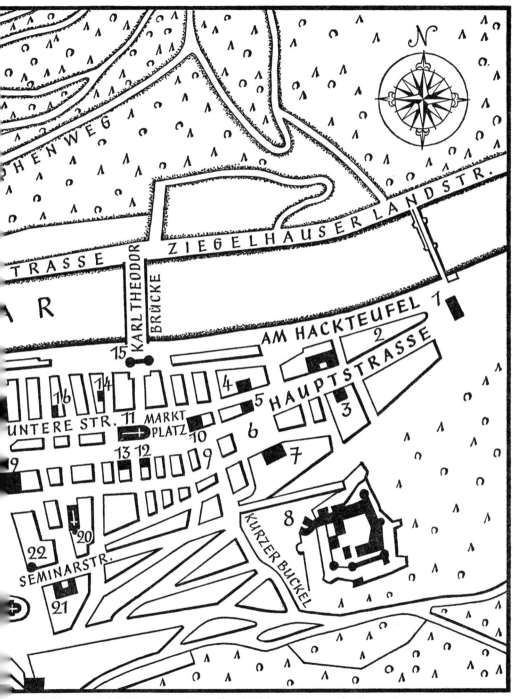

mit Tor 16 Palais Rischer 17 Marstall 18 Pfälzer Hof 19 Alte Universität 20 Jesuitenkirche 21 Collegium Academicum 22 Hexenturm 23 Peterskirche 24 St. Anna-Hospital 25 Haus zum ›Riesen‹ 26 Anatomie 27 Providenzkirche 28 Kurpfälzisches Museum 29 Wormser Hof

HEIDELBERG HAUS ZUM RITTER · HEILIG-GEIST-KIRCHE

Heidelberg verdankt ihm die berühmte, nach ihm benannte BRÜCKE, die er 1788 erbauen ließ, nachdem die letzte von vielen Vorgängerinnen beim Eisgang 1784 ihren hölzernen Mittelteil verloren hatte. Das Standbild des Johannes von Nepomuk, das einst auf der Brücke gestanden hatte, ist jetzt auf einem Sockel am Neuenheimer Ufer zu sehen, wo er weiter als Schutzpatron der Schiffer und Fischer fungieren kann. Auf der Brücke erinnert das Standbild Karl Theodors an den Erbauer, die Allegorien von Rhein, Donau, Neckar und Mosel an die Herzogtümer Jülich und Berg, die Kurfürstentümer Bayern und Pfalz, die Herrschaft Veldenz an der Mosel, die er alle beherrschte. Die Statue der Pallas Athene hingegen sollte die Kultur der Pfalz symbolisieren. Die zugeordneten Figuren sind Sinnbilder der Frömmigkeit und Gerechtigkeit, des Ackerbaus und Handels, also der sittlichen und materiellen Basis der Pfalz, während die Puttenreliefs auf Astronomie, Architektur, Skulptur, Malerei und Musik verweisen.

Von den Hymnen auf die Brücke soll nur der Anfang von Hölderlins Gedicht ›Heidelberg‹ (1799) stehen, da Besseres nicht gesagt worden ist:

Lange lieb' ich Dich schon, möchte Dich, mir zur Lust
Mutter nennen und Dir schenken ein kunstlos Lied,
Du, der Vaterlandsstädte
ländlichschönste, so viel ich sah.

Wie der Vogel des Walds über die Gipfel fliegt,
schwingt sich über den Strom, wo er vorbei Dir glänzt,
leicht und kräftig die Brücke,
die von Wagen und Menschen tönt.

Wie von Göttern gesandt, fesselt ein Zauber einst
auf der Brücke mich an, da ich vorüber ging
und herein in die Berge
mir die reizende Ferne schien.

An der stadtseitigen Auffahrt recken sich die schlanken Brückentürme beiderseits des Torhauses. Ihre Grundform ist bereits auf der ältesten Ansicht von Heidelberg (Sebastian Münster 1526) zu erkennen. Eine Inschrifttafel über der äußeren Einfahrt und eine kleinere am Ostturm berichten von der wechselvollen Geschichte der Brücke bis zur Sprengung 1945. Vom Verkehr von anderen Brücken weitgehend entlastet, schwingt sie neuerbaut, wie Hölderlin es sah, »wie ein Vogel des Waldes über die Gipfel fliegt, leicht und kräftig« über den Fluß (Ft. 1).

Gehen wir die Haspelgasse hinauf zur Heilig-Geist-Kirche, so kommen wir am behäbigen Barockhaus Nr. 12 vorbei. An der linken Ecke zum Fischmarkt überrascht ein Haus mit einer Madonna, Ende des 18. Jh. von Oberstleutnant von Traitteur im Louis-Seize-Stil umgebaut. Hier, an der Westseite der Kirche vorbei, haben wir den besten Blick auf den RITTER (Abb. 7), das einzige Privathaus, das dank seiner steinernen Fassade und Bauweise die beiden Zerstörungen Heidelbergs von 1689 und 1693 überstand. Errichten ließ den Renaissancebau um 1592 ein hugenottischer Flüchtling aus Tournai, Charles Bélier. Er war der neue Typ des calvinistischen Kaufmanns; trotz Verfolgung dank seines Fleißes reich geworden, zeigte er seine Wohlhabenheit in einer hochgiebligen Fassade, die mit ihren Figuren und Ornamenten aus rotem Sandstein wie 'herausgeschnitzt' erscheint. Dazu hat der Ottheinrichsbau des Schlosses wohl angeregt. Unter den Halbreliefs der alten Frankenkönige hat Bélier, völlig ungewöhnlich für die damalige Zeit sein persönliches Wappen, den Widder (frz. bélier) wie ein regierender Fürst anbringen lassen. Unter der giebelbekrönenden Büste des Ritters St. Georg (daher der Hausname) steht Béliers religiöser Leitsatz »Soli Deo Gloria« (Gott allein den Ruhm). Darunter lesen wir: »Si Jehova non aedificat domum, frustra laborant aedificantes eam« (Wenn Gott nicht das Haus erbaut, arbeiten die Baumeister vergeblich) und dazu überraschend die 'heidnische' Devise: »Persta invicta Venus« (Unbesiegt dauere die Schönheit).

Die HEILIG-GEIST-KIRCHE, die sich mit ihrem Turm mächtig aus dem Häusermeer hebt, gewährt zwischen den Pfeilern des Chors und Langschiffes Kramläden Platz, die Andenken, Bücher und Schmuck auf engstem Raum anbieten. Anstelle einer älteren Anlage, deren romanische Grundmauern 1936 aufgefunden wurden, ließ Ruprecht III., als deutscher König Ruprecht I. (1400–1410), das ›Königliche Stift‹ (= Stiftung) bauen, die weite Hallenkirche mit dem hellen Chor. Er wurde mit seiner Gattin Elisabeth von Zollern im Chor beigesetzt. Das gemeinsame *Grabmal* im spätgotischen Stil ist erhalten geblieben (Abb. 9), während die seiner Nachfolger 1693, als französische Soldaten sie nach Wertsachen durchwühlten, stark zerstört wurden. Schon vorher, nach der Einführung des Calvinismus, waren alle Bildwerke weggeschafft worden. Der unduldsame Geist machte auch vor dem Epitaph Ottheinrichs und seines Bruders Philipp nicht Halt. Der Kurfürst erlebte es nicht mehr, daß reformierte Geistliche Bedenken hatten, wegen der »ärgerlichen Figuren«, der durch nackte Frauen wiedergegebenen Tugenden. Der Kurfürst hatte durch Colin aus Mecheln im Jahre 1550 zwei Mahnmale für seinen frühverstorbenen Bruder arbeiten lassen, während sein eigenes Grabmal von den Brüdern Bernhard und Arnold Abel aus Köln gemeißelt wurde. Die Bilderfeindlichkeit des Calvinismus schöpfte aus dem Gebot der Heiligen Schrift: »Du sollst dir kein Bildnis noch irgendein Gleichnis machen, weder des das oben im Himmel ist noch des, das unten auf Erden, noch des, das im Wasser und unter der Erden ist; bete sie nicht an und diene ihnen nicht (2. Mose 20).«

OTTHEINRICH († 1559), der mit seinem Bruder Philipp das kleine Fürstentum Neuburg an der Donau (s. S. 223) regiert hatte, herrschte von Heidelberg aus über die Kurpfalz von 1556–59. Diese Spanne genügte für zwei außerordentliche Geschenke: den Ottheinrichsbau des Schlosses und die Aufstellung seiner riesigen *Bibliothek* auf den Emporen der Heilig-Geist-Kirche. Zu den fast ausschließlich theologischen Schriften der Kirche gesellte der Bibliomane, der seine Lieblingsbücher in kostbare Einbände hüllen ließ, seine Erwerbungen, die ihn viel Geld gekostet hatten. (Aufgrund seiner Verschwen-

29

dungssucht hatten ihn die Stände von Neuburg – ein einmaliger Vorgang – wegen Bankrotts jahrelang von der Regierung Neuburgs ausgeschlossen.) Als Kurfürst 'besuchte' er z. B. das Reichskloster Lorsch an der Bergstraße und nahm Handschriften der Karolingerzeit mit antiken Texten mit. Den kostbarsten Bestand überbrachte Ulrich Fugger, der zur neuen Lehre übergetreten war und mit 235 Zentnern Handschriften und Drucken nach Heidelberg zog. In Fuggers Nachlaß, den er dem zehnjährigen Friedrich IV. vermachte, fand sich Otfrieds altdeutsches Evangelienbuch, der Sachsenspiegel und eine Liederhandschrift; diese Kostbarkeiten werden jetzt in der Universitätsbibliothek verwahrt.

Als Tilly 1622 Heidelberg eroberte, wurde die ›Bibliotheca Palatina‹ als Kriegsbeute deklariert und von Maximilian von Bayern, dem Haupt der siegreichen Liga, 1623 dem Papst geschenkt, um einen Teil der Kriegskosten abzudecken und den päpstlichen Einfluß zu honorieren. Maximilian hatte den Kurhut erhalten, der dem besiegten Friedrich V., dem ›Winterkönig‹, abgesprochen worden war. Von den 3500 Handschriften und 8800 Drucken, die 1623 auf Ochsenkarren nach Rom in die Bibliotheca Vaticana gelangten, konnten 1815, nach dem Wiener Kongreß, nur 847 aus Rom und 38 aus Paris, wohin sie Napoleon verschleppt hatte, nach Heidelberg zurückgeführt werden. Ein besonderes Schicksal hatte die *Manessische Handschrift*, die, Anfang des 14. Jh. in Zürich geschrieben, das lyrische Werk von 140 Minnesängern aufbewahrte, das uns sonst nur fragmentarisch überliefert worden wäre (Abb. 12). Walther von der Vogelweide, Hartmann von Aue, Wolfram von Eschenbach, um die bekanntesten zu nennen, sind mit einem stilisierten Bild und ihren Liedern dort vertreten. Seit 1490 im kurfürstlichen Besitz, nahm der unglückliche Friedrich V., der zum König von Böhmen gewählt worden war, aber am Weißen Berg bei Prag 1620 geschlagen wurde, die Liederhandschrift im Handgepäck mit ins holländische Exil (Schloß Rhenen bei Utrecht). Seine Witwe veräußerte in Geldnot das ›alte teutsche Reimenbuch‹ an die Gebrüder Dupuy, Bibliothekare Ludwigs XIV., der sich die Handschrift testamentarisch vermachen ließ. 1815 wurde der Band von Feldmarschall Gneisenau vergeblich als Beute von 1622 reklamiert, denn der Kauf war einwandfrei gewesen. Nach der Gründung des zweiten Deutschen Reiches 1871 erschien es vielen als Ehrensache, dieses nationale Denkmal zurückzuholen. Das Deutsche Reich stellte dem Straßburger Buchhändler Trübner 400000 Goldmark zur Verfügung, der damit von Lord Ashburnham 23 karolingische Handschriften kaufte, die der Bücherdieb Libri aus französischen Bibliotheken gestohlen und verkauft hatte. Im Tausch mit diesen und anderen Handschriften kam die Manessische Liederhandschrift in die Universitätsbibliothek Heidelberg, die inzwischen auf Mikrofilm auch die in der Bibliotheca Vaticana in Rom liegenden Handschriften vorzeigen kann.

Der Transport nach Rom hat die Bibliothek vor dem Untergang bewahrt, den Stadt und Schloß im Pfälzer Erbfolgekrieg erlebten. Nach dem Aussterben der Linie Pfalz-Simmern beanspruchte Ludwig XIV. für seinen Bruder, den Herzog von Orléans, der mit Elisabeth Charlotte (= Liselotte) von der Pfalz verheiratet war, das Familienerbe der Liselotte, die Herrschaften Simmern, Kaiserslautern, Sponheim und Germersheim, obwohl sie bei ihrer Heirat darauf verzichtet hatte. Um die Herausgabe zu erzwingen und den Vormarsch der Habsburger gegen die mit ihm verbündeten Türken zu stoppen, besetzte er Ende 1688 die linke Rheinseite mit Mainz und Bonn, dazu die Pfalz mit Heidelberg. Bei seinem Rückzug im Januar 1689 gab er den berüchtigten Befehl »Bruler le palatinat« (Verbrennt die Pfalz) aus, um den nachrückenden Reichstruppen ein zerstörtes Gebiet zu hinterlassen. Damals wurde u. a. der Dicke Turm des Schlosses gesprengt. Noch gründlicher war die Zerstörung 1693 durch französische Truppen, der nur das Haus zum ›Ritter‹ und die freistehende Providenzkirche entgingen; damals wurden die Kurfürstengräber geschändet. Die Totalvernichtung von 1693, in Heidelberg viel schlimmer als die Schäden des Dreißigjährigen Krieges, erklärt auch, weshalb alle herausragenden Bürgerhäuser dem Barock angehören und das Wahrzeichen der Altstadt, der Turm der Heilig-Geist-Kirche, einen Glockenhelm mit zierlicher Laterne von 1709 trägt.

Auf dem Marktplatz östlich der Kirche steht seit 1740 ein Herkules, ein barockes Bild der Arbeit, inzwischen die zweite Kopie. Das 1701–03 von Flemal erbaute RAT-HAUS mit seiner barocken Fassade, das den Platz im Osten abschließt und nach dem Brand 1908 getreu erneuert wurde, hat neckarwärts das Gasthaus ›Zum Goldenen Hirsch‹ (s. Goethes ›Götz‹) zum Nachbarn. Der Weg zum Schloß führt entweder vom Marktplatz durch die Oberbadgasse zur Fahrstraße auf den Schloßberg oder über den Kornmarkt zum Burgweg bzw. zur Talstation der Bergbahn auf den Königstuhl, die wir bis zur Station Schloß benutzen können. Inmitten des KORNMARKTES steht die *Mariensäule*, deren Madonna Peter van den Branden 1718 geschaffen hat. Die Inschrift am Sockel sollte bei den orthodoxen Reformierten um Verständnis werben, daß nicht das Bild, sondern das, was dargestellt werde, Verehrung genießen solle:

> Nicht Stein noch Bild noch Säulen hier,
> das Kind und Mutter ehren wir.

Das Eckhaus Kornmarkt Nr. 5 war das Wohnhaus von Charles de Graimberg, eines Franzosen, der 1810 im ›Hecht‹ abgestiegen war, um die Schloßruine zu malen. Er blieb und trug entscheidend dazu bei, daß weitere Zerstörungen des Schlosses unterblieben (so hatte man die Fensterstöcke ausgebrochen und die Köpfe der kleinen Figuren am Ottheinrichsbau abgeschlagen, um Eisenklammern zu erbeuten), daß die Ruinen gesichert wurden und durch den Vertrieb von Kupferstichen das Schloß in Mitteleuropa jedermann bekannt wurde. Am nahegelegenen Karlsplatz steht das Palais Boisserée (Hauptstr. 209), das 1810–19 die Sammlung altdeutscher Bilder beherbergte, die von den Brüdern Boisserée aus der Masse des Säkularisationsgutes gekauft worden war. Die Brüder verkauften ihre Sammlung 1827 an König Ludwig I. von Bayern für die Alte Pinakothek in München und widmeten sich hinfort der Vollendung des Kölner Domes. Das von Remy de la Fosse 1717/18 erbaute Prinzen-Palais (Karlstr. 4) dient heute der Akademie der Wissenschaften. Es ist vorzüglich restauriert und besitzt die Originalausstattung.

HEIDELBERG DAS SCHLOSS

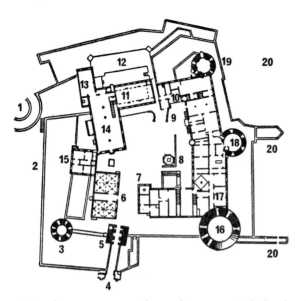

Grundriß des Heidelberger Schlosses
1 Dicker Turm
2 Stückgarten
3 Turm ›Seltenleer‹
4 Brückenhaus
5 Torturm
6 Ruprechtsbau
7 Brunnenhalle
8 Ludwigsbau
9 Ottheinrichsbau
10 Gläserner Saalbau
11 Friedrichsbau
12 Altan
13 Faßbau
14 Frauenzimmerbau
15 Bibliotheksbau
16 Krautturm (gesprengt)
17 Ökonomiegebäude
18 Apothekerturm
19 Glockenturm
20 Schloßgarten

Vor dem SCHLOSS angelangt, betreten wir links den Stückgarten, in dem einst die groben Geschütze (Stücke) standen, nachdem unter Ludwig V. (1508–44) diese nach Westen steil abfallende Bastion in Verbindung mit der Stadtbefestigung errichtet worden war. Eine große Tafel an der Brüstung erinnert an Goethes Aufenthalte 1814 und 1815 und an das Blatt des Ginkgo biloba, das er dort Marianne von Willemer zum Abschied reichte. Das auffällig zweiteilige Blatt, Sinnbild der Zweieinigkeit von Hatem (Goethe) und Suleika (Marianne), inspirierte ihn zu einem Gedicht im ›Westöstlichen Diwan‹. Vom Rondell geht der Blick über die Altstadt hinüber zum Heiligenberg und hinaus in die Rheinebene. Den Abschluß bildet der Dicke Turm, 1533 unter Kurfürst Ludwig ca. 40 Meter hoch gebaut, von den Franzosen trotz sieben Meter Dicke der Mauern gesprengt.

Der anschließende ENGLISCHE BAU wurde 1612–15 in Palladianischer Renaissance errichtet, weil Friedrich V., der 1613 in London Elisabeth Stuart, die Tochter König James I. und Enkelin der Maria Stuart, geheiratet hatte, sie und den Hofstaat standesgemäß unterbringen wollte. An sie erinnert zudem das Elisabethentor im Stückgarten, das Kurfürst Friedrich V. 1615 als Pforte zu einem privaten Garten aufrichten ließ. Diese Idylle dauerte nur vier Jahre, denn auf Zureden der evangelischen Fürsten und seiner ehrgeizigen Gemahlin ließ er sich 1619 von den böhmischen Ständen zum König wählen, mußte jenes Land aber nach 15 Monaten (daher ›Winterkönig‹) räumen und 1622 die Kurpfalz aufgeben. Treten wir bei der Pforte an den tiefen Burggraben heran, so thront jenseits am Mauerknick der Turm ›Seltenleer‹, ein Gefängnis- und Treppenturm, von dem aus Wehrgänge zum Bibliotheksbau nach Norden und zum Torturm nach Osten zogen.

Dem Torturm vorgelagert ist das BRÜCKENHAUS, ehedem nur über eine kleine Zugbrücke zu erreichen. In seinem Obergeschoß hatte Charles de Graimberg z. T. seine Altertumssammlung ausgestellt, die heute den Grundstock des Kurpfälzischen Museums (s. S. 57) bildet. Über die 1718 massiv gewölbte Brücke kommen wir zum 1525–41 erbauten TORTURM, der ca. 40 Meter aus dem Graben steigt und in seinen Schmuckformen von der Gotik in die Renaissance reicht, wie die beiden Torriesen etwa ausweisen. Betreten wir den weiten Innenhof, so steht linker Hand der RUPRECHTSBAU, wohl 1398 begonnen, vielfach verändert und erst 1545 vollendet. Der Schlußstein über dem Portal, Anlaß vieler Deutungen, zeigt zwei Engel mit einem Rosenkranz, in dem ein Zirkel steht. Bemerkenswert die Tafel mit dem Reichsadler (König Ruprechts), der in seinen Fängen die Wappenschilde der Pfalz (schreitender Löwe) und Bayerns (Rauten) hält; eine Arbeit des Meisters Madern Gärtner, der sonst am Frankfurter Dom beschäftigt war. Die beiden Erdgeschoßsäle mit Kreuzgewölbe auf einer Mittelsäule sind wieder hergestellt worden. Hier steht der prächtige *Renaissancekamin* aus der Zeit Friedrichs II., der für den gläsernen Saalbau 1546 geschaffen und nach langem Aufenthalt im Freien hierher versetzt wurde. Der hohe Fries ist durch kleine Pfeiler geteilt, der die Sinnbilder des Todes (Schädel), Schlafes (Mohn), der Zeit (Sanduhr) und der Ewigkeit (Schlangen) trägt. Links rühmt eine Inschrift den Auftraggeber Friedrich II., rechts widmet dieser seiner Frau Dorothea den Kamin. Darüber werden die Wappen der Ehegatten von Löwen gehalten. In den Bogenzwickeln sitzen vier Medaillons mit den Porträts Kaiser Karl V. (Dorotheens Onkel) und seiner Frau Isabella von Portugal und der Eltern der Kurfürstin (König Christian von Dänemark und Isabella, Schwester Kaiser Karls V.). Geschaffen hat dies Muster deutscher Steinmetzkunst sehr wahrscheinlich Conrad Forster, der auch die Inschrifttafel am Bau gemeißelt hat. Die Wendelstiege ist über den 1. Stock hinaus erhalten; ihre Fugen schließen heute wie vor 430 Jahren, dank der geringen Abnutzung des ausgesuchten Steinmaterials und vorzüglicher Maßarbeit. Im Obergeschoß werden z. Zt. die Junkersäle wieder hergestellt.

Gegenüber steht der SOLDATENBAU mit den östlich anschließenden Ökonomiegebäuden, deren eine Hofhaltung reichlich bedurfte; dort hat die heutige Schloßgaststätte ihr Unterkommen gefunden. An der Nordseite ist die offene BRUNNENHALLE angebaut, deren Kreuzgewölbe auf Säulen von Syenit und Urkalkstein ruht, während am Schloß sonst nur rote und gelbe Sandsteine verwendet wurden. Die Säulen, im 3. Jh. n. Chr. als Monolithen für einen römischen Bau gearbeitet, standen später in der Kaiserpfalz zu Ingelheim am Rhein, wo sie der Kosmograph Sebastian Münster noch gesehen hat. Pfalzgraf Ludwig V. ließ die luftige Halle auf vier Säulen und zwei Halbsäulen ruhen, die nicht aus Ravenna herangeschleppt worden waren wie die der Pfalzkapelle zu Aachen, sondern aus einem Steinbruch am Felsberg im Odenwald stammen. Der Brunnen, von 1508–1815 in Betrieb, ist durch 11 m Lehm und 15 m Granit abgeteuft.

Am Springbrunnen vorbei führen uns wenige Stufen vor das Wunderwerk des OTTHEINRICHSBAUES (Abb. 3), dessen Grundstein 1556, zum Regierungsantritt des

HEIDELBERG DAS SCHLOSS

Bauherrn, gelegt wurde. Die stark horizontal wirkende Fassade, völlig aus rotem Sandstein gehauen, besitzt 15 Fensterachsen. Die vertikale Gliederung betreiben vorgelegte
schmale Pfeiler, die im unteren Geschoß ionische Kapitelle, im mittleren korinthische,
im obersten Geschoß kannelierte Säulen mit Kompositkapitellen besitzen. Dekorativ
vom roten Sandstein der Fassade heben sich die 16 Standbilder und vier Portalfiguren
(die vier Temperamente) aus grauem Keupersandstein ab, die Gestalten aus dem Alten
Testament und der antiken Götterwelt zeigen, wie es einem Humanisten geziemte.
Unter Sol und Jupiter stehen Saturn, Mars, Venus, Merkur, Luna, darunter die Tugenden Stärke, Glaube (auch als Weisheit gedeutet), Liebe, Hoffnung, Gerechtigkeit,
schließlich die Helden Josua (mit Helm), Simson (mit Eselsbacke), Herkules (Keule)
und David (Schleuder, Schwert, Goliaths Haupt). Die Figuren arbeitete Alexander
Colin aus Mecheln (1526–1612), der 1558 unter Vertrag genommen wurde. Gelehrsamkeit bewies der Bauherr, in einem Medaillon über dem Tor selbst abgebildet, bei den
Medaillons im Giebelrahmen der Erdgeschoßfenster, wo zwischen musizierenden Putten acht berühmte Römer gezeigt und benannt werden. Ob Kaiser Nero Eindruck auf
Kaiser Maximilian II. gemacht hat, zu dessen Besuch 1570 der Kaisersaal eingerichtet
wurde, ist nicht überliefert. Erhalten haben sich die reichverzierten 14 Türgestelle mit
Putten, Fabelwesen, Kartuschen im schweren Rollwerk, wie es Mitte des 16 Jh. in den
Niederlanden Mode war.

Bevor man das ausgebaute Parterre betritt, um die Ausstellungsräume des DEUTSCHEN
APOTHEKENMUSEUMS zu besuchen (Abb. 8), sollte man nochmals seine Augen weiden
an der figurenreichen Komposition mit den Gestirnsgöttern des Altertums und Mittelalters, die der astrologiekundige Ottheinrich geplant und als Darstellung seiner Lebens-
auffassung mit testamentarischer Absicht hatte aufstellen lassen. Verfolgen Sie die
ornamentreichen Gesimse, betrachten Sie die fensterteilenden überschlanken Hermen;
viele Motive sind aus italienischen Palästen, z. B. der Certosa in Pavia, übernommen.

Im Winkel dazu steht der GLÄSERNE SAALBAU, so benannt, weil im obersten Saal
venezianische Spiegel als Wandverkleidung verwendet wurden. Ein Meisterwerk der
Frührenaissance, dessen Loggien Ottheinrichs- und Friedrichsbau miteinander verbinden (Abb. 5). Der Bau besitzt im vorspringenden Giebelhaus noch gotische Züge, die
in den Giebelstaffeln von Sirenen und Putten auf Delphinen im Geschmack der Renaissance abgelöst werden. Einziger Schmuck sind drei lorbeerumkränzte Wappen: in der
Mitte das von Kurpfalz von 1549, das erstmals Reichsapfel und Kurschild zeigt,
die Friedrich II. verliehen wurden, links sein Wappen, rechts das der Kurfürstin Dorothea, die als dänische Prinzessin die Wappen von Dänemark, Schweden und Norwegen führte. Die Initialen D.C.V. kürzen Friedrich II. Devise ›De Caelo Victoria‹
(Vom Himmel kommt der Sieg) ab.

Daneben steht mit hohen Giebeln der FRIEDRICHSBAU (Abb. 4), das rechte Gegenstück zum Ottheinrichsbau, der statt der antiken und alttestamentarischen Größen in
seinen Figuren eine Ahnengalerie der Pfalzgrafen und Kurfürsten bietet. Sebastian
Goetz hat für den 1601–07 aufgerichteten Bau die sehr individuell gehaltenen Fürsten-

figuren geschaffen (von oben nach unten, von links nach rechts): Karl der Große, Otto von Wittelsbach, Ludwig I., dem die Pfalz 1214 verliehen wurde, Rudolf I., ferner die Könige Ludwig der Bayer, Ruprecht I. (der in der Heilig-Geist-Kirche ruht), Otto, zeitweilig König von Ungarn, und König Christoph von Dänemark, ein angeheirateter Verwandter, ferner Ruprecht II., der Gründer der Universität, Friedrich der Siegreiche, Friedrich II. (Gläserner Saalbau), Ottheinrich, unten schließlich Friedrich III., der fanatische Calvinist, Ludwig VI., Joh. Casimir (Faßbau) und Friedrich IV., der Bauherr des Friedrichsbaues. Die Inschrift über dem Durchgang besagt, daß der Bau dem Gottesdienst und Wohnen errichtet wurde; tatsächlich nahm die Schloßkapelle den größten Raum ein. Der Durchgang führt hinaus auf den ALTAN mit gutem Überblick auf Heidelberg (Abb. 2). Man betrachte von dort die Schauseite des Friedrichsbaues zur Stadt hin.

Im Nordwesteck des Schloßhofes, wo der Frauenzimmerbau an den Friedrichsbau stößt, führt eine Rampe hinab in den FASSBAU, den Joh. Casimir, der Vormund Friedrichs IV., eigens anlegte, um das 1591 von Michael Wärner aus Landau gefügte ›Große Faß‹ unterzubringen, das immerhin 163 000 Liter faßte. 1664 wurde es von Karl Ludwig durch eines zu 195 000 Liter ersetzt. Nach der Renovierung wurde zu dessen Betreuer der trinkfeste Zwerg und Hofnarr Clementel Perkeo von Kurfürst Karl Philipp (1716–42) ernannt, dessen Abbild den Besucher anschmunzelt. Hier lagerte der Zehnt-(Steuer-)wein, denn bis zum Ende des alten Reiches (1802–06) wurde von landwirtschaftlichen Produkten der zehnte Teil als Steuer entrichtet; dazu kam der Wein der staatlichen Domänen. Das dritte der großen Fässer ist heute zu besehen, das unter Karl Theodor (1742–99) für 220 000 Liter erbaut wurde und (wie sein Vorgänger) ein Tanzpodium trägt. Staunend stehen vor allem ausländische Besucher vor diesem Zeugnis höfischen Weinverzehrs, ohne zu bedenken, daß der größte

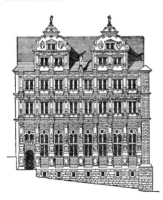

HEIDELBERG, Schloß
Friedrichsbau

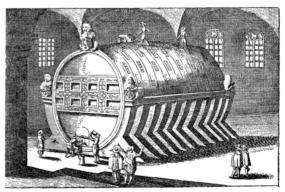

HEIDELBERG, Schloß   Das 1. Große Faß. Fassungsvermögen 163 000 Liter. Kupferstich von M. Merian. 1620

PROSPECT des Churfürstlichen Pfältzischen RESIDENT

...sses vnd Lustgartens zu Heidelberg.

HEIDELBERG
Schloß und
›Hortus
Palatinus‹.
Kupferstich
von M. Merian
nach dem
Entwurf von
Salomon de
Caus. 1645

HEIDELBERG SCHLOSSGARTEN · JESUITENSEMINAR

Teil des Inhalts als Gehaltsbestandteil an Beamte und Diener des fruchtbaren Landes abgegeben wurde.

Vom FRAUENZIMMERBAU blieben nach der Zerstörung nur die spitzbogigen Kellergewölbe übrig und der große Saal im Erdgeschoß, seit 1534 KÖNIGSSAAL geheißen, der als Festsaal, aber auch als Turnierplatz und Werkstatt diente. Gleichfalls unter Ludwig V. wurde der anschließende, nach Westen versetzte BIBLIOTHEKSBAU geschaffen, eine fast quadratische Anlage, die von allen Seiten Licht bekam, dessen Untergeschoß als Verteidigungsturm verstärkt war. Untergebracht waren nicht nur Bibliothek und Archiv (Briefgewölbe), sondern die Münze und auch die Kunstkammer, die neben Bildern auch Raritäten, Waffen, das Tafelsilber und den Schatz enthielten. Wie alle Bauten Ludwigs V. war auch dieser schmucklos, ausgenommen der fünfseitige Hoferker mit feinen spätgotischen Maßwerkfenstern.

Am Ruprechtsbau vorbei (s. o.) und durchs Tor und Brückenhaus gelangen wir auf den Weg, der nach links in den SCHLOSSGARTEN führt. Dieser ›Hortus Palatinus‹ gehört zu den bedeutendsten Gartenanlagen der Renaissance nördlich der Alpen. Friedrich V. (1610–23) hatte in London den französischen Gartenkünstler und Architekten Salomon de Caus (1576–1626) kennengelernt und 1614 nach Heidelberg geholt. Dieser hat mit hohem Aufwand das Gelände in fünf Terrassen gegliedert, die mit riesigen Stützmauern gehalten werden mußten. Die zweitunterste Terrasse trägt den rechtwinklig angelegten Hauptgarten, den Friedrich V. 1619 mit Plastiken schmücken ließ. Von der Pracht erhalten hat sich z. B. die Grotte im Südosteck der großen Terrasse oder im Weiher nebenan die große Plastik des Rheins. Verschwunden sind die Bäder und die Fischbehälter, der Wintergarten und die Wasserspiele in hochgewölbten Hallen. Wie der Garten gedacht war, ist de Caus' Kupferstichwerk zu entnehmen, das 1618 erschien. (Ein später Nachfolger Friedrichs V., Kurfürst Karl Theodor, hat dann in Schwetzingen einen großartigen Barockgarten pflanzen lassen, wobei die Rhein-Ebene ganz andere Möglichkeiten bot.) Von den Terrassen des Schloßgartens hat man einen guten Blick auf die Ostfront des Schlosses mit dem Krautturm (gesprengter Turm) links, dem Apothekerturm in der Mitte und dem Glockenturm rechts des Flügels, den zum Hof hin die Ökonomiegebäude, der Ludwigs- und der Ottheinrichsbau bilden.

Was man sehen sollte: An diesem Schloß, dessen Schicksal einst Europa erschütterte, dessen malerische Ruinenhaftigkeit die Maler des vorigen Jahrhunderts entzückte, dem Symbol für Schönheit trotz Zerstörung, sollte zumindest der Besuch des Ottheinrichs- und des Friedrichsbaues die Zeit wert sein.

Wieder an der Talstation angelangt, wenden wir uns nach Westen und erreichen über die Zwinger- und Seminarstraße den Komplex, den der Jesuitenorden erstellen konnte, nachdem er 1698 von der Linie Pfalz-Neuburg nach Heidelberg berufen und sehr begünstigt wurde. An der Seminarstraße bergwärts steht das JESUITENSEMINAR als Abschluß der Schulgasse, dank fürstlicher Zuschüsse wie ein barocker Palast mit Ehrenhof

38

errichtet. Rabaliatti errichtete 1751–53 dieses ›Seminarium Carolinum‹, das später mal ein Lazarett, mal das Wehrkreiskommando und heute ein Studentenheim beherbergt.

Auf ihr Drängen hatten zwar die Jesuiten nicht das ganze Universitätsgelände erhalten, aber ein stattliches Rechteck, umschlossen von der Seminarstraße im Süden, der Augustinergasse im Westen, der Merianstraße im Norden (neckarwärts) und der Kettengasse im Osten, durchschnitten von der Schulgasse von der Seminar- zur Merianstraße. Auf der linken Seite der Schulgasse hatte der Orden bereits 1715 ein Gymnasium errichten lassen, jetzt ›Seminarienhaus‹ der Universität. Anstelle der Wirtschaftsgebäude auf der rechten Seite wurde 1840 das Amtsgericht im neuflorentiner Stil erbaut, seit 1968 Romanistisches Seminar. Daneben befindet sich das Langhaus der Jesuitenkirche, deren Fassade sich einer platzartigen Erweiterung der Merianstraße zuwendet. Steht man vor dem Portal, so erblickt man links das Pfarrhaus, einst Teil des von Rabaliatti geschaffenen Jesuitenkollegiums, rechts aber am barocken Eckhaus eine ausgezeichnete Madonna, vermutlich eine Schöpfung Peter van den Brandens.

Die katholische PFARRKIRCHE ZUM HL. GEIST UND ZUM HL. IGNATIUS (die Jesuitenkirche) ist eine dreischiffige Pfeilerhalle mit fünf Jochen im Langhaus und zwei im Chor. Ein Querhaus fehlt. Der Turm springt in den nach Süden gelegenen Chor ein, während die turmlose Schaufront nach Norden gerichtet ist. Von außen wirkt die Kirche durch die ins Violett spielenden Rotsandsteinquadern aus Heidelberger Brüchen. Im Innern wurde 1972 mehr Farbe (Grün, Gold, Rot) in die weiße Pracht eingebracht, wurden Barockfiguren reichlich an Wände und Pfeiler verteilt. Diese Kirche, deren Chor und halbes Langhaus 1712–23 erbaut wurden, sollte als erste in Heidelberg ganz dem katholischen Gottesdienst gewidmet sein, denn in der Heilig-Geist-Kirche gehörte nur der Chor den Katholiken. (Als Kurfürst Carl Philipp 1719 die Trennmauer in jener Kirche hatte niederreißen lassen, schlossen Preußen und Hessen-Kassel sofort die katholischen Gotteshäuser in Halberstadt, Minden, Schwalbach und St. Goar, bis die Trennungsmauer zwischen [katholischem] Chor und [reformiertem] Langhaus wieder hochgezogen war.) Als der Hof 1720 nach Mannheim umzog und die dortigen Jesuiten begünstigte, blieb die Kirche Hl. Geist und Ignatius zunächst ein Torso. Auch der Baumeister des stolzen Jesuitenkollegs (Kloster) und der Kirche zog mit nach Mannheim: der Mainzer Adam Breunig, der als Polier in Mannheim von Antonio Petrini 1698 einiges gelernt hatte.

Von 1749–59 wurde das Langhaus vollendet und die PORTALFRONT nach Plänen des Franz Wilhelm Rabaliatti (1716–82) fertiggestellt. Dieser hatte bei A. Galli da Bibiena gelernt, die Jesuitenkirche in Mannheim vollendet und 1750 das (1856 abgebrochene) Mannheimer Tor in Heidelberg errichtet. Er übernahm das Fassadenschema, das erstmals Alberti für S. Maria Novella in Florenz verwendet hatte. Die Kapitelle, Kartuschen und Vasen stammen von dem Steinmetz Bitterich aus Heidelberg, die Figuren wohl von einem Schüler Egells aus Mannheim. Diese Schauseite, schlichter als die des Vorbildes der Bamberger Jesuitenkirche, sollte die Gläubigen an den Triumph der Kirche erinnern, sie auf den lichten, feierlichen Raum vorbereiten.

HEIDELBERG ALTE UNIVERSITÄT · KURPFÄLZISCHES MUSEUM

Der Turmbau wurde lange verschleppt, schließlich nach Plänen Fischers aus Karlsruhe 1872 vollendet und mit fünf Glocken im A-Dur-Akkord bestückt. Die Sakristeien beidseits des Turmes hatte Joh. Jakob Rischer (1662–1755) aus Vorarlberg – 1701 nach Heidelberg zugewandert – bereits im ersten Bauabschnitt geschaffen. Nach der Aufhebung des Franziskanerklosters kamen die Gebeine Friedrich des Siegreichen in das Gruftgewölbe der Jesuitenkirche, so daß Heidelberg wenigstens ein unversehrtes Kurfürstengrab besitzt.

Wenige Schritte auf der Merianstraße führen uns zum Universitätsplatz. An dessen Nordseite steht die Domus Wilhelmiana (ALTE UNIVERSITÄT), 1712–15 anstelle älterer Universitätsbauten von J. A. Breunig errichtet. Sehenswert sind die Aula und der Karzer, dessen verrußte Wände mit unzähligen Konterfeis, Zirkeln und Trostsprüchen händelsüchtiger Musensöhne vor 1914 bedeckt sind. Die NEUE UNIVERSITÄT bergwärts des Platzes wurde nach dem Ersten Weltkrieg mit Hilfe von Millionenspenden errichtet, die ehem. Studenten Heidelbergs in den USA aufgebracht hatten, für die Heidelberg *die* deutsche Universität gewesen war. In den Winkel hereingenommen ist der Hexenturm, ein Überrest der mittelalterlichen Befestigung der Altstadt.

Gegründet hatte diese älteste Universität der Bundesrepublik, nach Prag (1348) und Wien (1365) drittälteste deutscher Zunge, Ruprecht I. 1386. Er verstand zwar kein Latein, nutzte aber die Gunst der Stunde und nahm einen Teil der Studenten auf, die wegen des Schismas aus Paris geflohen waren. Ruprecht II. enteignete Grundstücke der Judenschaft für die Universität, Ruprecht III. erhob die Heilig-Geist-Kirche zur Stiftskirche, um zwölf Professoren als Stiftsherren bepfründen zu können. Die Universität, die in Pest- und Kriegszeiten mehrfach verlegt werden mußte, war zunächst eine Hochburg des Calvinismus. Die Professoren Ursinus und Olevianus verfaßten den Heidelberger Katechismus (1563), ein heute noch gültiges Bekenntnisbuch aller Reformierten. Neuen Ruhm erwarb diese Hochschule vor allem nach der Besitznahme durch Baden (1803), als Großherzog Carl Friedrich und seine Nachfolger darin wetteiferten, die berühmtesten Gelehrten ihrer Zeit nach Heidelberg zu berufen, so Görres, Creutzer, Voß, Bunsen, Kirchhoff und Helmholtz, so Max Weber, Friedrich Gundolf und Karl Jaspers.

Am Südende (bergwärts) der Grabengasse steht die PETERSKIRCHE, 1485 zu einer säulenfreien spätgotischen Hallenkirche umgebaut, von der Matthaeus Merian 1620 schreibt: »... eine feine, hohe und weite Kirch, und daß sich zu verwundern, ohn einige Seul.« 1864–70 allerdings erhielt sie durch Frank Marperger Säulen, Gewölbe und Turm im neugotischen Geschmack. In der nordwestlichen Kapelle erinnert eine Gedenktafel an Olympia Fulvia Morata, eine gelehrte Dichterin aus Ferrara, die an der Hochschule Griechisch dozieren sollte, aber schon mit 29 Jahren 1555 verstarb. An der Nordseite des Chors befindet sich das Grabmal des Kirchenrates Dr. jur. Markus, dessen berühmtes Bilderwerk ›Thesaurus Picturarum‹ bis 1606 39 Bände erreicht hatte. Um die Kirche liegt ein reduzierter Friedhof mit sehr guten Grabmälern und Gedenksteinen.

HEIDELBERG   Blick auf Karl-Theodor-Brücke und das Schloß

HEIDELBERGER SCHLOSS

2 Blick vom Altan auf die Altstadt
4 Friedrichsbau (1601–07)

3 Portal des Ottheinrichsbaus (1556–59)
5 Blick auf den Gläsernen Saalbau (1549)

HEIDELBERG

6 Der Hofnarr Perkeo. Kurpfälzisches Museum
8 Deutsches Apothekenmuseum im Ottheinrichsbau des Schlosses

7 Gasthof ›Zum Ritter‹ (um 1592)

HEIDELBERG

9   Grabmal Ruprechts I. und seiner Gemahlin. 1410. Heilig-Geist-Kirche
10 Unbekannter Meister: Bildnis Friedrichs I. Um 1475. Kurpfälzisches Museum
11 Tilman Riemenschneider: Zwölfbotenaltar. 1505–09. Kurpfälzisches Museum

Wernher von Teufen. Seite aus der ›Manessischen Handschrift‹. Anfang 14. Jh. Universitätsbibliothek, Heidelberg

13 Blick auf HEIDELBERG von Osten

14 Burg ZWINGENBERG am Neckar
15 Burg und Stadt HIRSCHHORN am Neckar

6 MOSBACH Grabmal der Pfalzgräfin Johanna († 1444). Pfarrkirche

7 SCHÖNAU Herrenrefektorium

8 Kirche HOCHHAUSEN a. N. Grabmal der hl. Notburga

9 WIMPFEN am Berg Arkarden der Stauferpfalz. 12. Jh.

Kirche in ERSHEIM bei Hirschhorn

GUNDELSHEIM a. N. Deutschordensschloß Horneck. 16. Jh.

22 Burg GUTTENBERG a. N. Bergfried (12. Jh.) und Schildmauer (13. Jh.)

3 Burg GUTTENBERG a. N.   Holzbibliothek. Um 1740
4 MOSBACH   Palm'sches Haus und Hauptstraße

25 WIMPFEN am Berg Blick auf den ›Blauen Turm‹
26 WIMPFEN im Tal Südportal der Ritterstiftskirche. Ab 1269
27 Burg WEIBERTREU ob Weinsberg

HEILBRONN Hochaltar der Kilianskirche von Hans Seyfer. 1498. Detail ›Ausgießung des Hl. Geistes‹

HEILBRONN

29/30 Details vom Westturm der Kilianskirche. 1507–25
31 Kilianskirche. Blick von Nordosten
32 Rathaus mit Kunstuhr

HEILBRONN Kunstuhr am Rathaus, von J. Habrecht aus Schaffhausen 1580 gefertigt

34 Hans Seyfer: Marienaltar. 1498. Kilianskirche, Heilbronn (vgl. Abb. 28)

Geht man die Plöck westwärts, so steht Ecke Nadlerstraße die ST.-ANNA-KIRCHE, deren Fassade eine Scheinarchitektur mit Kuppel und Laterne, also einen Zentralbau vortäuscht. Das anhängende ehem. Katholische Hospital (Plöck Nr. 6) ist heute Städt. Alters- und Pflegeheim. Ist man zuvor in die Akademiestraße abgeschwenkt, so findet man rechter Hand Institute aus der 2. Hälfte des 19. Jh., linker Hand den Friedrichsbau und neckarwärts die Alte Anatomie, beide auf dem Areal des ehem. Dominikanerklosters. Verfolgen wir jetzt die Hauptstraße nach Osten, so erblicken wir rechts (Nr. 52) den schönen Barockbau ZUM RIESEN, den sich 1708 der Oberjägermeister von Venningen aus Quadern des gesprengten dicken Turmes des Schlosses erbauen ließ. Hier erforschte Kirchhoff 1859 die zusammen mit Bunsen begründete Spektralanalyse.

Ein nur vier Jahre jüngerer barocker Herrensitz steht weiter links (Nr. 97), das PALAIS MORASS, mit stillem Hof und idyllischem Garten mit exotischen Bäumen, abseits des Straßenlärms eine romantische Oase. Das Palais, 1712 von J. A. Breunig errichtet, besitzt ein schönes Treppenhaus und Stuckdecken; der Festsaal wurde im späten 18. Jh. klassizistisch umgestaltet. Das Gebäude enthält heute das KURPFÄLZISCHE MUSEUM, dessen Kern die Graimbergsche Sammlung bildet, die von der Stadt 1879 angekauft worden war. Aus der Fülle des Ausstellungsgutes ragen heraus: der Abguß des Unterkiefers des Homo Heidelbergensis, gefunden in Mauer bei Heidelberg, 500 000 Jahre alt; eine rare Kollektion von Handzeichnungen der Romantiker, u. a. Fohr, Fries, Rottmann; vor allem aber der *Zwölfbotenaltar* von Tilman Riemenschneider (Abb. 11). Bei der Restaurierung 1950 konnte endgültig gesichert werden, daß der Meister ihn 1507–09 für den Apostelaltar der Stadtkirche Windsheim in Mittelfranken geschaffen hat. Die Jünger Christi sind hier besonders nachdenklich (Johannes) oder entschlossen (Jakobus d. Ä.; Andreas) charakterisiert. Um Haupteslänge überragt Christus die Apostel, die er voller Milde und Güte segnet.

Westwärts davon steht die PROVIDENZKIRCHE, auf Karl Ludwigs Geheiß 1659–61 für die Lutheraner in der reformierten Pfalz erbaut. Nach den Kriegsschäden im frühen 18. Jh. wiederhergestellt, erhielt sie nach 1738 den hohen Turm mit dem Umgang und der Kuppel samt Laterne. – Die Häuser Hauptstr. 110–114 befinden sich auf dem Areal des ›Wormser Hofes‹, dem Quartier des Bischofs von Worms; das Haus Nr. 110 nebenan zeigt einen farbenfrohen Erker und ein Renaissanceportal aus dem ausgehenden 16. Jh. – Geht man die Schiffgasse hinab zu den Neckarstaden, so steht rechter Hand ein festungsartiger Komplex, der den Marstallhof umgibt. Nördlich davon das Zeughaus, auf der Südseite ehemals das prächtige Marstallgebäude, das Joh. Casimir Ende des 16. Jh. errichten ließ und das 1689 ausbrannte. Erst 1811 baute Friedrich Weinbrenner, der klassizistische Gestalter Karlsruhes, auf dem Ruinengelände eine Kaserne. Universitätsinstitute und die Mensa sind heute in den Gebäuden mit den vier markanten Türmen untergebracht.

Auf dem Weg zur Brücke entdeckt man am Haus Neckarstaden Nr. 62 eine Gedenktafel für Gottfried Keller, der 1849/50 hier wohnte und bei Feuerbach Philosophie hörte. Kehrt man jedoch durch die Marstallstraße zur Hauptstraße zurück, so erinnert

AUSFLUG AUF DEN HEILIGENBERG

eine Tafel am Haus Nr. 151/153 an den Aufenthalt von Clemens Brentano und Achim von Arnim, die hier ›Des Knaben Wunderhorn‹ schrieben, jene Liedersammlung, die den Geist der Heidelberger Romantik am trefflichsten widerspiegelt.

Um einmal aus dem Gewirr der Gassen herauszukommen, lohnt ein Ausflug auf den HEILIGENBERG auf dem rechten Ufer. (Für Autofahrer ist die Anfahrt über Handschuhsheim und das Siebenmühlental.) Bei Ausgrabungen sind hier Reste einer frühen Siedlung zutage getreten, die zu einer keltischen Fliehburg gehörten. Ihre Holz-Stein-Mauern umgaben als Doppelring die beiden Kuppen des Berges, wovon heute nur noch die Stirnwälle sichtbar sind. Am Berg wurden neun verschiedene Inschriften auf Stein aus der Römerzeit gefunden. In einer Grotte am Fuß des Berges wurde 1838 ein Mithrasheiligtum aufgedeckt. Nach 600, nach der Christianisierung dieses Gebietes, war das 764 gegründete Kloster Lorsch der religiöse Mittelpunkt. Abt Thiotroch von Lorsch (863–875) weihte dem Erzengel Michael ein Kloster auf diesem Berg. Ende des 11. Jh. wurde auf der vorderen Kuppe ein Tochterkloster, das Stephanskloster, errichtet. Es verfiel nach der Reformation und wurde schließlich von den Einwohnern von Handschuhsheim als Steinbruch genutzt, so daß jetzt nur Reste der Mauern und Säulen in der Idylle vor sich hinträumen.

Was Sie bei knapper Zeit sehen sollten: Außer dem Schloß in der Stadt zumindest die Brücke mit dem Tor, das Grabmal im Chor der Heilig-Geist-Kirche, den ›Ritter‹ und den ›Zwölfbotenaltar‹.

KLOSTER NEUBURG   Kupferstich von Matthaeus Merian. 1645

Auf der Burgenstraße von Heidelberg bis Heilbronn

Der Weg aufwärts bis Heilbronn ist ein Teil der BURGENSTRASSE, die zwar nicht so viele und berühmte Burgen aufweist wie das Rheintal zwischen Bingen und dem Siebengebirge und nur im letzten Fünftel von Weinbergen begleitet wird, aber doch beeindruckend ist. Der Fluß sägte sich in Schlingen durch den Südrand des Odenwaldes, dessen tiefgrüne Wälder bis ins Tal hinabreichen, in dessen Gleithänge sich die Städtchen und Orte drängen, über sich die sandsteinroten Mauern, Türme und Tore der Neckarburgen.

Am meisten hat der von den wechselnden Bildern des Flusses, der auf einem der weißen Ausflugsdampfer wenigstens bis Neckarsteinach oder Eberbach vordringt. Wer den Wagen benutzt, sollte Heidelberg über Ziegelhausen verlassen, das nach 750jähriger Selbständigkeit jüngst eingemeindet wurde. Am ›Haarlaß‹ hat man einen prächtigen Blick zurück auf Heidelberg in der Morgensonne (Abb. 13). Weiter aufwärts steht unmittelbar am Ufer die STIFTSMÜHLE unter alten Bäumen, heute ein Hotel, einst die Mühle des 1130 von Lorsch aus gegründeten Benediktinerklosters Neuburg.

Kloster Neuburg

Pfalzgraf Konrad von Staufen verwandelte es 1195 in ein Nonnenkloster, dessen Äbtissinnen mehrfach aus der pfalzgräflichen Familie stammten. In der Reformation 1562 aufgehoben, benutzte die Gemahlin des Pfalzgrafen Friedrich IV. die Anlage vorübergehend als ›Lusthaus‹ (als Sommerfrische), dann bewohnten es Jesuiten, schließlich richtete Kurfürst Karl Ludwig 1671 ein adeliges protestantisches Fräuleinstift ein. Die Töchter des landsässigen Adels, die nicht unter die Haube gekommen waren, konnten darin standesgemäß wohnen, ohne klösterliche Gelübde auf sich zu nehmen. Mit dem Einzug der katholischen Linie in Heidelberg fiel Neuburg 1709 erneut an die Jesuiten, nach Aufhebung dieses Ordens 1773 an ihre Rechtsnachfolger, die Lazaristen. Da die Universität durch die Revolutionskriege ihre linksrheinischen Liegenschaften verloren hatte, wurde Neuburg 1799 zur Bezahlung von rückständigen Professorengehältern verpfändet und schließlich verkauft.

KLOSTER NEUBURG · DILSBERG · NECKARSTEINACH

Einer der schnell wechselnden Besitzer, der musikliebende Ludwig Hout, hatte 1810 Karl Maria von Weber zu Gast, der den Stimmungsreichtum des Neckartales in vollen Zügen genoß. In der Bibliothek gewann er aus Apels Gespensterbuch stoffliche Anregung zum ›Freischütz‹, dessen Wolfsschluchtszene von der Wolfsschlucht bei Zwingenberg inspiriert sein soll. Stift Neuburg zur ›Romantikerklause‹ umzugestalten, blieb Fritz Schlosser vorbehalten, der es 1825 erwarb. Er war der Neffe von Joh. Georg Schlosser, der Goethes Schwester Cornelia geheiratet hatte. Im kurzlebigen Großfürstentum Frankfurt Direktor des Lyzeums, hatte er sich mit einem bedeutenden Vermögen auf diese Neckaranhöhe zurückgezogen. Er hatte ein Goethemuseum angelegt und unterstützte alle geschichtlichen und künstlerischen Vorhaben der Spätromantik. Die Stiftskirche ließ Schlosser von Heinrich Hübsch umbauen und mit Bildern der »neudeutsch religiös-patriotischen Kunst« der Overbeck, Cornelius, Rethel, Schadow u. a. schmücken. Nach seinem Tode unterstützte seine Witwe kämpferische Katholiken wie Ketteler und Reisach. Ihr Großneffe A. O. von Bernus versuchte, Stift Neuburg zu einem Hort der zeitgenössischen Kunst zu machen, konnte aber nur vorübergehend Stefan George, Rilke, Friedrich Schnack, Wilhelm Trübner u. a. in seinen Bannkreis ziehen. Krieg und Inflation zwangen ihn dazu, das Stift und die Kunstsammlung zu verkaufen.

Seit 1928 ist Neuburg wieder Benediktinerabtei. Wo einst die ersten Bilder der ›Narazener‹ hingen, tönt das Chorgebet über die Gräber der Äbtissinnen hinweg. Wo einst Clemens Brentano und Marianne von Willemer durch die Fluren streiften, leisten Mönche Feldarbeit, nicht anders, als wäre die Zeit seit 1130 stehengeblieben.

Sehenswert: im Chor der Abteikirche St. Bartholomäus die Glasfenster aus dem 15. Jh. und die Grabsteine der Äbtissinnen.

Dilsberg ob Neckargemünd

Bei Neckargemünd durchbricht die Elsenz den Südfuß des Odenwaldes. Sie schuf das einzige Tal, das schon als Urstromtal vom Kraichgau zur Rheinebene strebte. Das Städtchen, 988 urkundlich erwähnt, wurde um 1200 reichsunmittelbar, aber schon 1395 Teil der Kurpfalz. Trotz der schweren Schäden im Dreißigjährigen und im Pfälzer Krieg hat die Innenstadt eine lange Reihe schöner FACHWERKHÄUSER zu bieten, vor allem an der steilen Hauptstraße. Das bizarrste, nur zwei Fenster breite, hockt am Alten Hanfmarkt. Ähnlich wie in Heidelberg ließ Kurfürst Karl Theodor auch hier das Obertor abbrechen und dafür das klassizistische Sinsheimer Tor errichten. Es gehört somit zu der ›Triumphstraße‹, die der Kurfürst von Sinsheim über Neckargemünd, Heidelberg, Schwetzingen nach Mannheim führte und mit ähnlich prächtigen Toren ausstatten ließ.

Während die ›Hausburg‹, die Burg Reichenstein, wie viele andere Raubnester unter Rudolf von Habsburg erobert und zerstört wurde, liegt unterhalb wohlerhalten die mächtige FESTUNG DILSBERG, von drei Seiten vom Neckar umflossen, wuchtig und malerisch. Der Umlaufberg trug schon Wehranlagen der Kelten, der Römer und schließlich der Franken. In den Urkunden tauchen als erste Herren die Grafen von Lauffen auf, deren Stammburg südlich Heilbronn stand. Durch Erbgang kam der befestigte Berg in die Hände der Herren von Dürn. Nach deren Aussterben erwarb Rudolf von Habsburg den Dilsberg und belehnte damit seinen Schwiegersohn, den Pfalzgrafen Ludwig II., dessen Nachfolger darin eine Jagdburg und einen Amtssitz einrichteten. Wie stark die Anlage mit ihrer gewaltigen Ringmauer war, bewies sie zu Beginn des Dreißigjährigen Krieges, als Tserclaes Graf von Tilly zwar die Rheinpfalz eroberte, den Dilsberg aber zweimal vergeblich belagerte. Erst nach Eroberung Heidelbergs ergab sich die unbesiegte Besatzung.

Sehenswert sind die Ring- und Schildmauern, die noch aus der Stauferzeit stammen, und ein 57 Meter tiefer Brunnen mit Felsengang. Da dieser Brunnenstollen mit über 80 Metern Länge genügend hoch und beleuchtet ist, kann er unbesorgt begangen werden. Im nahegelegenen Reinbach am Fuße des Dilsberges können Sie im ›Gasthof zum Neckartal‹, einem Ziel Heidelberger Professoren und Studenten, vom Brunnengang ausruhen und den Selbstgebrannten versuchen.

Neckarsteinach

Auf der rechten Neckarseite fahren wir aufwärts nach Neckarsteinach, das mit vier Burgen aufwartet: der Vorderburg über der Stadt, der Mittelburg mit dem kräftigen Bergfried, der ruinenhaften Hinterburg, und dem auf steilem Bergvorsprung thronenden ›Schwalbennest‹. Der frühere Name des ›Schwalbennestes‹ war ›Schadeck‹, was an Leuteschinder denken läßt, doch war der Name nur verballhornt aus ›Scheideck‹, der Bergscheide zwischen Neckar und Steinach. Besitzer dieser vier Burgen waren keine Raubritter, sondern Stämme der wohl aus dem Sächsischen eingewanderten Familien Landschad und Steinach. Auf der Hinterburg lebte einst Bligger II. von Steinach, urkundlich nachweisbar 1152–1209, der als Minnesänger in der Manessischen Handschrift abgebildet ist, wie er im roten, blaugefütterten Gewand auf einer Bank sitzt und einem Schreiber diktiert, da er, wie z. B. auch Wolfram von Eschenbach, des Schreibens unkundig war. Jene Handschrift hat nur zwei Lieder und einen Spruch des Bligger bewahrt, sein Hauptwerk ›Umbehanc‹ (Teppich) ist verlorengegangen. Sein Wappen jedoch, die Harfe, lebt im Wappen Neckarsteinachs fort. – Nach den Napoleonischen Kriegen besaßen die Fürsten Metternich die Burgen. Heute werden die Vorder- und Mittelburg von den Freiherren von Warsberg bewohnt, die unbewohnbaren Teile der Anlage gehören dem hessischen Staat. Die mächtigen Ruinen der Hinterburg kann man besuchen und dabei die Palasmauer mit dem Steintor und den Fensternischen betrachten.

NECKARSTEINACH · HIRSCHHORN · EBERBACH

Bligger II. von Steinach: Seite aus der Manessischen Handschrift. Anfang 14. Jh. Heidelberg, Universitätsbibliothek

Ein Abstecher führt von Neckarsteinach durch das waldumschlossene Steinachtal zum Städtchen SCHÖNAU. Der Überlieferung nach soll ein Bischof von Worms als Jagdgast der Ritter von Steinach von diesem Platz so entzückt gewesen sein, daß er ein Kloster zu Ehren der Jungfrau Maria errichten ließ. Das 1142 gegründete ZISTERZIENSERKLOSTER war in seiner ganzen Geschichte vorbildlich in seiner Lebensart, die in einer raren Bilderhandschrift beschrieben wurde. Beschenkt mit Gütern haben das Kloster die adeligen Familien des Umlandes, vor allem die Steinacher, die hier ihre Grablege fanden. Nachdem es kurpfälzisches Hauskloster geworden war, fanden hier die welfischen und wittelsbachischen Pfalzgrafen ihre letzte Ruhestätte.

Kurfürst Friedrich III. hob das Kloster auf und übergab die Gebäude an Wallonen, die ihres Glaubens wegen aus ihrer Heimat (dem heutigen Belgien) hatten fliehen müssen. Sie gründeten hier eine Tuchmanufaktur und Tuchfärberei, weshalb die meisten Gebäude umgebaut wurden, die 1167–1220 erbaute Klosterkirche aber völlig zerstört wurde. Die Ausgrabung von 1912 ermittelte eine dreischiffige Basilika von 84 Metern Länge. Von den Klosterbauten blieben erhalten: das HERRENREFEKTORIUM (Abb. 17), eine Halle mit Kreuzgewölbe (heute ev. Pfarrkirche); die Hühnerfautei aus dem 12. Jh. mit spätromanischem Unter- und frühgotischem Obergeschoß; der Klosterbrunnen und die Klostermauer mit einer Tordurchfahrt aus dem späten 12. Jh. mit Würfelkapitellen auf den Ecksäulen.

Hirschhorn

Zum Neckar zurückgekehrt, fahren wir aufwärts bis Hirschhorn. Auf diesem Horn (Bergsporn) errichteten die Ritter von Hirschhorn um 1200 ihre BURG (Abb. 15). An den Bergfried wurde die kräftige Schildmauer gebaut, die Wohngebäude um den engen Hof schützten sie mit einer Ringmauer. Bergseits wurde ein 16 Meter tiefer Halsgraben in den Felsen gehauen, um diese schwache Seite zu sichern. Ende des 16. Jh. wurde der Palas in einen Renaissancebau zu drei Stockwerken umgebaut, die Burg erhielt eine Kapelle. Von der Terrasse des Schloßhotels hat man einen schönen Blick ins Neckartal und auf die UNTERSTADT, die mit einer starken Mauer an die Burg gekettet war.

Friedrich, der letzte Ritter von Hirschhorn, der tüchtige Verwalter von 50 kurpfälzischen und 50 kurmainzischen Dörfern, errichtete 1628–30 eine Kirche für die Protestanten am Oberen Tor. Nach der Rekatholisierung wurde sie als katholische Pfarrkirche umgebaut; an die evangelische Zeit erinnert noch der Taufstein. Besuchenswert ist die von Hans V. errichtete gotische KLOSTERKIRCHE am Berghang, an die 1514 die Kapelle St. Anna angebaut wurde. In der Gruft sind prächtige *Grabmäler* der Herren von Hirschhorn zu sehen, die auch die Malereien und Heiligenfiguren gestiftet haben, bevor sie den neuen Glauben wählten. Als Friedrich von Hirschhorn 1632 in Heilbronn starb, fielen Stadt und Burg an das Kurfürstentum Mainz, das den katholischen Glauben wieder einführte.

Auf dem anderen Ufer liegt das ältere ERSHEIM, schon 1023 urkundlich erwähnt. Die erste Kirche wurde gar schon 773 gegründet, als fränkische Adelige dort ihre Felder dem Kloster Lorsch zum Kirchenbau übergaben. Der Ölberg der heutigen Kirche (Abb. 20) stammt von 1669. Zu Anfang des 15. Jh. wurde der *Elendstein* gemeißelt, der vor der Kirche steht, ursprünglich eine Totenleuchte zum Troste der um und in der Kirche Bestatteten.

Eberbach

Am engsten Knie des Neckartales liegt Eberbach, mit 15 000 Einwohnern die größte Siedlung zwischen Heidelberg und Heilbronn. Während in einer Urkunde von 1196 erstmals von der Burg und den Grafen von Eberbach gesprochen wird, ist die Stadtgründung nicht zu belegen. Doch existiert sie 1227, als König Heinrich, der Sohn Kaiser Friedrichs II. und der Konstanze von Aragon, von seinem Vater mit der Burg Eberbach belehnt wurde. Nachdem sich Heinrich 1234 mit den lombardischen Städten gegen seinen Vater erhoben hatte und im Jahr darauf gefangengenommen und abgesetzt wurde, blieben Burg und Stadt kaiserlich. Damals errichtete die junge Reichsstadt die Mauer mit den vier Ecktürmen und befestigte besonders die Neckarfront.

Vor dieser Mauerfront verläuft jetzt die Umgehungsstraße und eine Anlage mit Blumen und Wasserspielen zur Erholung der Badegäste, die eine vor 25 Jahren erbohrte

Calcium-Natrium-Chloridquelle nutzen. Sie können auch die STADTMAUER abschreiten, vom Eckturm am linken Ende der Wasserfront, dem Mantel- oder Pulverturm, dem Wahrzeichen der Stadt, die Mauer entlang (mit Hochwassermarken bis zum 2. Stock hinauf) zum rechten Eckpunkt, den der ›Blaue Hut‹ bildet, der die anprallenden Wasser- und Eismassen abzuwehren hatte. Der dritte der alten Türme im Nordostpunkt der Mauer ist der runde Rosenturm, der vierte schließlich, der Bad- oder Haspelturm, steht am Lindenplatz.

In der ALTSTADT sehenswert sind das Bettendorffsche Tor mit dem gleichnamigen Hof (Pfarrhof), den zwei Fachwerkhäuser aus dem Anfang des 16. Jh. umstehen, dessen Anlage aber noch in die Stauferzeit zurückreicht. An das Ende der Reichsstadtzeit erinnert das Thalheimische Haus, vormals ›der Keller‹, das Vogteiamt der Pfalzgrafen, die nach 1313 Burg und Stadt erworben hatten. Es ist vermutlich das älteste der erhaltenen Gebäude dieser im Dreißigjährigen und im Pfälzer Erbfolgekrieg oft mitgenommenen Stadt. Die ärmere Bevölkerung durfte nach diesen Kriegen ihre Behausungen an die Stadtmauer bauen, um wenigstens eine Wand einzusparen, was den Mauerzügen heute ein 'malerisches' Aussehen verleiht.

Auf einem westlichen Ausläufer des 626 Meter hohen Katzenbuckel liegt beherrschend über der Stadt Eberbach die Burg, die im 11. oder 12. Jh. zum Schutz der Straße angelegt wurde, die durch das Tal der Itter hinüber nach Amorbach zieht. Genau genommen sind es drei zusammenhängende Burgen, die das Gepräge der Stauferzeit tragen. Die Vorderburg ist der älteste Teil, eine vieleckige Wohnburg mit mehreren Türmen. Größer und stärker bewehrt ist die Mittelburg, deren Palas nach 1908 wieder aufgebaut wurde, als die Stadt Eberbach die Burg zugänglich machte. Der Palas zeigt romanische Fenster, deren Säulen und Gewände Linienornamente, Blattschmuck und Würfelkapitelle tragen. Zusammen mit dem Bergfried, dessen Mauern drei Meter dick sind, steht der Palas ebenbürtig neben anderen Stauferburgen im Reich.

Am heftigsten zerstört wurde die Hinterburg, die seit Jahren Ausgräber am Werke sieht. Zerstört wurden die Burgteile weder durch Tilly noch Mélac, sondern durch den Ritter Hans von Hirschhorn, dem sie Pfalzgraf Ruprecht III. verpfändet hatte. Da Ritter Hans in der mächtigen Anlage eine Bedrohung seiner Besitztümer sah, konnte er dem finanzschwachen Pfalzgrafen die Erlaubnis zur Schleifung abtrotzen.

Stolzeneck

Nach Eberbach rücken die Berge noch enger zusammen, so daß nur noch für die Straße Platz ist. Auf dem bewaldeten linken Ufer wird BURG STOLZENECK sichtbar, eine wohlkonservierte Ruine. Die im Dreißigjährigen Krieg zerstörte kurpfälzische Burg schützte bergseits eine fast drei Meter dicke und über 20 Meter hohe Schildmauer, auf der ein Wehrgang sitzt, von dem aus die Burg verteidigt wurde. Geschichtliche Funde, vor allem Keramik, die im ehem. Burgweiler von Stolzeneck gemacht wurden, sind jetzt im Heimatmuseum Eberbach zu besichtigen.

Zwingenberg

Auf dem rechten Ufer steht steil oberhalb der Straße eine der eindrucksvollsten, völlig intakten Burgen der Burgenstraße: ZWINGENBERG (Abb. 14). Heute Privatbesitz des Markgrafen von Baden, der hier sein Forst- und Rentamt untergebracht hat, von hier aus mit Prinz Philip von Edinburgh auf die Hirsch- und Saujagd im Odenwald zieht, einst eine von den Neckarschiffern gefürchtete illegale Zollstation. Wer die Abgaben nicht entrichtete, verschwand solange in den Verliesen der Zwingenberger, bis das Lösegeld entrichtet war. 1363 zerstörten dann Kriegsknechte des Erzbischofs von Mainz und des Pfalzgrafen, deren Untertanen zumeist geschädigt waren, den Zwingenberg. Bald darauf wurde die heutige Burganlage gebaut, die bis 1632 Lehen der Ritter von Hirschhorn war.

Die BURG, auf dem schmalen Sporn zwischen Wolfsschlucht und Neckarprallhang gelegen, besitzt zwei getrennte Teile, Vorburg und Hauptburg, die nach allen Seiten befestigt sind. Wer also die Vorburg erobert hatte, mußte erst die Hauptburg belagern, aus der kantig der 42 Meter hohe Bergfried aus rotem Sandstein wächst. Sehenswert sind die Palasbauten, der Wehrturm und die beiden Burgkapellen. Die ältere beherbergt *Fresken* eines süddeutschen Meisters um 1400. In der jüngeren Kapelle ist die Fürstin Bretzenheim begraben, die Geliebte des Kurfürsten Karl Theodor, der die Theatertänzerin adelte und mit Zwingenberg beschenkte.

Die Minneburg

Die wilde Wolfsschlucht hinter Schloß Zwingenberg soll Carl Maria von Weber zur Wolfsschluchtszene im ›Freischütz‹ inspiriert haben. Wäre er einige Kilometer neckaraufwärts gefahren, hätte ihn die Minneburg auf dem linken Ufer zu einer weiteren Oper anregen können. Die Sage erzählt nämlich, daß einst drei Ritter drei Schwestern geliebt und nach vielen Widerständen geheiratet hätten, wobei in der gemeinsamen Burg jedes Ehepaar ein Stockwerk bewohnt habe bis an ihr selig Ende. Das ist eine hübsche Erläuterung des gotischen Erkers mit dreigeteilten Fenstern, der vor die dreistöckige Neckarfront gesetzt wurde.

Zerstört wurde die Minneburg von den Truppen Tillys 1620. Zu sehen sind noch der Bergfried, um 1200 gebaut, der dreigeschossige Palas mit den Jahreszahlen 1521 und 1607, die 20 Meter hohe Schildmauer und in der wuchtigen Vorburg die Türme und Mauern, dazu der für Geschütze ausgebaute Eckturm.

Neckarelz

Die Landschaft verändert sich, denn die Wälder weichen und machen Feldern und Obstgärten Platz. Statt der schroffen Buntsandsteinfelsen rahmen abgerundete Muschelkalkhügel das Tal. Bei Neckarelz stoßen wir auf eine römische Siedlung, die ›villa rustica‹

genannt. Gefunden wurde ein römischer Weihealtar aus Sandstein mit sieben erhaltenen Götterreliefs, dazu Gebäude mit Heizungen.

Sehenswert sind in der Stadt das Fachwerkhaus ZUM LÖWEN, in dem Goethe übernachtete, und das TEMPELHAUS nahe der Elzmündung. Das hohe Haus mit dem steilen Dach hat gotische Maßwerkfenster und wird von einigen Beurteilern als fränkischer Herrensitz um das Jahr 1000, von anderen als Sitz des Templerordens angesprochen. Auf den Chor des Tempelhauses ist der gewölbte Kapitelsaal aufgesetzt, dessen Kreuzrippen im Fußboden ansetzen. Um 1730 wurde die Anlage für den katholischen Gottesdienst freigegeben. Als die Kirche 1962 f. restauriert wurde, konnten zwei Freskenfragmente freigelegt werden.

Mosbach

Nur drei Kilometer im Elztal aufwärts liegt Mosbach an der B 27, südöstlicher Eingang zum Odenwald. Die Siedlung, schon um 736 erwähnt, entstand bei einer klösterlichen Niederlassung. Urkundlich 1291 erstmals als Stadt bezeichnet, wurde Mosbach Reichs-

MOSBACH   Kupferstich von Matthaeus Merian. 1645

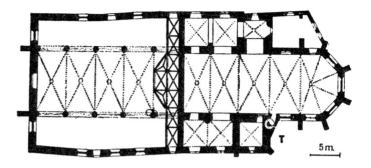

MOSBACH
St. Juliana. Links der evangelische, rechts der katholische (ältere) Teil, dazwischen die 1708 errichtete Trennwand

stadt, aber seit 1297 häufig verpfändet. Pfalzgraf Ruprecht erwarb die Stadt 1362, die nun 440 Jahre bei der Pfalz blieb. Als Residenz der Pfalzgrafen Otto I. und Otto II. nahm Mosbach seinen Aufschwung. Die Pfalzgrafenburg blieb zwar nicht erhalten, ihre Reste sind eingemauert, doch zeugt die *Grabplatte der Pfalzgräfin Johanna* in der PFARRKIRCHE ST. JULIANA von der hohen Kunstfertigkeit jener Zeit (Abb. 16). Die Metallauflage zeigt die 1444 verstorbene Pfalzgräfin in der strengen Tracht ihrer Zeit, voll gesammelter Frömmigkeit und Güte.

Die Kirche St. Juliana besitzt einen Chor von 1410 und ein dreischiffiges Langhaus aus der Mitte des 15. Jh., das 1708 vom Chor getrennt wurde, um simultan Gottesdienst halten zu können. Erhalten blieb der spätgotische Lettner, im 19. Jh. erweitert und verändert. Die Kanzel mit ihren Reliefs von 1468 ist ihm stilistisch verwandt.

Mittelpunkt der Stadt ist das RATHAUS, ein stattlicher Bau von 1554–58, der sich an den Stadtturm lehnt, den Turm der zuvor abgebrochenen Cäcilienkirche, deren Untergeschoß ins frühe 15. Jh. reicht. Am Marktplatz und in der vom Rathaus abzweigenden Hauptstraße stehen zahlreiche und hohe FACHWERKHÄUSER aus dem 16.–18. Jh., so daß man Mosbach mit Recht die »Stadt des deutschen Fachwerks« genannt hat. Kein Fachwerk gleicht dem anderen. Es ist ein Vergnügen, die unterschiedlichen Giebelfüllungen, Erker und Ornamente zu betrachten oder abzuzeichnen. Fachleute weisen die einzelnen Häuser je nach der Konstruktion der mit Ochsenblut gestrichenen Eichenbalken und den kunstvollen Schnitzereien der hessisch-fränkischen oder der alemannischen Fachwerkfamilie zu. Da die Stadt im Dreißigjährigen Krieg nur geschrammt und in den Kriegen Ludwigs XIV. auf Fürbitte der Franziskaner verschont wurde, blieben diese herrlichen Fachwerkensembles erhalten. Dafür gingen im Stadtbrand von 1723 an die 150 Häuser zugrunde. Das prächtigste Fachwerkhaus blieb erhalten, das HAUS PALM, ein Eckhaus gegenüber dem Rathaus (Abb. 24). Über dem steinernen Parterre erheben sich drei hohe Fachwerkgeschosse beidseits des Erkers, dem allerdings das eigene Dach kupiert wurde.

Von 1770–1836 existierte in der Mosbacher Kaserne eine *Fayencemanufaktur,* von Kurfürst Karl Theodor privilegiert, die sich in der Frühzeit nach Straßburg und Durlach orientierte. Rund 120 Stücke aus allen Perioden der Fabrik, darunter die begehrten Geschenkkrüge, sind in den städtischen Sammlungen im Rathaus zu besichtigen.

HOCHHAUSEN · BURG HORNBERG · SCHLOSS HORNECK

Ins Neckartal zurückgekehrt, sehen wir auf dem linken Ufer den Ort HOCHHAUSEN liegen, an den sich die Notburga-Legende knüpft. Seit 1517 ist die Höhle und die Kapelle der Notburga als Wallfahrtsort durch den Bischof von Worms anerkannt. Das *Grabmal* der Heiligen in der KIRCHE VON HOCHHAUSEN ist von hieratischer Strenge, eine frühgotische Arbeit. Deutlich ist der fehlende, von König Dagobert ausgerissene Arm zu erkennen und die Schlange, die der Königstochter Wunde heilte (Abb. 18). Von den Wandfresken, die einst die Legende erzählten, ist eine Szene am Orgelaufgang freigelegt worden.

Das den Ort beherrschende SCHLOSS HOCHHAUSEN wurde von Graf Helmstadt unter Wahrung des denkmalgeschützten Bestandes in ein Gästehaus umgewandelt.

Burg Hornberg

Schon von ferne ist der 27 Meter hohe Bergfried wie ein Obelisk sichtbar, kündigt die ›romantischste‹ Burg am Neckar an, die über Neckarzimmern und die Weinberge an der West- und Südseite herrscht (Ft. 4). Auch hier sind Vor- und Hauptburg deutlich voneinander abgesetzt. Die Hauptburg mit dem hohen Palas ist fast völlig Ruine, im frühen 17. Jh. heruntergekommen, schließlich 1634 von den Kaiserlichen geplündert und verwüstet. Gezeigt wird noch ein feiner TREPPENTURM von 1573, in dem die Rüstung des bekanntesten Burgbesitzers, des *Götz von Berlichingen,* aufgehängt ist.

Seine Familie war nicht die erste, die das 1070 erstmals genannte Burglehen des Bistums Speyer innehatte. Es begann 1184 mit den Grafen von Lauffen und führte über die Herren von Hornberg, von Dürn, von Ehrenberg, von Helmstadt etc. bis zu Conz (Conrad) Schott, der als Amtmann in Möckmühl am Ostermontag 1517 die Burg um 6500 Gulden an Götz verkaufte, der zuvor die Summe als Lösegeld vom Grafen von Waldeck erpreßt hatte. Seine Enkel verkauften 1612 die Burg an den kurpfälzischen Rat Reinhard von Gemmingen, einen Gelehrten, dessen stattliche Burgbibliothek erhalten und wie die Burg Familienbesitz blieb.

Götz ließ mit hohen Kosten die Burg stärker ausbauen, mit Zwinger und Wehrgängen versehen, denn hierher mußte er sich bei Verfolgung ungefährdet zurückziehen können. An Gegnern fehlte es nicht, führte er doch bis 1525 über 100 Fehden. Dieses Jahr hat sein Leben jäh verändert, als der Heilbronner Bauernhaufe, der nach dem Blutbad von Weinsberg (s. S. 80 f.) in Gundelsheim lagerte, Götz nötigte, ihr Hauptmann zu werden. Zwar sprang er noch vor dem bitteren Ende von der Bauernsache ab, wurde aber in Heilbronn inhaftiert, schließlich auf den Hornberg verbannt, wo er dann seine Lebensgeschichte diktierte, Hauptquelle für Goethes Drama. Daß der alte Haudegen sich herausstrich, darf nicht verwundern; ein erhalten gebliebenes Verzeichnis seiner Hinterhälte im Steigerwald, um die Nürnberger ›Pfeffersäcke‹ zu berauben, spricht eine andere Sprache.

Götzens Burg erreicht man entweder auf dem Fahrweg durch die Weinberge oder auf einem Fußweg vom Osten her durch den Wald. In den Hof der Unterburg gelangt man durch den Torbau, der den Zugang mit zwei Toren sicherte. Das wichtigste Gebäude im äußeren Hof war der MARSTALL, denn bei den Fehdezügen ins Rheinland, bis Westfalen und nach Nürnberg mußte eine Menge schneller, ausdauernder Pferde untergebracht werden. Heute ist darin ein Gästehaus mit Gaststätte eingerichtet, von der aus man den herrlichen Blick, vor allem nach Wimpfen hin, beim Eigenbauwein genießen kann. Von hier aus kann man zum Mantelbau laufen, einer vorgeschobenen Bastion, in die erst 1932 Fenster für einen Wohnbau gebrochen wurden, oder durchs innere Tor in die obere Burg.

Schloß Horneck ob Gundelsheim

Schon vor Hornberg ziehen sich die ersten Weinberge die Hänge hinauf, ein Zeichen, daß das fruchtbare, weintragende württembergische Unterland erreicht ist. Direkt vor Gundelsheim steigt aus dem Dorf Böttingen der MICHAELSBERG auf, der die Wallfahrtskapelle St. Michael trägt. Bei der Christianisierung des fränkisch-schwäbischen Gebietes hat man an den Platz ehemaliger heidnischer Höhenheiligtümer mit Vorliebe Michaelskirchen gebaut, weil es klüger war, die zu den Heiligtümern ziehenden Unentschlossenen in christliche Kirchen zu schleusen, als unter hohem Aufwand die Rückversicherer zu kontrollieren. Daß dies keine Hypothese ist, kann beim Michaelsberg gut bewiesen werden. Ein römischer Votivstein, Jupiter und Juno geweiht, ist in die Außenwand der Kapelle eingelassen.

Die bewaldete Schindersklinge trennt den Michaelsberg von dem Kalkfelsen, auf dem BURG HORNECK über Gundelsheim thront (Abb. 21). Das alte Städtchen besitzt einen säulengeschmückten Marktbrunnen, schöne Renaissancehäuser neben bäuerlichen Fachwerkhäusern. Die Hauptgasse führt auf einem Rücken zum Schloß hinauf, dem größten nach dem Heidelberger am Neckar, einem massigen siebeneckigen Bauwerk mit zwei Innenhöfen. Aus der mittelalterlichen Burg stammt noch der vierkantige Bergfried, einige Vorwerke und zwei Grabenbrücken, denn durch zwei überdeckte Gräben und einen Zwinger ist die Anlage gegen das Städtchen hin abgesichert. Der Schloßkomplex wurde im 16. Jh. errichtet, Portale und Tore im Geschmack der Renaissance geschmückt.

Die Größe der Anlage war notwendig, weil Horneck von 1420–1527 die Residenz des Deutschmeisters des Deutschen Ritterordens war. Als 1525 die Bauern vor Gundelsheim lagerten, verließ der Deutschmeister mit seinen ungeübten Rittern fluchtartig Horneck und ließ sich 1527 endgültig in Mergentheim nieder (s. Bd. ›Franken‹, S. 114 f.). Der Deutsche Orden (Brüder vom Deutschen Hause in Jerusalem), 1190 vor Akkon gegründet als Träger eines Hospitals, bald in einen Ritterorden umgewandelt, erhielt in Deutschland durch fromme Stiftungen ansehnlichen Güterbesitz, der von Komtureien aus verwaltet wurde. Die Komtureien des Reiches (zu dem Ostpreußen nicht gehörte) waren in zwölf Balleien zusammengefaßt, die dem Deutschmeister unterstan-

69

BURG GUTTENBERG · BURG EHRENBERG

den, während der gesamte Orden dem Hochmeister (seit 1309 auf der Marienburg) unterstand. Als der Hochmeister Albrecht von Brandenburg-Ansbach 1525 die Reformation im Ordensstaat Ostpreußen einführte, beauftragte Karl V. den Deutschmeister auch mit der Administration des Hochmeistertums; 1809 hob Napoleon den Deutschen Orden auf und beschenkte Württemberg mit dem Deutschordensstaat Mergentheim.

Nach den Verwüstungen im Bauernkrieg – vor allem verbrannte das wertvolle Archiv – wurde das Schloß im 18. Jh. neu ausgestattet, der Flügel beim Bergfried neugebaut. Der Fürstensaal und die Schloßkapelle haben spätere Entnahmen glücklich überstanden. Die anderen Räume wurden ausgeräumt, da man 1807 eine Kaserne einrichtete, die später einem Sanatorium Platz machte. Heute ist es Gedenkstätte samt Alters- und Ferienheim der Siebenbürger Sachsen, die 1944 aus ihrer Heimat fliehen mußten.

Burg Guttenberg

Beim Probieren des Gundelsheimer Weins haben wir sie am jenseitigen Hang bereits entdeckt und gelangen nun mit der Fähre ans andere Ufer nach Neckarmühlbach. Auf steilem Felsen liegt BURG GUTTENBERG, die trotz der vielen Eroberer und durchs Neckartal ziehenden Armeen völlig unversehrt über die Zeiten gekommen ist (Abb. 22). Die Stauferburg mit dem Bergfried aus dem 12. Jh. und der mächtigen Schildmauer aus dem 13. Jh. wurde 1449 von den Herren von Gemmingen erworben, die bis heute Besitzer geblieben sind. Der Weg läuft an der Wehrmauer entlang, damit er einzusehen und zu 'bestreichen' war. Das Brunnenhaus mit dem Renaissancegiebel haben die Besitzer inzwischen in eine Burggaststätte umgewandelt. Wer sich ihren Besuch aufhebt, kommt auf der steinernen Brücke über den Halsgraben und hat von hier einen herrlichen Blick ins Tal. Durch das bewehrte Tor, flankiert von einem der Hauptmauertürme, gelangen wir in den Zwinger, den Raum zwischen beiden Mauern, der die Bezwinger der äußeren Mauer festhielt, den Armbrust- und Büchsenschützen schutzlos ausgesetzt.

In einer Nische des Burgtores ist das Porträt von Wilhelm Hauff auf einer Gedenktafel eingelassen mit der Zuschrift, daß er auf Guttenberg seine Novelle ›Das Bild des Kaisers‹ geschrieben habe. Der Hauslehrer Hauff, der durch seine ›Märchen‹ und durch ›Lichtenstein‹ berühmt wurde, hat in jener Novelle durch einen in den Süden Deutschlands verschickten Brandenburger das Bild der romantischen Landschaft um Gundelsheim und Guttenberg zeichnen lassen.

Um in den schmalen Burghof zu gelangen, muß man wieder links um die Burg zum inneren Eingang laufen, dem die riesige Schildmauer gegenüberliegt. Die Wohngebäude sind dicht gedrängt, doch mit herrlichen alten Möbeln ausstaffiert, da nie geplündert wurde. Das BURGMUSEUM birgt außer reichem Bestand an Urkunden, Wappen, Stilmöbeln und einer Geweihsammlung eine Reihe ausgezeichnet erhaltener Inkunabeln*, darunter die vollständige Ausgabe der ›Opuscula varia‹ des Kardinals Cusanus (= Nikolaus Krebs aus Kues an der Mosel), die sich sonst nur in der Vaticana erhalten hat. In der Burgbücherei, die über 6 000 Folianten in Schweinsleder faßt, liegt ein handgedrucktes Missale (Meßbuch) von 1481 und eine Bibelübersetzung von 1430.

Fasziniert sind die meisten Besucher aber eher von der *Holzbibliothek*, die der bayerische Benediktinermönch Candid Huber um 1740 verfertigt hat (Abb. 23). Die 97 Klappkästchen in Buchform tragen auf ihrem Rücken die Rinde des Baumes, aus dem die Kästchen geschreinert wurden, die im Inneren Zweige, Knospen, Blätter, Samen, Früchte, Querschnitte und dazu Schädlinge und Moose des Baumes 'ablesbar' enthalten. Eine barocke Idee, praktische Gelehrsamkeit effektvoll vorzutragen.

Beim Rückweg kann man auf halber Höhe die spätgotische KAPELLE besuchen, deren Triumphbogen die Jahreszahl 1471 trägt. Während der rechte Altar Ereignisse aus dem Leben Mariens, ihrer Base Elisabeth und der hl. Elisabeth von Thüringen zeigt, steht auf dem linken das Bild einer *Schutzmantelmadonna*, das von Wallfahrern aufgesucht wurde. Bald schliefen jedoch die Wallfahrten ein, denn die Herren von Gemmingen gehörten zu den ältesten Anhängern Luthers; das Burgarchiv bewahrt eine Urkunde Karls V. von 1521 auf, in der einem Gemmingen die Reichsacht angedroht wurde, da er so energisch Luthers Sache verfochten habe. Die im Volksmund ›verlassene Madonna‹ genannte Mariengestalt erschien im Notjahr 1945 einer Frau, die nie in Guttenberg gewesen war, und regte sie zur Wallfahrt an, was gelegentliche Nachahmung gefunden hat.

Burg Ehrenberg

Auf dem gleichen linken Ufer wie Guttenberg liegt neckaraufwärts BURG EHRENBERG auf sanftem baumbestandenen Hang. Die Hauptburg, längst Ruine geworden, wird von einem über 50 Meter hohen Bergfried markiert, der einst zehn Meter höher gewesen war und von dessen Plattform man die Ebene hinter den östlichen Neckarhügeln einsehen konnte. Er und die zwei anstoßenden Ruinen, darunter der Palas mit einem Erkerrest, stammen aus dem 12. Jh. Bewohnt ist die Vorburg, deren lange Front zum Neckar hin mit drei Erkern besetzt und von schlanken Türmen flankiert ist. Besitzer sind die aus der Steiermark zugewanderten Freiherren von Racknitz. Die Herren von Ehrenberg sind ausgestorben, ihr Erbbegräbnis in Heinsheim weist sie als Familie von Gelehrten, Geistlichen und Offizieren aus. In HEINSHEIM besitzen die Freiherren von Racknitz ein Barockschloß in einem anmutigen, wohlgepflegten Park. Im Wirtschaftsgebäude dieses ländlichen Schlosses, dessen Fundamente im 17. Jh. gelegt wurden, ist ein Gästehaus mit Schloßschänke eingerichtet worden.

---

* Wiegendrucke = Bücher, die vor 1500 gedruckt wurden.

Wimpfen im Tal

Zu Füßen des ›königlichen Wimpfen‹ liegt die ländliche Talsiedlung auf dem Boden eines römischen Kastells, das ›Cornelia‹ geheißen haben soll. Um 100 v. Chr. entstanden, wurde das Kastell mit einer 1,6 Meter dicken Mauer umgürtet, die heute bis zu 10 Meter im Boden steckt und von der Umgehungsstraße durchschnitten wird. Besonders kräftig war die 200 Meter lange Mauer zum Neckar hin, der als ›nasser Limes‹ vor Angreifern im Osten schützen sollte.

Nach dem Sieg der Franken über die Alemannen und deren Christianisierung wurde in ›Vuinpina‹ eine Kirche errichtet, deren Fundamente um 1900 festgestellt wurden. Diese romanische Kirche, um 800 erbaut, wurde bei den Ungarneinfällen des 10. Jh. zerstört, worüber Burkhardt von Hall, der Chronist des Klosters Wimpfen, berichtet, wobei er den Ortsnamen von ›Wimpein‹ (Weiberpein anläßlich der Ungarn-Greuel) ableitet, doch ist der Name keltisch. 1269 wurden die Reste der romanischen Kirche abgebrochen, statt dessen eine gotische Kirche gebaut, die 1,5 Meter über der Vorgängerin steht.

Über ein geschottertes Rechteck, den ›Lindenplatz‹ mit Adler- und Löwenbrunnen, gehen wir auf die Ritterstiftskirche zu, links begleitet von den Barockbauten der Benefiziatenwohnung, der Dechanei und der Kustodie und einem alten Haus mit romanischen Doppelfenstern. Vor uns steigt das Westwerk der Kirche auf, das noch aus der romanischen Kirche stammt, ein massiges Mauerviereck mit einer hohen Rundbogennische in seiner Mitte, das an die Eingangsfront der Aachener Pfalzkapelle erinnert, die allerdings ein halbes Jahrhundert älter ist. Das Quaderwerk gehört in die 2. Hälfte des 10. Jh., die Bogenfriese und Fenstersäulen der achteckigen Turmbauten ins beginnende 11. Jh., während die Vorhalle inmitten des 11. Jh. errichtet wurde, wie die freigelegten Fundamente vor dem Westportal ausweisen.

An diese wuchtigen romanischen Teile schließt das gotische Schiff an, dessen Nordseite schmucklos blieb, da sie an den Konventsbau stößt. Reich und großzügig ist dagegen die SÜDSEITE gebildet, die zur Straße blickt (Abb. 26). Zwar ist von den Pfeilern mit Blendtabernakeln und durchbrochenen Strebebogen nur der östlichste in seinem Schmuck original, die anderen im 19. Jh. nachgearbeitet, doch stammt die einzigartige Querschiffstirn wie der Chor aus den Jahren 1269–74. Von französischen Kathedralen, zumindest vom Straßburger Münster angeregt, wurde eine reich gegliederte Schaufront aufgeführt, die in ihrer Gedrängtheit den Zweck so vernachlässigte, daß das Portal viel zu eng geraten ist. Der Portalpfeiler trägt die Plastik einer Muttergottes, das Feld darüber das Relief der Kreuzigung, mit Ecclesia und Synagoge, Maria und Johannes, in der Laibung die zwölf Apostel. Auf der Spitze des Wimpergs darüber steht der Auferstandene, auf den Spitzen der Fialen zwei Engel mit den Leidenswerkzeugen. 'Liest' man das Portal von unten nach oben, so wird der Blick von der Jugend Christi über die Kreuzigung zur Auferstehung geführt.

WIMPFEN im Tal, Ritterstiftskirche. Aufriß
der südlichen Querhausfront

Neben den überschmalen Portalen stehen je drei Figuren, zwei Fürsten, zwei Märtyrer und die Kirchenpatrone Petrus und Paulus, die stark an die Straßburger Figuren erinnern. Von der reichen Figurenwelt beidseits des hohen Maßwerkfensters über dem Wimperg sind nur ein hl. Martin und ein hl. König erhalten geblieben, ein tubablasender Engel, um 1275 gearbeitet, wurde im südlichen Seitenschiff aufgestellt, denn die Witterung greift den gelben Sandstein hart an. Der Meister, der »das Gotteshaus nach französischer Art errichtet und den bildnerischen Schmuck mit viel Schweiß geschaffen« (so Burkhardt von Hall), soll sich in der Ecke des südwestlichen Strebepfeilerpaares konterfeit haben.

Der CHOR mit seinen straffen Maßwerkfenstern übt Zurückhaltung gegenüber den feinen Arkaden und Bogen, den krabbengezierten Wimpergen der Querschiffsüdfront. Beidseits des Choransatzes strebt je ein Turm empor, von denen der südliche reicheren Schmuck erfahren hat. Beide wurden nicht zu Ende geführt, doch ins Kircheninnere einbezogen, so daß zwischen Langhaus und Chor ein Knick entstand.

Das schmale und hohe Mittelschiff wird von fünf farbenreichen *Chorfenstern* in ›gotisches Licht‹ getaucht. Auf 79 Medaillons wird die ›biblia pauperum‹ (die Bibel der Armen im Geiste = die nicht lesen können) gezeigt, die wichtigsten Szenen aus den beiden Testamenten, deren Inhalt jeder Analphabet beim Betrachten auffrischen konnte. Bei diesen Glasmalereien, um 1270 geschaffen, denkt man ebenfalls an französischen und Straßburger Einfluß. Die Originale wurden 1819 entfernt und ins Darmstädter Schloß verbracht, einige Stücke an den Wormser Dom und den Grafen Erbach abgegeben. Die derzeitigen Scheiben wurden von Prof. Geiges getreu nachgearbeitet und 1900 eingesetzt. Oberhalb der schönen Blendarkaden und in der Höhe der Fensterbänke

WIMPFEN IM TAL · BAD WIMPFEN AM BERG

gehen die Vordersäulen der Pfeilerbündel in Konsolen über, die Heilige tragen. Die Madonnenstatue am nördlichen Chordienst mit Resten ursprünglich farbiger Fassung eröffnet die Reihe der Ordensstifter: St. Benedikt, die Ordensregel in der Hand, St. Franziskus von Assisi mit den Wundmalen, St. Dominikus in weißer Tunika; der Apostel Thomas mit der Lanze gehört in diese Reihe, weil seit der Umwandlung des Benediktinerklosters in ein Ritterstift 1205 der hl. Thomas als Schutzpatron verehrt wurde. Welche Beziehung zu diesem Programm der Märtyrer Stephanus, der hl. Kilian von Würzburg und ein hl. König mit Kelch (eventuell aus der Dreikönigsgruppe) haben, wurde noch nicht erkundet.

Ein besonders zierliches SAKRAMENTSHÄUSCHEN von 1430, sechs Meter hoch, schießt mit feinen Baldachinen und Giebeln zur Decke. Mittelpunkt der Apsis ist der HOCH-ALTAR, dessen Mensa an der Vorderseite sieben Spitzbogenfenster trägt. Auf der Rückseite führen fünf Stufen ins Innere der Mensa, um dort Reliquien zu verwahren. Das Altarkreuz stammt aus dem Beginn des 15. Jh. Älter und aussagefroh ist das zwei-reihige *Chorgestühl* aus Eiche, 1298 mit dem Pontifikalthron von Dekan Burkhardt von Hall gestiftet. Aus den Wangen und Knäufen wachsen groteske Menschenköpfe, Tiere und Symbolfiguren, als wollten sie jeden ablenkenden Gedanken des Beters verscheu-chen. Neben dem Chorgestühl der Stiftskirche St. Viktor in Xanten (Mitte 13. Jh.) zählt das in Wimpfen zu den ältesten Leistungen gotischer Holzschnitzerei.

Die nach Süden gerichtete SAKRAMENTSKAPELLE ist ein modern gestalteter Sakral-raum. Die 1945 aus Schlesien vertriebenen Benediktiner der Abtei Grüssau konnten 1947 das Konventsgebäude beziehen und nach 145 Jahren Säkularisation die Kirche wieder dem Gottesdienst zurückgeben. Eine Kopie des Mariengnadenbildes aus Grüssau, einer Ikone des 14. Jh., thront daher über dem Panzertabernakel und vor dem farben-prächtigen Marienfenster. Nahebei steht unter steinernem Zeltdach eine *Anna-Selbdritt* aus dem Jahre 1504, ein Wallfahrtsbild von hoher Schönheit. Urkundlich läßt sich die Wallfahrt zur hl. Anna, ihrer Tochter Maria und deren Sohn Jesus (daher Selbdritt) schon 1369 nachweisen; nach dem 2. Weltkrieg wurde sie wiederbelebt.

In der nördlichen Seitenkapelle, deren Glasfenster das Martyrium der hl. Katharina zeigen, steht der JUNGFRAUENALTAR mit den anmutigen Holzplastiken von Katharina (mit Schwert), Agnes (mit Lämmlein), Margarethe (mit Drachen). Bemerkenswert ist noch die Plastik des auferstandenen Christus von 1510 hinter dem Taufbrunnen und ein St. Petrus von 1535, der Patron der Kirche und der zwölf ›Apostelfischer‹, der 1387 gegründeten, ältesten Fischerzunft am Neckar.

Herrlich ist der KREUZGANG um einen Garten mit Kreuzhügel, altem Taufbrunnen und Laubenforsythie. Er ist in drei Phasen entstanden: der Ostflügel in der Frühgotik bis 1300, der Nordflügel in der Hochgotik bis 1330, der Westflügel in der Spätgotik bis 1400. Reichhaltig die Verzierungen an den Kapitellen, mit Efeu- und Erdbeerblatt, mit Frosch und Vogel, mit dem berühmten Vogelnest, das Nikolaus Lenau zu einem Gedicht inspirierte. Der seine Jungen fütternde Vogel war in der Gotik allerdings kein Sinn-bild der Mutterliebe, sondern Symbol der Kirche, die ihre Gläubigen mit der Lehre nährt, so wie Eva nicht die Urmutter oder Verführerin war, sondern Symbol der nach Erlösung darbenden Menschheit. Wie im Kircheninnern, so liegen auch hier unter zahlreichen Grabplatten die Stiftsherren. Ihre frühesten Vorgänger erinnern im Eck des Ostflügels mit dem Standartenstein der III. Reiterkohorte Aquitaniens an sich.

Was Sie sehen sollten: Die Südseite des Querschiffes von außen, die Glasbilder des Chores von innen, den Kreuzgang. Was Sie hören sollten: Die Horen (Stundengebete) der Benediktiner, die seit der Vertreibung aus Grüssau (Schlesien) hier ansässig sind.

Bad Wimpfen am Berg

Jünger als die Siedlung im Tal ist die auf dem Berg (Ft. 2), einst dem Bistum Worms gehörig. Erst als die Staufer im 12. Jh. ihre Pfalzen und Burgen ausbauten, wurde Wimpfen ein wichtiges Bindeglied der staufischen Besitzungen im Elsaß, im südlichen Franken (Rothenburg) und der Wetterau. 1182 weilte Barbarossa in Wimpfen und hat wohl den Bau der Pfalz veranlaßt. Sein Urenkel Heinrich schlug in elf Jahren neunmal sein Hoflager hier auf. Nach dem Verfall der Staufermacht wurde Wimpfen freie Reichsstadt, im Wappen den Reichsadler, der zur Unterscheidung von anderen Wappenadlern den Schlüssel von Worms im Schnabel hält. Am Kreuzungspunkt wichtiger Handelsstraßen gelegen, nahm die Stadt einen wirtschaftlichen Aufschwung, rettete sich durch alle Fehden und Zwiste dank ihrer Burg, den festen Mauern und Türmen, die erst im Dreißigjährigen Krieg gebrochen wurden. Tilly, der Sieger der Schlacht von Wimpfen 1622, die 6000 Tote kostete, eroberte die evangelische Stadt und ließ etliche Befestigungen schleifen, später nahmen sich Bürger Steine aus den Bastionen und dem Palas. Die Reste der Befestigung auf dem Hochufer zwischen dem ›Roten Turm‹ und dem ›Blauen Turm‹ sind stark mit Wohnhäusern durchsetzt. Der Unterbau des Eckpfeilers ROTER TURM aus Buckelquadern von rotem Sandstein und aufgesetztem Tuffsteinmauerwerk stammt aus dem späten 12. Jh., die Kalksteinstockwerke darüber aus dem 14. Jh. Im Innern, das durch Betondecken verändert wurde, ist ein schönes Turmgemach mit Nischen und einem romanischen Kamin sehenswert, dazu ein dreimal geknickter Gang zu einem halbrund über die Mauer vorkragenden Aborterker. Das oberste Geschoß mit der Turmhaube verbrannte bei der Beschießung von 1647.

Westwärts erreichen wir die PFALZKAPELLE mit ihrem schlichten Blendbogenfries, um 1200 erbaut. Die romanische Apsis war im 14. Jh. durch einen rechteckigen Sakristeianbau ersetzt worden. Daran hängen die Reste des Palas, dessen Nordmauer einigermaßen erhalten blieb. Den großen Saal kann man nur ahnen, wenn man die Gruppen von je vier bzw. fünf Fensterbögen betrachtet, die von gemauerten Pfeilern voneinander getrennt werden. Die paarweis stehenden Säulen, die je ein quergelegtes Kämpfergesims tragen, haben verschiedene Formen. Glatte Säulen wechseln mit gedrehten oder aus gebündelten Säulchen bestehenden Säulen. Dieser einfallsreiche Wechsel, dazu die

75

BAD WIMPFEN AM BERG

ruhigen Basen und Kapitelle sind ein vorzügliches Beispiel spätstaufischer Steinmetzkunst (Abb. 19).

Westlich der Kapelle steht das STEINHAUS, dessen Unterbau aus dem 12. Jh. stammt,
der Renaissance-Stufengiebel wie auch etliche Fensterdurchbrüche jedoch aus dem
16. Jh. Dieses Wohnhaus, wohl des kaiserlichen Gefolges, besitzt neben einem Kamin
und Erker (ähnlich dem ›Blauen Turm‹) alte Wandmalereien und birgt heute das
HEIMATMUSEUM. Westlicher Eckpfeiler ist der BLAUE TURM, dessen romanische Untergeschosse aus blaugrauem Kalk gemauert sind. Das Innere dieses Wachtturmes, der
wie ein Bergfried wirkt, brannte 1647 aus. Die Bekrönung im neuromanischen Geschmack erfolgte erst 1848 (Abb. 25).

Am Rathaus vorbei und über den kleinen Marktplatz gelangen wir zum WORMSER
HOF, dessen langer Flügel sich an die Stadtmauer lehnt, Wirtschaftshof und Sitz des
Wormser Verwalters, der in der benachbarten Zehntscheuer die Naturalabgaben des
umfangreichen bischöflichen Besitzes im Wimpfener Raum lagerte. Zur Neckarseite besitzt er spitzbogige Fenster, ist also etwas später als der Palas gebaut worden.

Gegenüber und zwischen den beiden Hauptstraßen der Siedlung steht die evangelische STADTKIRCHE, 1234 erstmals genannt und Maria geweiht. Der Bau war zunächst
bescheiden, wie die kleinen, eng gestellten Osttürme zeigen; er wurde, bei wachsender
Bevölkerung, durch einen jüngeren Chor und schließlich ein großes Langhaus erweitert.
Die drei Untergeschosse der Türme stammen aus der Zeit von 1210/20; sie wurden erhöht, als das mächtige Langhausdach über die dreischiffige Halle gespannt wurde und
die Türme winzig erscheinen ließ. Dieses einzigartige Dach deckt eine Hallenkirche von
klarem, spätgotischem Charakter. Man betritt sie durch die Vorhalle des Westportals,
über dem eine schmückende Altane und drei Rundfenster die Fassade bewegen. Im Innern steigen schlanke Rundsäulen auf und tragen ein reiches Netzgewölbe. Da man
wegen der weitgestellten Arkaden immer alle drei Schiffe zusammen sieht, entsteht der
Eindruck eines weiten Saales. Mehrfach wurde der herrliche Raum, der zwischen 1492
und 1516 geschaffen wurde, dem Jörg Pilgram zugeschrieben; der Vollender – auch
der Türme – ist mit Sicherheit Bernhard Sporer, dessen Schwiegersohn, der Goldschmied Wilhelm Werrich, damals Besitzer des Steinhauses war.

Für eine evangelische Kirche ist die Ausstattung sehr reich. Die Steinwerke kommen
kaum über gute Handwerksarbeit hinaus, so der Dreisitz aus der Erbauungszeit des
Chores (Ende 13. Jh.), die Pietà im Chor mit der kleinen, ausgemergelten Christus-
figur (1370), der Taufstein in der nördlichen Seitenkapelle um 1520, die von Sporer
geschaffene Kanzel um 1520 mit dem barocken Schalldeckel aus dem ausgehenden
17. Jh. Ganz vorzüglich dagegen der Rest von *Glasmalereien* im mittleren Fenster hinter dem Hochaltar, etwa 1270/80 unter elsässischem Einfluß entstanden. Szenen aus der
Jugend Christi, dazu Simson mit den Toren von Gaza und (der neuen Scheibe) Jesse als
Stammvater geben eine kleine Vorstellung von den »leuchtenden Teppichen«, die einst
die Fenster überzogen haben. Spätere Glasfenster wurden bei der Restaurierung 1869
in den Seitenkapellen zusammengezogen.

Der Schrein des HOCHALTARES von 1519 birgt im Mittelteil ein *Vesperbild* mit der ganz seltenen Darstellung einer knienden Maria, die den zu Boden gesunkenen Leichnam des Herrn stützt, flankiert von Barbara und Apollonia. Die Flügelinnenseiten tragen Flachreliefs mit Georg und Johannes links und Christoph und Leopold rechts. Hinter dem Türchen in der Predella steht die plastische Gruppe des Fegfeuers, ein ganz seltenes Thema für gotische Holzschnitzer. Die auf die Flügelaußenseiten aufgemalten Johannes d. T. und Papst Urban wurden fälschlich Grünewald zugeschrieben. Zweifellos hat der Schöpfer dieses frühen deutschen Renaissance-Altares Anregungen von Riemenschneider, Dürer und Backoffen aufgenommen, doch ist er selbständig vorgegangen.

Nur 28 Jahre älter ist der große *Kruzifixus* aus Holz in der nördlichen Seitenkapelle, laut inliegendem Zettel von Oswald Bocksdorffer aus Memmingen 1481 geschnitzt. Der hagere Körper, die brutale Bemalung und die Naturhaare sollten den Beschauer erschüttern, sein Mitleid entfachen. Die beweglichen Arme, der abnehmbare Rumpf weisen darauf hin, daß der Kruzifixus am Karfreitag in einem ›Heiligen Grab‹ beigesetzt wurde, ein wertvoller Zeuge mittelalterlicher Osterbräuche. (Eine Kreuzigungsgruppe des Hans Backoffen, zwischen 1509 und 1519 geschaffen, steht, stark verwittert, auf dem Friedhof, den man schon 1548 von der Kirche wegverlegte. Christus wird als majestätischer Entschlafener aufgefaßt, die Schächer als Kontrast des guten und bösen Begleiters über der schmerzgelähmten Mutter.)

Durch die Salzgasse kommen wir zum ADLERBRUNNEN, dem Wahrzeichen der Reichsstadt mit dem Wormser Schlüssel im Schnabel, vorbei am Haus Feyerabend mit dem herrlichen Ausleger und dem schmalen Fachwerkhaus Salzgasse 88. Das Gegenstück, der Löwenbrunnen, steht am anderen Ende der oberen Hauptstraße, die weitere prächtige Fachwerkhäuser besitzt, wie die ›Krone‹ (Nr. 297) und das Bürgerhospital (Nr. 281), dessen Innenhof von zwei Fachwerkflügeln umfangen wird. Die gleichmäßige Fensterreihe ist bedingt durch die Reihe der gleich großen Zellen des Altersheimes. Daneben, an der Einmündung von fünf Straßen steht das 1233 gegründete HOSPITAL ZUM HL. GEIST, in dem sich ein Konvent von Brüdern der Krankenpflege widmete. Die Reste der gotischen Kirche (Anfang 15. Jh.) sind im Gasthof Klosterkeller noch sichtbar. Nach einem Brand 1851 wurde die Kirche in Stockwerke unterteilt und vermietet. Der zum Hospital gehörige Kranken- und Klosterflügel wurde jeweils 1775 in barocken Formen neu gebaut, das 'modernste' Bauwerk in der Altstadt Wimpfens.

Lohnend ist der Besuch der DOMINIKANERKIRCHE. Typisch für den Bettelorden ist der Platz nahe der Wehrmauer, weil dort im 13. Jh. noch billiger Gelände zu erwerben war als im Stadtzentrum. Die 14 Meter breite Saalkirche aus dem Anfang des 14. Jh. bot damals der gesamten Bevölkerung Platz; niemand sollte die berühmten und langen Predigten der Dominikaner versäumen müssen. Zur Schlichtheit ermahnt, verzichteten die Dominikaner auf den Schmuck der Kapitelle im schmalen Chor. Erst im Barock (1713/15) wurde ein üppiger HOCHALTAR aufgebaut, das Langhaus um eine obere Fensterzone erhöht, dabei ein Scheingewölbe auf Stuckpilastern geschaffen, so daß jetzt gleichmäßig Licht den Raum durchflutet. Das Gegenstück zum Barockaltar ist der *Or-*

SCHLOSS LEHEN · NECKARSULM

gelprospekt, das geschnitzte Orgelgehäuse, das Bruder Unterfinger mit drei Schreiner-
gesellen 1749–52 geschaffen hat, wobei Bruder Felderer die plastischen Teile schnitzte.
Zuletzt (1769–74) schufen Bruder Andreas und Bruder Joseph Bockmeyer die Gestühle
des Winterchores und das Hauptchorgestühl, abwechslungsreich und gekonnt aus dem
vollen Holz geschnitzt. Ein Labsal für die Freunde des Rokoko.

Von der gotischen AUSSTATTUNG hat sich auf der Südseite der Rest eines Frieses von
Stifterwappen erhalten (14. Jh.), der an den gebefreudigen Adel des Umlandes erinnern sollte. Das Schweißtuch der Veronika an der Chorsüdwand wird einem mittel-
rheinischen Meister (um 1400) zugeschrieben. Die älteste Plastik ist der Grabstein eines
Herrn von Weinsberg, wahrscheinlich des Landvogtes im Breisgau Eberhard VIII.
(† 1417), die zu den besten der Würzburger Gruppe der Grabmalplastik gehört. Von
feiner Qualität ist auch der Grabstein der Anna von Ehrenberg († 1472) mit den Halb-
figuren von Christus und Maria über den Wappen der Vorfahren. Aus der Spätgotik
stammen mehrere Holzplastiken, vermutlich Figuren aus einem Hochaltarschrein, von
denen Dominikus und Petrus Martyr besonders durchgeistigte Züge tragen. Aus dem
14. Jh. stammt schließlich der KREUZGANG, durch das Pfortenhaus von 1770 zugänglich,
der in seiner schlichten Art mit der Balkenholzdecke absticht vom reichen Kreuzgang bei
St. Peter im Tal. Beim Weg über die untere Hauptstraße nach Wimpfen im Tal steht
linker Hand das Hohenstaufentor, um 1220 errichtet, neben den mächtigen Türmen
fast zierlich wirkend. Es hatte der Turm keinen eigenen Zugang, war nur vom Wehrgang (heute einem Wohnhaus) zu erreichen. Von hier folgt man der wohlerhaltenen
Mauer nach Osten und hat bei ihrem Knick nach Norden den schönen Blick auf das
überschlanke Nürnberger Türmchen und den Roten Turm.

Was Sie in Wimpfen sehen sollten: Die Kaiserpfalz, den Blauen Turm und den Blick
von ihm, zumindest die Südseite der Stiftskirche. Auf dem rechten Neckarufer angelangt, sollten Sie einen Blick auf das Panorama der Bergstadt werfen.

Schloß Lehen

Neckaraufwärts liegt an der Einmündung von Jagst und Kocher Friedrichshall, aus den
Gemeinden Jagstfeld und Kochendorf gebildet. 1806 wurde im ›Prinzeßwäldchen‹ zum
ersten Mal nach Salz gebohrt, 1899–1901 in Kochendorf ein Bergwerk eingerichtet, das
die 25 Meter mächtigen Steinsalzvorkommen im mittleren Muschelkalk ausbeutet, die
von der chemischen Industrie genutzt werden. Für Neugierige gibt es eine Schachtein-
fahrt, die Besichtigung des 180 Meter unter Tage liegenden Kuppelsaales aus Salz-
kristallen und der Salzgewinnung vor Ort. In Jagstfeld hingegen wird seit 1815 eine
Solequelle zum Salzsieden genutzt, aber auch für Heilbäder abgegeben.

Beherrscht wird das Bild von Kochendorf, von dessen Ummauerung nur das Mühl-
tor geblieben ist, vom Oberen Schloß und der Kirche. Die KIRCHE, deren Ostturm noch

78

in die Romanik reicht, besitzt gute Grabdenkmäler des Ortsadels – der Grecken und der Herren von Gemmingen – vornehmlich aus der Renaissance. Aus dieser Epoche stammt auch der Hauptbau des OBEREN SCHLOSSES (Greckenschloß) mit Treppenturm und geschweiften Giebeln. Mitte des 18. Jh. waren dort die Kanzlei und die Ritterschule des Kantons Odenwald der fränkischen Ritterschaft untergebracht. Um ihre Interessen zu wahren, hatten sich die zahlreichen Familien der schwäbischen, fränkischen und hessischen Ritterschaft kantonsweise zusammengeschlossen und beschickten eigene Schulen, in denen neben Geschichte und Französisch im 18. Jh. immer noch Fechten, Reiten (Voltigieren) und Tanzen vornean standen.

Nahe der Kochermündung steht massig das kaiserliche LEHENSSCHLOSS (kurz ›Lehen‹ genannt), 1533 erbaut, mit Erker, Treppenturm und geschwungenen Giebeln ebenfalls der Renaissance verpflichtet. Die kräftigen Rundtürme zur Straße hin sind parallel zur Mauer aufgeschlitzt, um den Gehweg hindurchzulassen. Das Schloß ist inzwischen für Gäste hergerichtet worden, die im Erdgeschoß die schönen Gewölbe bewundern können.

Neckarsulm

An der Mündung der Sulm in den Neckar liegt die Stadt, die durch ihre Motorenwerke bekannt wurde. Früher war sie es ihres Weinbaues wegen, hatte doch selbst das Kloster Amorbach im fernen Odenwald hier Weinberge erworben. Seit 1484 besaß der Deutsche Orden die Siedlung, 771 im Lorscher Codex erstmals genannt. Das DEUTSCHORDENS-SCHLOSS überragt denn auch die Stadt und war früher durch eine eigene Trennmauer

NECKARSULM Kupferstich von Mattaeus Merian. 1645

BURG WEIBERTREU · HEILBRONN

von ihr geschieden. Kern der Anlage ist der Hauptturm, dessen untere Stockwerke aus dem 14. Jh. stammen, daneben das gotische Steinhaus mit Erkern und Staffelgiebeln. Beim Abbruch der Nebengebäude blieb die Schloßkapelle erhalten. Die wohlrestaurierte Anlage beherbergt das ZWEIRADMUSEUM, das behutsam eingebaut wurde. Vorgeführt wird die Entwicklung des Zweirades vom Laufrad des Freiherrn von Drais bis zum Weltrekordmotorrad einschließlich aller wichtigen Erfindungen.

Die Altstadt wird überragt von der PFARRKIRCHE DIONYSIUS AREOPAGITA, ein im Unterland seltener Barockbau von 1706, von dem Heidelberger Carraschi errichtet, dessen reiche Schauseite von dem Bildhauer Holbusch geschmückt wurde. Den auffallenden Turm mit Kranz und Laternenkuppel schuf jedoch der Neckarsulmer Häfele schon 1557 im Auftrag des Deutschen Ordens. Die Innenausstattung im Stil des Rokoko hat im vorigen Jh. durch Übermalungen etwas gelitten, besitzt aber seit 1937 ein ausgezeichnetes Bild von Giovanni Battista Crespi, eine *Madonna des Sieges* zur Erinnerung an die Schlacht von Lepanto (7. 10. 1571).

Weinsberg und Burg ›Weibertreu‹

Weinsberg war bereits im 1. Jh. n. Chr. eine Römersiedlung, deren Reste, so das Badehaus, 1906 freigelegt wurden. Urkundlich erscheint die BURG (Abb. 27), wohl der Grafensitz für den Sulmgau, erst 1020 als Besitz der Grafen von Calw, die im ganzen Unterland reich begütert waren. Von ihnen erbten die Welfen die Burg. Als Welf VI. gegen Leopold von Österreich Krieg führte, belagerte König Konrad III., der erste Stauferkönig, Weinsberg, schlug 1140 den heraneilenden Welf VI. und eroberte die Burg. In der Chronik des Klosters Pantaleon zu Köln wird ca. 1170 erzählt, daß Konrad III. die Frauen der Burg schonen wollte und ihnen zugestand, sie könnten forttragen, was sie auf ihren Schultern zu schleppen vermöchten. Statt des Hausrates trugen die treuen Weiber ihre Männer aus der Gefangenschaft. Als ein Anhänger Konrads dagegen Einspruch erhob, beschied ihm dieser, an einem Königswort habe man nicht zu rütteln. Die staufische Burg, dem Kämmerer Dietport anvertraut, dessen Familie dann die Grafen von Weinsberg stellte, wurde unter Friedrich II. ausgebaut, die Siedlung 1250 zur Stadt erhoben. Konrad IX. von Weinsberg wurde 1411 von Kaiser Sigismund zum Reichserbkämmerer erhoben und 1431 zum Beschirmer des Konzils zu Basel ernannt. Sein Nachfolger, finanziell ruiniert, verlor Weinsberg durch den Überfall einer Ritterschar, die ihre Beute an Kurpfalz verkaufte; ähnlich den Griechen vor Troja hatten sie ihre Vorhut in leeren Weinfässern in die Stadt eingeschleust. 1504 eroberte Herzog Ulrich von Württemberg als Vollstrecker der Reichsacht Weinsberg, das von da ab von Stuttgart aus regiert wurde.

Als Jäcklein Rohrbach im Bauernkrieg mit einem Bauernhaufen Weinsberg erobert hatte, ließ er im Ostersonntag 1525 die gefangenen Ritter, an ihrer Spitze den Grafen Helfenstein, einen Schwiegersohn Kaiser Maximilians, durch die Spieße jagen, also den schimpflichen Tod von Landsknechten erleiden. Diese Tat diente den Gegnern unter Jörg Truchseß von Waldburg als Alibi für viele grausame Urteile. Als Weinsberg zurückerobert war, mußte die Bevölkerung, die mit der Bauernsache sympathisiert hatte, die Stadt ohne ihre Habe verlassen, die dann einschließlich der Johanneskirche verbrannt wurde. Zwei Drittel der wieder aufgebauten Stadt wurde 1707 durch einen Brand erneut zerstört, drei Viertel der Altstadt schließlich 1945 durch einen zehntägigen Artilleriebeschuß vernichtet. Daß nach den Eroberungen von der ruinierten ›Weibertreu‹ überhaupt etwas stehenblieb, verdankt die Stadt dem Arzt und Dichter Justinus Kerner, der den ›Weinsberger Frauenverein‹ gründete, der die Reste der Burg erhielt und restaurierte. Er hat angeregt, daß sich prominente Besucher mit ihrem Namenszug in den Quadern der Bollwerke und Turmreste verewigen konnten.

Die JOHANNISKIRCHE zeigt auf der Westseite einen gewölbten Torbogen auf zierlichen Säulen, durch den wir in die Basilika der Staufer eintreten, die, anstelle einer viel älteren Taufkapelle unter Konrad III. begonnen, unter Friedrich Barbarossa vollendet wurde. Noch sieht man an der Nordwand die Brandspuren von 1525. Herzog Ulrich ließ die Ruine 1534 aufbauen, als er in Weinsberg die Reformation einführte. Er übernahm dabei die Scheidebögen der Schiffe, die spitz auf den Pfeilern und Säulen stehen. Die Säulen tragen Ranken mit Muschelblättern und Tierköpfen. Über dem Triumphbogen führt ein Quergang zum Turmaufgang, wohin sich an Ostern 1525 einige Ritter flüchteten, aber eingeholt und zerschmettert wurden. Der Chor unter dem Turm, im 15. Jh. verlängert, besitzt wie die beiden Seitenchöre Kreuzrippengewölbe.

Heilbronn

Der Name der Stadt, die in ihrem Vorort Böckingen ein ehem. Römerkastell am Neckarlimes besitzt, wird von einem ›heiligen‹ Brunnen in der Nähe des heutigen Kirchbrunnens abgeleitet. Nächst der Kirche St. Kilian erinnert eine kleinere Nachbildung von 1904 an den 1868 abgebauten Brunnen, die zusätzlich mit Porträts des Hausmeiers Karlmann und Kaiser Karl IV. geschmückt ist. Karlmann brachte 741 die Basilika St. Michael als Erstausstattung an das Bistum Würzburg, Karl IV. bestätigte 1349 das Würzburger Patronat über St. Kilian, die Pfarrkirche, die anstelle von St. Michael gebaut und nach dem Patron des Bistums Würzburg, dem Iren Kilian, benannt worden war. Das von Bonifatius 741/42 gegründete Bistum Würzburg wurde von Karlmann (reg. 741–47) mit 25 königlichen Kirchen, darunter St. Martin im nahen Lauffen und St. Michael in Heilbronn, ausgestattet.

Bei dem verheerenden Bombenangriff auf Heilbronn am 4. 12. 1944, der die Altstadt niederbrannte, wurde ST. KILIAN schwer beschädigt, aber nicht vernichtet. Der 1513–28 unter Leitung von Hans Schweiner erbaute, 62 Meter hohe Hauptturm ist das erste bedeutende Renaissancebauwerk in Deutschland von großer Eigenart. Dieser West- oder KILIANSTURM sollte besonders repräsentativ werden, weshalb Schweiner

HEILBRONN · ST. KILIAN

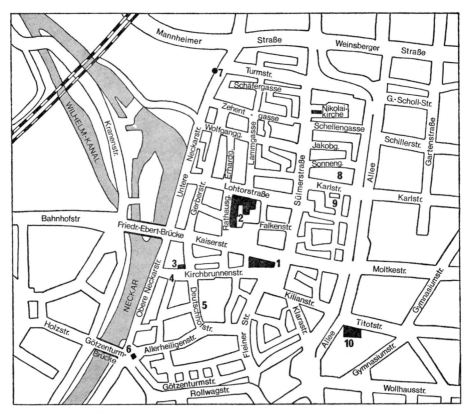

Stadtplan von Heilbronn
1 St. Kilian 2 Rathaus 3 Historisches Museum 4 Käthchenhaus 5 Deutschhof
6 Götzenturm 7 Bollwerksturm 8 Glockengießerhof 9 Franziskanerhof 10 Hauptpost

1507 beauftragt wird, die beiden Turmstümpfe aus dem 14. Jh. so zu verstärken, daß sie in den neuen Turm einbezogen werden konnten. Gegen die Gotik gerichtet war die Betonung der Horizontale durch den Einbau von Galerien, ganz neu ist die Schmuckfülle, die den Turm überkrustet (Abb. 31). Als Wasserspeier, im Jahr des Bauernkriegs 1525 geschaffen, sehen wir u. a. einen Affen in Mönchskutte, ein geflügeltes Untier mit der ›armen Seele‹, einen geflügelten Ochsen mit Krallenfüßen oder Mönch und Nonne mit Vogelleibern, die beileibe keine gotische Dämonenabwehr mehr darstellen, sondern massive Verhöhnung, vor allem der geistlichen Orden. Schon während des Bauens waren viele Bürger nicht zufrieden mit den säulenschluckenden Fratzen (Abb. 29, 30), den Tönen auf wildflatternden Steinbändern, den Türken, Landsknechten, Seepferdchen und Tierkreiszeichen. Ein Zeitgenosse klagte, Schweiner habe einen Turm gebaut, der »bis an den Himmel ein Bösewicht« sei. Obenauf steht daher auch nicht mehr St.

Kilian, sondern das ›Männle‹, der Bannerträger der Reichsstadt. Erst die Reformation schätzte die Bischöfe mit den Spechtzungen oder den Domherrn, der mit seiner Buhlerin durch dicke Taue verbunden ist, als Karikaturen der alten Kirche. Der heutige Betrachter erfährt, wie wuchernde Phantasie sich in Stein verkörpern konnte, dank einem Mann, der 1534 in bitterster Armut starb, beflügelt von seinem Versprechen, etwas Neuartiges zu schaffen, bedrückt von der Vorstellung, sein Turm könne einstürzen wie die Türme zu Schwäbisch Gmünd Karfreitag 1497. Theodor Heuss, 1884 im nahen Brackenheim geboren, lange Jahre Gymnasiast und Redakteur in Heilbronn, nannte diesen einmaligen Turm einen »Novellenkranz aus Stein, kühn, stolz, lustig«.

Die erste Baunachricht dieser Kirche stammt von 1278, erst 1297 wird sie dann in einem Ablaßbrief Kilianskirche genannt. Es war nichts Ungewöhnliches, große Kirchenbauten durch den Erlös aus dem Verkauf vom Ablaß zeitlicher Sündenstrafen zu finanzieren. Der ursprünglich dreischiffigen Säulenbasilika mit einschiffigem Ostchor wurden zwei Chortürme vor die Abschlüsse der Seitenschiffe gesetzt, die bis heute erhalten sind. Der Südturm war um 1270, der Nordturm zwischen 1275–80 vollendet. Um nicht hinter anderen Reichsstädten zurückzustehen, wurde Hans von Mingolsheim beauftragt, den Umbau zur gotischen Hallenkirche vorzunehmen (1447–55). Anton Pilgram aus Brünn schuf 1480–87 den dreischiffigen Hallenchor, der in seiner Höhe und weiten Spannung völlig neu in Schwaben wie Franken war. Pilgram, der später nach Wien zog und eine bedeutende Bauhütte im Übergang der Gotik zur Renaissance leitete, hat sich am (teilzerstörten) Sakramentshäuschen als Träger einer Wendeltreppe abgebildet.

Im sorgfältig wiederaufgebauten Chor tragen die Schlußsteine des Netzgewölbes Symbole Christi (Lamm mit Siegesfahne), der vier Evangelisten, der Kirche, der Auferstehung (Phönix), des Paradiesvogels und die Krone des ewigen Lebens. Im nördlichen, dem Abendmahlschor, tragen die Schlußsteine Sinnbilder des Opfers Christi, im südlichen, dem Taufchor, Symbole der Taufe. Die hohen Farbfenster des Hauptchores hat Prof. Crodel nach der Zerstörung 1944 geschaffen, links die Erschaffung der Erde, rechts ihr Ende nach der Offenbarung Johannis.

Längst ist unser Blick zu dem großen *Altar* gewandert, den Hans Seyfer geschnitzt hat, der 1520 Heilbronner Bürger wurde (Abb. 34). Dieses Kunstwerk, 1498 vollendet, wird neben die bedeutenden Leistungen der Zeitgenossen Riemenschneider und Stoß gestellt. Vor der Zerstörung 1944 konnten alle Figuren in Sicherheit gebracht werden; Schrein und Gesprenge sind von Josef Wolfsteiner rekonstruiert. Der zweiflügelige Schrein sitzt auf einer Predella, in deren Mitte der Schmerzensmann (Erbärmdemann) mit Maria und Johannes zu einer Gruppe verschmolzen ist. Hervorragend wurde das Haupt des Johannes behandelt; weise und klug sehen uns die Kirchenväter Gregor und Hieronymus – links von der Gruppe – an, während rechts die Büsten von Augustinus und Ambrosius stehen. Im Zentrum des Schreines darüber die Madonna mit dem Jesuskind, ganz fraulich aufgefaßt und wie Koepf sagt »ohne Vorbild und Nachfolge«.

HEILBRONN RATHAUS

Lebensgroß steht sie auf der Mondsichel, begleitet links von Petrus und dem Märtyrer Laurentius (mit dem Rost), rechts von Kilian (mit dem Schwert) und Stephanus. Getrennt sind die Figuren, die nach außen zu an Größe abnehmen, durch schlanke Säulchen, aus denen über den Häuptern ein Baldachin aus reichem Blattwerk sprießt. In den Nischen dieses Baldachins, für gotische Schreine völlig neu, stehen außen die Statuetten der Kilians-Begleiter Kolonat und Totnan, innen die Büsten von Apollonia und Margarethe. In der mittleren, jetzt leeren Nische dürften zwei Engel mit der Krone über Maria geschwebt haben. Auf dem linken Flügel finden wir die flach herausgeschnitzten Reliefs der Geburt Christi und der Ausgießung des Hl. Geistes (Abb. 28), auf dem rechten die Auferstehung Jesu und Mariae Tod. Im luftigen Gesprenge, das sich von fünffacher zu dreifacher Gliederung verengt, stehen Maria und Johannes zu seiten des Kruzifixus, darüber nochmals eine Madonna mit dem Kind. Ein Marienaltar also, in dem zweimal, in der Predella und im Gesprenge, auf Christi Tod hingewiesen wird.

Der moderne Zwischenaltar am Ende des Mittelganges ist aus zwölf Steinen zusammengesetzt, Hinweis auf die 12 Stämme Israels und die 12 Apostel. Das aus einem Stück gegossene *Bronzekreuz* auf dem Altar nimmt das Motiv des Weinstocks auf, Sinnbild für Christus und zugleich Erinnerung an Kilian, der mit St. Urban Patron des Heilbronner Weingärtnerstandes ist. Motive aus dem Leben und Leiden Christi bis zur Auferstehung werden auf diesem Kreuz dargestellt nach Entwürfen von Ulrich Henn, der auch die Kirchenportale entwarf. Das Nordportal (zur Kaiserstraße) zeigt in Bronzereliefs den Einzug Jesu in Jerusalem und die Verleugnung durch die Jünger, das Portal an der Südseite die Aussendung der Apostel und die brennende Stadt Sodom als Hinweis auf das göttliche Gericht.

Schräg gegenüber steht am stattlichen Marktplatz der Mittelpunkt der Stadt: das RATHAUS (Abb. 32). Die auf Repräsentation bedachte Bürgerschaft hatte nicht nur Hans Schweiner zu seinem enormen Kilians-Turm angestachelt, 1582 beauftragte sie den Baumeister Hans Kurz, den gotischen Rathausbau aus dem Ende des 13. Jh. durch Änderung der Hauptfront in ein Renaissancebauwerk umzugestalten. Sein Bildnis ist mit Recht über dem Haupteingang angebracht. Aus dem gotischen Bau stammt noch das Stadtwappen mit dem Reichsadler auf goldenem Grund, das pietätvoll rechts von der astronomischen *Kunstuhr* eingelassen ist (Abb. 33).

Dieses von den Zeitgenossen vielbewunderte Uhrwerk hat 1580 Isaac Habrecht aus Schaffhausen gefertigt, der auch die zweite astronomische Uhr im Straßburger Münster gebaut hat. Er umgab die bemalten und vergoldeten Zifferblätter mit einem modischen Renaissancerahmen und stellte auf der inneren Tafel die Wochentage nach römischem Brauch durch Sonne, Mond, Mars, Merkur, Jupiter, Venus und Saturn dar, die in einem weiteren Kreis von Tierkreiszeichen mit Monatsnamen umgeben sind. Darüber steht, von Engeln flankiert, die Stundentafel mit großem und die Minutentafel mit kleinem Zeiger. Der rechte Engel bläst kurz vor der vollen Stunde zweimal in eine

84

Siegel der Reichsstadt Heilbronn von 1265

Posaune, bewegt sich nach links und wieder zurück; der linke zählt mit einem Szepter die Glockenschläge und dreht eine Sanduhr um, wenn die Stundenglocke angeschlagen hat. Zwei unterhalb der Uhrentafel lauernde vergoldete Widder springen bei jedem Stundenschlag gegeneinander. Unter ihnen in einer Nische ein Hahn, der um 4, 8 und 12 Uhr, also sechsmal täglich kräht. Daß das nicht weltliche Spielereien waren, daß die Zeit als göttliches Geschenk gesehen wurde, melden 24 Verszeilen unterm Uhrwerk, die so beginnen:

»Im Anfang Gott im höchsten Thron
Schuoff durchs Wortt Himmel, Erd, Sonn und Mon...«

Die oberste Tafel zeigt die Mondphasen an und hat über sich in einem besonders luftigen Türmchen die Viertelstundenglocke, während die Stundenglocke im Türmchen auf dem Dach hängt.

Die auf ionischen Säulen ruhende Freitreppe unterhalb des Uhrengiebels trägt sechs allegorische Figuren: Mutterliebe, Wohltätigkeit, Gerechtigkeit, Friede, Stärke und Glaube. Im gotischen Bogengang angelangt, sehen wir rechts vom Ratskellereingang das Originalrelief vom Kirchbrunnen: Jesus und die Samariterin am Brunnen. Unterm Relief streckt sich eine Bank von 6,5 Meter Länge, 1583 aus einem Block gehauen, deren Inschrift in der 6. Zeile behauptet: »Den wechtern zum sitzen bereit«, was wohl scherzhaft gemeint war wie die Bronzeplastik *Der Amtsschimmel*, von Blasius Streng 1963 für den Erweiterungsbau geschaffen. Links vom Eingang des Ratskellers, dessen gotisches Gewölbe Sie betrachten können, steht das ›Männle‹, dessen Kopie weiter auf der Turmspitze der Kilians-Kirche ausharren muß.

Dieses großräumige Rathaus einer selbstbewußten Reichsstadt, die 1399 so viel Steuern einnahm wie Zürich und mehr als Bern, hatte vor dem Angriff 1944 im ehem.

85

HEILBRONN KÄTCHENHAUS · FLEISCHHAUS · DEUTSCHHOF

Archivbau das weitum schönste Rokokogebäude. In die Ruine wurde die Ehrenhalle für die Opfer des Dritten Reiches und die Toten des Zweiten Weltkrieges eingelassen.

Am südwestlichen Marktplatzeck steht das Steinhaus aus dem 14. Jh., das heute KÄTHCHENHAUS heißt. Sein Renaissanceerker zeigt die Brustbilder der Propheten Jesaias, Jeremias, Oseas und Habakuk, mit Schriftstellen begleitet, alle aus der Werkstatt des Hans Schweiner. Daß Kleists ›Käthchen von Heilbronn‹ (Uraufführung am 17. 3. 1810 im Theater an der Wien) hier lokalisiert wurde, liegt daran, daß Heinrich von Kleist, der Mesmers Schriften über Galvanismus und Magnetismus gelesen hatte, in Dresden einen Vortrag des Naturphilosophen G. H. Schubert hörte, der u. a. die seltsame Heilung der Schlafwandlerin (Somnambulen) Lisette Kornacher schilderte. Die vollkommene Abhängigkeit dieser Heilbronner Ratsherrntochter hatte ihr Arzt Dr. Gmelin beschrieben, zu dessen Kundschaft auch Justinus Kerner und Friedrich Schiller gehörten. Nach ihrer Heilung lebte Lisette als Frau eines Hofrates völlig unromantisch und starb, 85 Jahre alt geworden, ohne von Kleists Käthchen zu wissen. Erfunden sind der Waffenschmied Theobald Friedeborn und auch Katharina von Schwaben, die als Ehefrau des Grafen Wetter von Strahl die reine, selbstlose Liebe erlebt.

Ein kleiner Spaziergang führt uns zum FLEISCHHAUS, von Hans Stefan 1589 errichtet. Hier mußten die Fleischhauer (Metzger, Schlachter) unter der Kontrolle der Stadt und der Zunft verkaufen. 1655 wurde verfügt, daß in diesem steinernen Haus aus feuerpolizeilichen Gründen die Hochzeiten abzuhalten seien. Heute ist das HISTORISCHE MUSEUM darin untergebracht. Umgezogen in den Deutschhof-Komplex ist im Sommer 1976 die eigene Abteilung für Robert Mayer (1814–78), den Sohn des Rosenapothekers am Markt, der das Gesetz von der Erhaltung der Energie fand und begründete. Dort ist auch das Archiv der Stadt zu besehen, das trotz mancher Schäden über wertvolle Urkunden und Briefe verfügt. Eine Besonderheit ist der ›Heilbronner Musikschatz‹, eine Sammlung von 118 Bänden rarer Noten, im Kloster Schöntal über den Krieg gerettet. Grundstock dieser Musikbibliothek waren die Noten des Heilbronner Schulmeisters und gekrönten Dichters (poeta laureatus) Johannes Lauterbach, die der Rat 1611 erworben und um die Noten der lateinischen und deutschen Knabenchöre des Gymnasiums, die des Organisten der Kilianskirche und die der Stadtpfeifer vermehrte.

Unweit vom Historischen Museum steht der Komplex der Deutschordenskommende, das ›Deutsche Haus‹ oder der DEUTSCHHOF genannt, wahrscheinlich auf dem Areal des fränkischen Wirtschafts- und Königshofes gelegen. Die Königspfalz wird 841 zum ersten Mal urkundlich erwähnt; sie war Residenz und Fruchtkammer zugleich. Der Deutsche Orden errichtete seine Kommende 1225. Die barocke Fassade an der Deutschhofstraße, von W. H. Beringer mit kräftiger Pilastergliederung ausgestattet, stammt erst aus den Jahren 1712–18. Zum Komplex des Deutschhofes gehört der Ritterbau, das Komturhaus von 1566 mit Staffelgiebel und Renaissance-Erker von 1546–48, in dem jetzt die Volkshochschule untergebracht ist. Links davon steht der einstige Fruchtkasten für die Naturalabgaben, rechts davon, durch einen Bogengang verbunden, das Ritter-

und Küchengebäude, jetzt Stadtbücherei. Hochgieblig und massig lastet die einstige Trappenei (das Materialdepot) mit dem Fürstenzimmer, jetzt das Pfarrhaus von St. Peter und Paul. Die gleichnamige Kirche, um 1600 Kommendenkirche, wurde 1721 unter weitgehender Verwendung der spätgotischen Anlage barock überformt, wobei ein Turm aus dem 13. Jh. übernommen wurde. Nach schweren Brandschäden blieb von der barocken Ausstattung kaum eine Spur, doch wurde am Chorbogen der schlicht renovierten Kirche ein Fresko aus dem 14. Jh. freigelegt. Trotz der Zerstörungen kann man am Untergeschoß des Turmes spätromanische Bauteile feststellen, die vom Turmchor einer Vorläuferkirche stammen. Über dem Hofportal zum Chor ist das Wappen des Komturs Georg Adolf von Speth (drei gezähnte Wolfsfalleneisen) erhalten geblieben, dessen Grabstein im Chor ebenfalls unbeschädigt blieb.

Von der turmbewehrten Mauer der Reichsstadt, die 1265 ein Siegel mit dem Reichsadler führt und 1298 erstmals Reichsstadt genannt wird, ist wenig geblieben. Im ›Götzenturm‹ hat der Bedränger der Kaufleute und Städte nie gesessen, sondern er büßte seine dreieinhalbjährige ritterliche Haft in der Herberge des Dietz Wagemann am Markt ab, umgeben von seiner ganzen Familie samt Schwiegervater. Ebenfalls am Uferweg hat sich der Bollwerksturm gegenüber der Neckar-Insel erhalten. In ihm, dem ›Kugelichten Turm‹, saß Götz von Berlichingen Pfingsten 1519 eine Nacht als Gefangener des ›Schwäbischen Bundes‹.

Was Sie bei knapper Zeit sehen sollten: Den Turm der Kilianskirche und den Marienaltar von Seyfer, die Kunstuhr am Rathaus und das Käthchenhaus.

II An Jagst und Kocher

Die Jagst aufwärts bis Ellwangen

Gegenüber Bad Wimpfen mündet die Jagst unterhalb Bad Friedrichshall unauffällig in den Neckar. Jetzt verlassen wir das ebene Neckartal und fahren die Jagst entlang.

Neudenau

Dieses Weingärtnerdorf besitzt zahlreiche Häuser in fränkischem Fachwerk, eng gedrängt am Marktplatz, mit schmiedeeisernen Wirtshausschildern und schmucken Giebeln. Talaufwärts liegt, von alten Nußbäumen beschattet, die Wallfahrtskirche ST. GANGOLF. Der erste Bau aus dem 12. Jh., von dem noch der Turm zeugt, wurde 1363 von der jetzigen Kapelle abgelöst. Von den Altären ist der Hauptaltar bemerkenswert, weil dort drei Ritter aufgestellt sind: St. Gangolf (mit Grafenhut), St. Martin (beim Mantelteilen), St. Mauritius (ohne die obligate Fahne). Die Flügelbilder erzählen die Gangolfslegende, die Geschichte des Herrn von Lingonac, der zwischen 716 und 731 ein Eigenkloster stiftete und mit einem Wurfspieß getötet wurde, als er aus einer Quelle trank. Als Schutzpatron heilkräftiger oder Kindersegen verschaffender Quellen kam er nach Neudenau, da neben der Kirche eine früher vielbesuchte Quelle sprudelte. Seit 1497 ist der Gangolfsritt bezeugt (s. S. 239).

Erstaunlich sind die *Fresken*, die zumeist 1919 freigelegt wurden und voller Erzählfreude alle ansprachen, die nicht lesen und schreiben konnten. Im Chor tagt das Weltgericht Christi, der die zwei Schwerter im Munde trägt, umgeben von Johannes dem Täufer, zwei Cherubim, Engeln mit Leidenswerkzeugen. In der nördlichen und südlichen Gewölbekappe steht je ein Cherub bei einer Bank mit sechs Aposteln. In der westlichen Kappe werden Gute und Böse geschieden; Michael, der Erzengel, wiegt die Taten der Toten ab. An den Wandfeldern sind Märtyrerszenen versammelt, so links die Steinigung des Stephanus, die Torturen des Laurentius, der auf einen glühenden Rost gespannt wurde, des Georg aus Kappadozien und des Victorinus von Diospolis in Ägypten, der zwischen Mühlsteinen zermalmt wurde. Diese uns heute unbekannten Märtyrer waren im 14. Jh., als die Fresken entstanden, ›in Mode‹, waren die Schutz-

Kloster Schöntal an der Jagst

36 SCHÖNTAL Klosterkirche. Blick auf den Hochaltar. 1733

37 SCHÖNTAL Klosterkirche. Kuppelfresko von L. A. Colomba
39 Blick auf Burg MORSTEIN an der Jagst
38 MORSTEIN Torhaus der Burg

Kloster SCHÖNTAL an der Jagst. Treppenhaus der Neuen Abtei

41 Kloster SCHÖNTAL Grabstein des Ritters Götz von Berlichingen († 1562)

42 JAGSTHAUSEN Hof der Götzenburg

43 JAGSTHAUSEN Die Götzenburg

ELLWANGEN Stiftskirche. Innenausstattung 1737 f.

45 Burg NEUENSTEIN bei Öhringen
46 Wallfahrtskirche Schönenberg bei Ellwangen. Nach 1729

47 NEUENSTEIN
Burgundischer Pokal.
15. Jh. Schloßmuseum

48 NEUENSTEIN
Hermersberger Pokal.
1580. Schloßmuseum

49 NEUENSTEIN Rittersaal

ÖHRINGEN Stiftskirche.
Grabmal des Philipp von
Hohenlohe († 1606)

BARTENSTEIN Sonnenuhr
im Schloßpark

52 Blick auf Schloß und Ort Langenburg an der Jagst
53 LANGENBURG Schloßhof. 1. Hälfte 17. Jh.

SCHWÄBISCH HALL   Pfarrkirche St. Michael. Michaelsstatue vom Mittelpfeiler der Vorhalle. Nach 1206

55 SCHWÄBISCH HALL Detail aus dem Großen Stadtbild von 1643

56 SCHWÄBISCH HALL Blick auf die Stadt mit ›Sulfersteg‹
57 SCHWÄBISCH HALL Partie am Kocher mit der Vorstadt jenseits des Flusses

8 SCHWÄBISCH HALL   St. Michael mit Freitreppe, Pranger und Fischbrunnen
Blick auf VELLBERG

59 SCHWÄBISCH HALL   Inneres von St. Michael

61 GROSS-COMBURG Antependium. Rheinisch, vor 1140
62 Blick auf GROSS-COMBURG

3 GROSS-COMBURG   Radleuchter. Vor 1140
4 KLEIN-COMBURG   Inneres der romanischen Kirche St. Ägidius

COMBURG

65 Grabstein des Ritters Schenk von Limpurg († 1475)

68 Erhartskapelle. Um 1230

66/67 Grabmäler des Friedrich V. von Limpurg († 1474) und der Susanne von Tierstein

69 Klein-Comburg

heiligen der Stiftsherren von Wimpfen, die hier Pfründen besaßen, die ihnen der Bischof von Würzburg verlieh. Die nackte Heilige links vom Durchgangsbogen z. B., von Pfeilen durchbohrt abwärts an zwei Bäumen hängend, ist Corona aus der Thebais, deren Reliquien Kaiser Otto III. nach Aachen bringen ließ. Daneben steht Gangolf, von zwei Rittern umringt, obwohl sein Mörder ein Kleriker war, dann Leodegar und Blasius. Die unteren Partien, von einer Bogenöffnung stark angegriffen, zeigen die makabäischen Brüder und außerhalb des Zyklus die Hl. Drei Könige. Auf der Westwand ist das Fegefeuer dargestellt.

An der Chorostwand wird Christus in Halbfigur sichtbar, dazu zwei Zeilen in der gotischen Majuskel des 14. Jh.: »Ego sum panis vivus qui de celo descendit« (Ich bin das Brot des Lebens, das vom Himmel herabsteigt). Die beiden mittleren Bildflächen (Madonna mit Kind; Kreuzigung) werden von drei Reihen Quadraten eingefaßt, in denen 40 Brustbilder von Königen und Propheten samt einer Sybille ihre Schriftrollen vorweisen, deren Texte allerdings erloschen sind. Die rechte Wandhälfte gehört der Krönung Mariens. Hier zeigen Quadrate szenische Darstellungen: Moses im Dornbusch und Wasser aus dem Felsen schlagend, Gideon mit dem taugetränkten Vlies, Ezechiel vor der verschlossenen Pforte, David und Salomon, die Kirchenlehrer, die Propheten, alles Zeugen für die Unbefleckte Empfängnis. Das Programm hält man beeinflußt von den Dominikanern in Wimpfen, deren Marienverehrung bekannt war.

Die weiteren Fresken, zum Teil durch die Flachdecke durchschnitten, die klugen und törichten Jungfrauen, der riesige Christophorus, sie sind eine figurenreiche ›Biblia pauperum‹ für alle, die keine Bibel kaufen oder lesen konnten.

Jagsthausen

Durch Möckmühl, das Götz als Vogt des Herzog Ulrich einst vergeblich verteidigte, geht es nach Widdern, einem Ganerbendorf, in dem verschiedene Besitzer die Gemeinschaftsaufgaben gemeinsam regelten (z. B. Mauerbau), ansonsten ihre Anteile genossen. Ende des 17. Jh. war der Ort in fünfhundert Zwölftel geteilt, von denen Würzburg 114 besaß.

Jagsthausen war eine römische Siedlung, auf deren Trümmern erst die Franken wieder einen Ort anlegten, der 1090 urkundlich genannt wird und einem Robert von Husen gehörte. Um 1330 geht der Besitz an die Berlichingen über, die aus dem gleichnamigen Dorf oberhalb stammen. Sie blieben bis zum Ende des Alten Reiches unbestrittene Dorfherren. Dort wurde Götz 1480 geboren, mußte sich aber mit seinem Bruder den Besitz teilen. 1560 wurde die Reformation eingeführt, was nach dem Dreißigjährigen Krieg einen schwedischen Hauptmann zu einer Geldsammlung in Schweden bewog, um die zerstörte Kirche halbwegs wieder aufzubauen. Sie birgt ein stattliches Epitaph der Berlichingen, die im Ort drei Schlösser stehen haben. Das ›Rote Schloß‹ ist heute Rentamt, das ›Neue Schloß‹ aus dem 18. Jh. ist Familiensitz,

105

Frontispiz und Titelseite zu Franck von Steigerwald: Lebens-Beschreibung Herrn Gözens von Berlichingen. Nürnberg 1731. Württembergische Landesbibliothek, Stuttgart

Lebens-Beschreibung
Herrn
Gözens
von
Berlichingen,

Zugenannt mit der Eisern Hand,
Eines zu Zeiten Kaysers Maximiliani I.
und Caroli V. kühnen und tapfern
Reichs-Cavaliers,

Worinnen derselbe 1.) alle seine von Jugend auf
gehabte Fehden, und im Krieg ausgeübte That-Hand-
lungen, 2.) seine in dem Bauern-Krieg A. 1525. wiederwillig ge-
leistete Dienste, und dann 3.) einige andere, ausserhalb dem Krieg,
und denen Fehden, gethane Ritter-Dienste aufrichtig
erzehlet, und dabey seine erlebte Fatali-
täten mit anführet.
Mit verschiedenen Anmerckungen erläutert,

und

Mit einem vollständigen Indice versehen, zum Druck befördert,
von
Verono Franck von Steigerwald

welchem

Zu noch mehrerer Illustrirung eine Dissertation de Diffida-
tionibus & Faidis, beygefügt sich befindet,
von
Wilhelm Friedrich Pistorius,
Hohenloh-Weickersheimischen Hof-Rath.

Nürnberg, verlegts Adam Jonathan Felßecker. 1731.

JAGSTHAUSEN · KLOSTER SCHÖNTAL

während das ›Alte Schloß‹, seit langem GÖTZENBURG geheißen, 1876 äußerlich von einer Burg mit Wassergraben und Zugbrücke in ein Schloß mit gepflegtem Park umgestaltet wurde (Abb. 43).

Man muß, um die alte Trutzigkeit zu entdecken, schon die Burg umkreisen und in den Hof vordringen, der mit seinem Fachwerk und den beiden Türmen, die den Nordflügel flankieren, den alten Bestand wahrt. Im ARCHIVTURM liegen nicht nur die Akten und Urkunden der Berlichingen aus einem halben Jahrtausend, sondern auch Erinnerungsstücke an Götz mit der eisernen Hand, durch Goethes Schauspiel für immer der Vergessenheit entrissen. Im SCHLOSSHOF (Abb. 42) wird seit einem Vierteljahrhundert die bilderreiche Charakterisierung eines Mannes im Zwiespalt seiner Zeit aufgeführt, wobei das Haus Berlichingen und das Land Baden-Württemberg sich in die Schirmherrschaft teilen. Inzwischen hat man auch andere Stücke ins Programm aufgenommen, das Ende Juni bis Anfang August läuft, doch fasziniert Goethes Götz noch heute, wenn der 1. Akt bei Sonnenuntergang anhebt und im Fackelschein das heimliche Gericht urteilt.

Sehenswert ist der RITTERSAAL unter schweren Eichenbalken, dunkel getäfelt, der 200 Personen faßt. Die anderen Räume sind für ein Hotel und eine Gastwirtschaft eingerichtet. Zu besehen ist auch die kunstreiche eiserne Hand, die sich Götz vom Waffenschmied in Olnhausen hatte fertigen lassen, nachdem ihm 1504 bei Landshut eine Geschützkugel den Unterarm zerschmettert hatte. Dabei liegt ein ›Stammbuch der Eisernen Hand‹, das Franziska von Berlichingen 1789 in Wien anlegte, eröffnet von der Unterschrift Kaiser Franz II., der im gleichen Jahr durch die Französische Revolution ganz andere Sorgen bekam als sie sein Vorfahr Maximilian mit Götz hatte.

Kloster Schöntal

Jagstaufwärts führt eine behäbige Brücke, mit einer Barockstatue des Johannes von Nepomuk geschmückt, vor das Tor des mit hoher Mauer umgürteten Klosterbereichs. Gestiftet wurde das Kloster von Ritter Wolfram von Bebenburg, der auf dem Kreuzzug 1147–49 ein Gelübde abgelegt hatte und sich gegen die Erbansprüche seiner Söhne durchsetzte. Kaiser Friedrich Barbarossa bestätigte in einer Urkunde vom 15. 3. 1157 die Übergabe der Besitztümer an den Zisterzienserorden, dessen Kloster Maulbronn die ersten Mönche sandte, und die Rechtmäßigkeit der Stiftung, die dem Bischof von Würzburg unterstellt war. In einer wirtschaftlichen Krise unterstellte sich Schöntal 1283 dem Kloster Kaisheim im Ries, im Aufschwung Mitte des 14. Jh.s entstand das älteste erhaltene Bauwerk, die gotische Torkapelle St. Kilian, die für die Familiaren, die Klosterzugehörigen, gedacht war.

Von der dreischiffigen *Klosterkirche* romanischen Stils sind nur der gerade Chorabschluß und einige Vierungsmauern in den großartigen Barockbau übernommen worden, der sich links vom Tor mit seiner Fassade so steil erhebt, daß man weit zurück-

treten muß, um die Gliederung und die Türme in einen Blick zu fassen (Abb. 35).
Bauherr war der tatkräftige Abt Knittel aus Lauda (reg. 1683–1732), der gegen viele
Widerstände diesen für seinen Konvent viel zu großen Barockbau errichten ließ. Er
verpflichtete 1707 Joh. Leonhard Dientzenhofer aus Bamberg, der die dortige Residenz
und die Klöster Banz und Ebrach erbaut hatte. Da Dientzenhofer im gleichen Jahr
starb, ging die Bauleitung auf dessen Schwager Jakob Ströhlein aus Schwäbisch Gmünd
über, nach dessen Tod 1711 an dessen Schwager Bernhard Schießer aus Windischsteig/
Niederösterreich. Dieser konnte dann die Weihe des Gotteshauses 1736 durch Friedrich
Carl von Schönborn, Fürstbischof von Bamberg und Würzburg, erleben.

Die mächtige FASSADE, die an die Schauseiten italienischer Barockkirchen erinnert,
ist dreifach gegliedert, wobei der untere Teil durch dorische, der mittlere durch ionische,
der obere durch korinthische Pilaster charakterisiert ist. Zwischen den Mittel- und den
Außenfenstern sind Figurennischen eingelassen für die Ordensgründer Benedikt und
Bernhard im unteren, für Josef und Andreas im mittleren und Maria und Johannes
d. T. im oberen Geschoß. Den Dreiecksgiebel krönt Christus als Erlöser, unter ihm am
steinernen Giebelbalken die Taube des Hl. Geistes über der Uhr, das Ewige also über
dem Zeitlichen. Die beiden 65 Meter hohen Türme, deren strenge Kuppeln mit Laternen Joseph Greising aus Würzburg geschaffen hat, sind so in die Prunkfassade gerückt,
daß sie nicht im Boden zu wuchten scheinen.

Flache Stufen führen zum Portal, über dem ein Relief Petrus und Johannes zeigt, die
am ›Schönen Tor‹ des Tempels einen Gelähmten heilen, eine Anspielung des Abtes
Knittel, dessen Wappen über dem Relief 'schwebt', auf die geistige Heilung der Gläubigen in der Kirche. Links von der Fassade hat sich Knittel eine Jubiläumssäule für
50 Regierungsjahre setzen lassen, von denen er jedoch nur 49 erlebte. Mit einer barok-
ken Spielerei schließlich verewigte er sich an der Nordseite des Nordturmes mit den
lebensgroßen Konterfeis zweier Hirsche und eines Pudels, seiner Haustiere, die ihm
bis dahin aufs Gerüst gefolgt waren. Von den vielen Knittelversen, mit denen er
Schöntal bedacht hat, sei dieser zitiert: »Ein groß paar Hirsch samt einem Hund/nebst
ihrem Herrn frisch und gesund/auf diesem Platz vor Zeiten stund/mit Wahrheitsgrund
sei dieses kund.«

Beim Eintreten überrascht der hohe Raum der dreischiffigen Hallenkirche – durchflutet vom Tageslicht aus großen Fenstern –, der das Gefühl der Weite vermittelt, da
kein Gestühl den Weg vom Portal zum chorabschließenden Gitter verstellt (Abb. 36).
Der Eindruck der Höhe wird durch die hochgezogenen Arkaden und Gurtbogen erreicht, die auf den Pfeilern aufsitzen, die vom Stuck des Joh. Bauer aus Heidingsfeld
überzogen sind. Als Schüler des Pietro Magno hatte er am Würzburger Dom mitge-
arbeitet, hat aber in Schöntal sich freigemacht und huldigt im Ostteil und Chor bereits
dem Bandlstuck, der strengen Geometrie der Regencezeit. Das Weiß und die zarten
Farben des Stucks hatten wie die Langhausfresken die Aufgabe der festlichen Einstim-
mung der Gläubigen, die in einer Barockkirche nicht mehr Zuflucht suchten, sondern
den Triumph des Himmels und der Kirche sinnfällig erleben sollten. Die Langhaus-

KLOSTER SCHÖNTAL

fresken – angetragen von Talwitzer aus Weikersheim, Hoffmann aus Adolzheim und seit 1724 von Ferradino – sind von geringer Qualität. Sie zeigen Szenen aus der Erlösungsgeschichte, die mit der Leidensgeschichte Christi (in der Vierung) und seiner Auferstehung (über den vier Evangelisten in der Kuppel) enden.

Beim Rundgang flankieren uns am Eingang zwei hervorragende plastische Arbeiten von ca. 1450, die aus Messing getriebenen Standbilder des Konrad von Weinsberg († 1446) und seiner Gemahlin Anna von Hohenlohe († 1437), die alle Plünderungen überstanden haben. Weiter im Raum stehen rechts und links Steinplastiken der Persönlichkeiten, die an der Gründung Schöntals beteiligt waren: Wolfram von Bebenburg, Abt Herwig von Maulbronn, Kaiser Friedrich I. (Barbarossa), Papst Alexander III., des Rotbarts heftigster Widerpart, der die Klostergründung bestätigte. Das älteste Denkmal befindet sich an der Wand des linken Seitenschiffes, das vom Seinsheimmeister um 1339 geschaffene Grabmal für Albrecht von Hohenlohe-Möckmühl. (Der unbekannte Meister wird nach dem Grabmal für Heinrich von Seinsheim in Mariaburghausen b. Haßfurt so genannt.) Genau gegenüber stehen die Denkmäler für Philipp von Weinsberg und seine Gemahlin, nach 1506 entstanden. Die Gatten, einander zugewandt, verkörpern die elegische Haltung der Spätgotik in einem Rahmen, der Formen früher Renaissance zeigt. Unter den Denkmälern Schöntaler Äbte ringsum ist das des Abtes Knittel († 1732) bedeutend, aber noch ganz mittelalterlich aufgefaßt.

Die vier ALABASTERALTÄRE wurden aus der Vorgängerkirche übernommen und entstanden alle in der Werkstätte der Familie Kern zu Forchtenberg am Kocher, woher auch der Alabaster stammt. Der begabteste der Familie, Michael Kern (1580–1649), beherrschte die feine Ziselierarbeit in dem nachgiebigen Stein am besten, die in dem stuckierten Rahmen nicht zur Geltung kommt, so daß man ganz nahe herantreten sollte. Der Kreuzaltar bietet in fünf Reliefs die Leidensgeschichte, der Johannesaltar von 1630 sechs Episoden aus dem Leben des Täufers, der Engelsaltar, 1642 von Michael Kern geschaffen, eine schöne Darstellung seines Namenspatrons samt Gabriel und Raffael, schließlich der 1641–44 geschaffene Bernhardsaltar, sehr bewegt in Gebärde und Gewandung mit den Assistenzfiguren von Benedikt und Robert von Molesme, des Gründers des Zisterzienserordens 1075. Ein fünfter Alabasteraltar des Michael Kern von 1628 wurde beim Neubau in die Dreifaltigkeitskapelle (links vom Chor) versetzt.

Ein blumen- und rankenreiches Eisengitter, 1727 geschmiedet, trennt das Langhaus, die Laienkirche, von Querschiff und Chor, der Mönchskirche. Den Chor füllt der überdimensionale HOCHALTAR aus, der 1733 von dem Veitshöchheimer Bildhauer Joh. Michael Fischer vollendet wurde, der in der Würzburger Werkstatt des Jacob van der Auvera gelernt hatte. Er schnitzte die mächtigen Figuren des Josef, Petrus, Paulus und Andreas, dazu im Auszug über den sechs Säulen die Figuren von Benedikt und Bernhard. Das Altarblatt unter der bekrönenden Dreifaltigkeit, die Aufnahme Mariens in den Himmel, das letzte Werk des Würzburger Hofmalers Oswald Onghers, entstand bereits ein Jahrhundert früher als der Altar. Farbenprächtiger als Onghers ist das Altarblatt an der Südwand der Vierung, das Lucas Anton Colomba gemalt hat, der zuvor im Fuldaer Dom tätig gewesen war. Er malte die wertvollen *Deckenfresken* im Chor und in der Kuppel (Abb. 37), wo er vier Szenen unterzubringen hatte, die von der aufsitzenden Laterne Licht erhalten. Im Chor hingegen wurde die Ordensgeschichte von Benedikt über Bernhard bis zur Erbauung der Kirche rekapituliert, Anschauungsunterricht für die dort betenden Mönche.

Von der jetzt katholischen Pfarrkirche gelangt man durch den Kreuzgang in die NEUE ABTEI, seit 1810 einem der vier Theologieseminare der Evangelischen Kirche Württembergs überlassen. Der Kreuzgang ist *Grablege der Ritter von Berlichingen* von der Klostergründung bis zur Einführung der Reformation in den berlichingschen Besitzungen (1560) gewesen, doch erhielt noch Götz († 1562) seinen Grabstein dort (Abb. 41). Es zeigt ihn kniend vor dem Kruzifixus mit der Inschrift unter dem Turnierhelm: »Er harret allhie seiner fröhlichen Auferstehung.« Künstlerisch wertvoller ist der Grabstein für Konrad v. B. († 1392), sehr fein im Ausdruck und von glänzender Komposition.

Joh. Leonhard Dientzenhofer, der die Neue Abtei geplant hatte, hat ihren Bau ebensowenig wie den der Kirche erlebt; Christian Fluhr führte die Pläne aus. Die kräftige Fassade des Baues kommt wegen gegenüber stehender Wirtschaftsgebäude nicht recht zur Geltung, dafür offenbart sich dem Eintretenden ein elegantes, schwingendes TREPPENHAUS (Abb. 40). Die beiden Treppenläufe treffen sich auf einem Podest, schwingen erneut zur Seite und vereinen sich endgültig zu einem achteckigen Umgang. Die Figuren der Sapientia (Weisheit) und Scientia (Wissenschaft) stehen zu Beginn der Treppenläufe, die reichgeschnitzte, stark durchbrochene Geländer besitzen. In beiden Stockwerken schließen schmiedeeiserne Gitter das Treppenhaus von den Innenräumen ab. Da Schöntals Neue Abtei kleiner als die Schlösser zu Pommersfelden oder Würzburg war, fiel auch das Treppenhaus kleiner aus, besticht aber durch Schwung und Phantasie. Das *Deckenfresko* von J. B. Ferradini stellt den Triumph der katholischen Kirche dar und wurde fälschlich einem Asam zugeschrieben. Ein Fresko von Franz Erasmus Asam im Festsaal des südlichen Pavillons wurde nach der Säkularisation übertüncht. In einem Flur der Neuen Abtei, jetzt ORDENSSAAL genannt, sind zwischen die Stuckpilaster Leinwände gespannt, die mit 302 Bildchen bemalt sind, die je einen Angehörigen der Ritterorden, der männlichen und weiblichen Orden in der Tracht zeigen, ein Kostümbuch also. An der Stirnwand ist die ›successio apostolica‹ (die Nachfolge der Apostel) von Petrus über den Papst bis zum Landpfarrer dargestellt.

Vieleckig und asymmetrisch liegt der Wirtschaftshof um Kirche und Barockabtei. Bemerkenswert ist der Renaissancebau der Alten Abtei und die Durchfahrten, die zum spätgotischen ehem. Laienbruderhaus, zur Torkapelle St. Kilian, zum äußeren Torturm mit der Wachthalle führen. Zu Abt Knittels Zeiten mußte sonntags dort ein Soldat mit Bärenfellmütze und österreichischer Grenadieruniform Wache schieben. Der reimfreudige Abt hat auch hier gewirkt, Türstürze und Faßböden mit Versen bedacht. Die Fässer im Keller des außerhalb stehenden Offiziantenbaues sind nach 1802 versteigert worden, doch hat sich sein Segenswunsch erhalten:

SCHLOSS ASCHHAUSEN · KRAUTHEIM · DÖRZBACH · HESSBACH

»Der Frühling mehrt die Bronnenquellen,
der Herbst der Fässer Fontainellen.
Gott wolle so viel Most
zum allgemeinen Trost
als nötig ist uns jährlich schicken,
mit Lebensmitteln uns erquicken.«

Auf dem Berg über dem Kloster liegt die achteckige KREUZBERGKAPELLE, auf Geheiß
des Abtes Knittel 1716 nach hinterlassenen Plänen Joh. Leonhard Dientzenhofers erbaut,
wobei ein Einfluß Balthasar Neumanns ebensowenig belegt werden konnte wie seine
Mitwirkung beim Treppenhaus der Neuen Abtei. Den Zentralbau krönt eine massige
Kuppel mit Laterne. Im Inneren wird die Kapelle von Pilastern und drei Emporen-
umgängen mit Balkonen gegliedert. Die Fresken stammen von Flade aus Öhringen,
der Stuck von Quadri.

Die Jagst aufwärts

Jagstaufwärts gelangen wir nach BIERINGEN, dessen Kilianskirche 800 dem Kloster
Lorsch geschenkt wurde. Der Ort, seit 1631 dem Kloster Schöntal gehörig, besaß ein
Schloß der Berlichingen und Aschhausen, das heutige Pfarrhaus an der Mündung des
Erlenbaches.

Ein Abstecher das Erlenbachtal (nördlich) aufwärts führt zum SCHLOSS der Grafen
Zeppelin in ASCHHAUSEN. Einst eine Burg der Aschhausen, die 1631 an die Abtei Schöntal kam, wurde im 18. Jh. zwischen die ehem. Wehrtürme ein barockes Jagdschloß
eingebaut. Nach der Säkularisation schenkte es Friedrich, der erste König des von
Napoleon geschaffenen Königreiches Württemberg, seinem Freund aus Mecklenburg,
dem Freiherrn (späteren Grafen) Zeppelin, der dazu das Erbpanneramt erhielt. War
schon die Anfahrt durch die Wälder in den abgelegenen Winkel überraschend, so ver-
mutet man in einem Jagdschloß nicht die Fülle an alten Möbeln und Intarsientischen
in den prachtvollen Zimmern, die Porzellane und Fayencen, Bilder und Waffen. Im
Lothringer Zimmer werden Kostbarkeiten jenes Landes bewahrt. Uniformen und per-
sönliche Utensilien erinnern an den bekanntesten Träger des Namens, Ferdinand Graf
v. Zeppelin (1838–1917), den Erfinder des lenkbaren Luftschiffes. An die Vorgänger,
die Aschhausen, die in Gottfried 1617–22 einen Bischof von Würzburg und Bamberg
gestellt haben, erinnert eine lange Reihe von Grabdenkmälern, die an der Mauer aufgestellt sind.

Ins Jagst-Tal zurückgekehrt, kommen wir nach Alt-Krautheim. Oberhalb des Tales
liegt auf einem Rücken die Bergstadt KRAUTHEIM mit der Burg der Edelherren von
Krautheim. Sie errichteten um 1200 die BURG auf der Südseite des Bergspornes, um
1300 dann nördlich davon die Bergstadt. Die Erbtochter Richiza von Krautheim, ver-
ehelicht mit Gottfried von Hohenlohe, wurde die Stammutter aller Hohenlohe. Als

Krautheim mainzisch geworden war, baute man neben die Burg der Stauferzeit ein kleines Schloß als Sitz des Amtmannes. Besuchenswert ist der mächtige Bergfried (um 1200), mit seinen Buckelquadern unmittelbar auf den Fels gesetzt. Von hier aus hat man einen weiten Blick über das wellige Hohenloher Land. Erhalten blieben auch Palas und Kapelle, die in den letzten Jahren restauriert wurden. In die Burgkapelle führt eine fünf Meter hohe Portalnische, gerahmt von einem Profil aus Blattranken und unheimlichen Fabeltieren. Die schmale und hohe Kapelle besitzt eine freitragende Mittelstütze, die von Kunsthistorikern als eine hervorragende Leistung der Frühgotik bezeichnet wird. Sie trägt die beiden Emporenerker; der Baumeister unbekannten Namens darf ein schönes Weinblattornament tragen. Bauherr dieser Anlage aus Bergfried, Palas und intimer Kapelle war Wolfrat von Krautheim, wie die Hohenlohe ein Parteigänger Heinrichs VI. und Friedrichs II. gegen die Fronde der meisten seiner Standesgenossen. Mit Gottfried von Hohenlohe gehörte Wolfrat zu den Erziehern Konrad IV., treu den Staufern ergeben, deren Burgenstil in Krautheim gewirkt hat.

Im Durchgang zum Burghof entdecken wir in der Halle zwei Bilder mit Szenen aus dem Leben des Fürsten Naryschkin, des Vertrauten Peter des Großen, aus dem Besitz der Familie Schmitt-Naryschkin, die nach dem Ersten Weltkrieg die Burg Krautheim erwarb. – In dem kleinen, enggedrängten Städtchen fallen einige gut restaurierte Gebäude auf, so die Kirche mit einem Turm von 1507, das Alte Rathaus von 1569, das Johanniterhaus mit einem Renaissanceportal (1590) und schließlich das einzige Stadttor.

In DÖRZBACH steht ein rechteckiges Schloß, dessen Zwinger und Graben zu einem kleinen Park umgewandelt wurden. Seit 1600 besitzen die Freiherren von Eyb, deren Stammburg bei Ansbach liegt, Schloß Dörzbach. Einer der Eybs, der Deutschordenskomtur Friedrich Karl, ließ 1776 im benachbarten MESSBACH die PFARRKIRCHE bauen, wobei er die reichgegliederte Fassade an der des Deutschordensschlosses Ellingen orientierte. Die *Deckenbilder* in Chor und Schiff wurden 1776 von dem Augsburger Akademie-Direktor Matthäus Günther (einem Schüler von C. D. Asam) gemalt, der von 1741–45 die Abteikirche zu Amorbach ausgemalt hatte. Dargestellt ist u. a. Karl Borromäus, der Pestkranken die Sterbesakramente reicht, und Augustinus, der in Pontifikaltracht über die Trinität nachsinnt. Beigegeben ist ihm ein Putto, der mit einem Löffel auf das Meer hinweist, was den Spruch verbildlicht, daß es leichter sei, das Meer mit einem Löffel auszuschöpfen, als das Wesen Gottes zu erforschen. Das SCHLOSS dicht daneben, ebenfalls von den Eybs erbaut, hat dreieinhalb Stockwerke, die vier Ecktürme Zwiebeldächer, die in dieser Landschaft fremdartig anmuten. Im Süden dehnt sich ein großer Park mit wertvollen exotischen Bäumen und einem See, von Kastanien umstanden, eine Idylle im stillen Jagst-Tal. Schloß und Park gehören seit 1832 den Freiherren von Palm.

Zwischen Dörzbach und Hohebach, allerdings auf der linken Seite der Jagst, liegt an einem Steilhang die gotische KAPELLE ST. WENDEL am Stein, sagenumrankt, angeblich auf keltischer Weihestätte begründet, dem beliebten Feld- und Viehpatron gewidmet.

UNTERREGENBACH · SCHLOSS MORSTEIN · KIRCHBERG · CRAILSHEIM

In der Ortschaft MULFINGEN am Fuß der Burg Jagstberg aus dem 13. Jh., deren Berg-fried 1822 gesprengt wurde, birgt die kath. Pfarrkirche St. Kilian wertvolle Skulp-turen und Heiligenbilder. Der Ort, der bis 1802 zum Bistum Würzburg gehörte, besitzt ein unter Julius Echter 1614 erbautes Amtshaus (jetzt Pfarrhaus). Jagstaufwärts sollten wir in UNTERREGENBACH unbedingt die Pfarrkirche St. Veit besehen, die viele Rätsel aufgegeben hat. Wie langjährige Untersuchungen (1946–48 und 1962–64) ergeben haben, ging der jetzigen Kirche mit den romanischen Teilen im Langhaus und ihrem gotischen Chor aus dem 14. Jh. eine karolingische Kirche voran, aus der vier Relief-steine stammen, deren Originale ins Württembergische Landesmuseum nach Stuttgart verbracht wurden. Urkundlich nachweisbar sind Ort und Kirche seit 1033, als Kon-rad II., der Erbauer des Speyerer Domes, die Übergabe ans Hochstift Würzburg siegelte. Daß der Ort viel älter ist, zeigen Reste eines Holzbaus aus dem 8. Jh. und eines Steinbaus aus dem 9. Jh., die 1961 bei einem Stallneubau freigelegt wurden. Aus der Zeit um 1033 stammt die Krypta unter dem Pfarrhaus, zu einer abgerissenen Kirche in T-Form gehörig. Die gut erhaltene dreischiffige Halle weist nicht nach Osten, sondern Norden. Pfeiler und zwei Säulen tragen die Stichkappentonnen, besitzen merkwürdige Kapitelle in Mulden- und Trapezform. Westlich der Krypta legte 1908 der Ortspfarrer Mauerreste und Estrich einer 47 Meter langen dreischiffigen Basilika frei, wohl einer Klosterkirche, von der sonst nichts überliefert ist.

Über Langenburg, das wir jetzt erreichen, wird im Kapitel ›Auf der Straße der Hohenlohe-Schlösser‹ berichtet (s. S. 125 ff.).

An der Hürdenmühle am Fuß des Katzensteins vorbei, fahren wir die vielen Win-dungen der Jagst nach und überqueren sie im Weiler Forst. Durch die Reiherhalde, seit vier Jahrhunderten im Besitz der Freiherren von Crailsheim, geht es aufwärts zu deren SCHLOSS MORSTEIN. Bis zum Ende des Alten Reiches ließ der Lehensherr derer von Crails-heim, der Markgraf von Ansbach, sich Reiher liefern, um sie in Triesdorf bei Ansbach zur Übung seiner Jagdfalken einzusetzen. Morstein, 150 Meter über dem Tal gelegen, besitzt noch einen Bergfried aus der Stauferzeit mit ebenmäßig behauenen Buckel-quadern und einer eleganten Wendeltreppe im Innern mit vielen Steinmetzzeichen. Da-neben steht ein Renaissanceschlößchen, 1571 begonnen, mit einem kräftigen Wehrturm, der von einer luftigen steinernen Balustrade umzogen wird (Abb. 38), die sich auch vor den Hauptbau legt. Die Burg ist bewohnt und kann nicht besichtigt werden, doch sollte man durch das Torhaus (Abb. 39) mit seinem fränkischen Fachwerk und Mansarddach nahe herantreten und die einmalige Komposition von Stauferturm und Renaissance-schloß fotografieren.

Auf der Höhe bleibend, gelangen wir über Dünsbach zur RUINE LEOFELS, gleich-altrig mit dem Morsteiner Bergfried. Von Wald umschlossen, blieben noch die Palas-mauer über dem Zwinger, Tore, Innenmauern des Rittersaales und ein Rest vom Bergfried erhalten. Hervorragend gearbeitet sind die Fensterstöcke von Steinmetzen der staufischen Bauschule. Die Säulchen und Profile, die Pflanzenornamente der Kapitelle fesseln das Auge, das schon in Wimpfen und Krautheim dem Stauferstil begegnet ist.

Über Lendsiedel kommen wir nach KIRCHBERG, einst (bis 1861) Residenz der Fürsten Hohenlohe-Kirchberg, heute ein Kurort. Im Jagst-Tal liegt das alte Bauern- und Gerberviertel ›Kirchberg im Tal‹; die Gerber siedelten wegen des hohen Wasserbedarfs am Flüßchen und verschonten zudem die Bergbürger mit dem Geruch der Lohgruben. Auf dem Bergrücken zieht sich die langgestreckte Oberstadt zu beiden Seiten der zum Schloß führenden, zum Marktplatz erweiterten Straße. Der Schloßbezirk, durch einen tiefen Graben vom Städtchen getrennt, ist ein großer rechteckiger Platz, umstanden von den Amtshäusern einer Duodezresidenz, zumeist in schlichtem Barock und farbig verputzt. Das SCHLOSS, am Ende des steilabfallenden Bergsporns gelegen, steht auf den Grundfesten einer Burg aus dem 14. Jh., die endgültig 1562 in den Besitz der Hohenlohe geriet. Sie ließen durch Servatius Körber aus Bonn das innere Schloß bauen, während der Ansbacher Hofbaumeister Leopold Retti 1738–58 den äußeren Burghof in schwerblütigem Barock gestaltete. Nach dem Verkauf des Schlosses nach 1950 an die Innere Mission, die darin ein Altersheim einrichtete, wurden die wertvollen Deckengemälde des Rittersaales, die der Nürnberger Kreuzfelder geschaffen hatte, nach Schloß Neuenstein gebracht. Dorthin gelangten auch Teile der Innenausstattung (s. S. 124), soweit sie nicht 1945 von den Besatzungstruppen zerstört oder gestohlen worden war. In einigen Räumen im Erdgeschoß sind Reste des einstigen Reichtums unter kundiger Führung zu besichtigen. – Die ev. Pfarrkirche, deren Ausstattung 1929 ausbrannte, hat statt des Chores eine geschlossene Wand aus Altar, Kanzel und Orgel, mit Barockschmuck herausgehoben, wie man sie als Typ sonst nur im Bereich der Markgrafschaft Ansbach antrifft.

Nahebei, über dem rechten Ufer der Jagst, steht BURG HORNBERG. Wie Leofels in der Stauferzeit gebaut, sind hier jedoch die Schild- und Wehrmauern, der Hauptbau und der Innenhof in spätgotischen Formen genauso gut erhalten geblieben wie der Bergfried. Die Burg ist bewohnt und daher einem Besuch nicht zugänglich. Es bleibt der herrliche Blick auf das langgestreckte Kirchberg und das trutzige Hornberg.

CRAILSHEIM, dem 1338 die Stadtrechte verliehen wurden, entstand im 12. Jh. an der Kreuzung wichtiger Straßen: Nürnberg–Stuttgart und Würzburg–Ulm. Die Stadt, als unregelmäßiges Rechteck angelegt, wurde im April 1945 acht Tage lang hart umkämpft und dabei gründlich zerstört. In den alten Formen wiederhergestellt wurde die Stadtkirche ST. JOHANNES BAPTISTA, deren Kern ein romanisches Langhaus ist, das in spätgotischer Zeit umgebaut wurde. 1398 wurden Turm und Chor errichtet, 1434 die niedrige Vorhalle hinzugefügt. Nach der Einführung der Reformation durch Markgraf Georg den Frommen von Ansbach 1531 wurde die Nordempore eingebaut, um alle Gläubigen in einem Gottesdienst versammeln zu können, während die Altgläubigen jener Zeit zwischen mehreren Messen und Andachten wählen konnten. Beachtlich ist der Hochaltar, in dessen Schrein der Gekreuzigte von Maria und Johannes Ev., von Johannes d. T. und Andreas flankiert wird, Figuren von ausgeprägtem Charakter, wahrscheinlich in Nürnberg im späten 15. Jh. geschaffen. Gleichaltrig sind die Ge-

ELLWANGEN · STIFTSKIRCHE

mälde auf den Flügeln, die aus der Werkstatt des Michael Wolgemut zu Nürnberg stammen, in der auch die Holzschnitte zu Schedels Weltchronik geschaffen wurden. Das grazile Sakramentshäuschen meißelte 1499 Endris Embhardt. Unter den Denkmälern sind sehenswert das 1601 errichtete Epitaph für Anna Ursula von Braunschweig, dessen altarmäßiger Aufbau Figuren im Renaissancestil trägt, und das Grabmal der Dorothea von Wolfstein, das Loy Hering 1538 mit einem eindringlichen Relief des Gekreuzigten geschaffen hat.

Jagstaufwärts gelangen wir durch den waldreichen Virngrund nach ELLWANGEN, beidseits von menschenleeren Tannenwäldern umgeben, so dem Ellwanger Bannforst, in dem bis 1803 nur mit Genehmigung der Stiftsvögte gejagt und geholzt werden durfte. Ellwangen entstand durch die Gründung eines Benediktinerklosters um 750 durch Bischof Hariolf von Langres. Der Sage nach soll sich Hariolf auf einer Jagd in den undurchdringlichen Wäldern verirrt und gelobt haben, wenn er dank Gottes Hilfe herausfinde, wolle er ein Kloster stiften. Mit königlichen und adeligen Gütern reich beschenkt, erhielt die große Abtei bereits 817 die Reichsunmittelbarkeit, sie war also nur dem König, keinem weiteren Lehensherrn untertan. Bald stand die Reichsabtei nur noch den Söhnen des schwäbischen Adels offen, wurde 1460 in ein Chorherrenstift umgewandelt, dessen Pröpste Fürstenrang besaßen und im Reichstag einen Sitz auf der Fürstenbank hatten. Der Reichtum der Propstei führte im 17. und 18. Jh. zu vielen Aufträgen für Kirchen und Verwaltungsgebäude, zu deren Bau und Schmuck erstklassige Kräfte berufen werden konnten. Die Siedlung war 1146 gegründet und nach einem Plan angelegt worden; strahlenförmig gehen Straßen von der Stiftskirche aus in die Stadt, die in einem Halbkreis um Kirche und ehem. Kloster liegt. Trotz mehrerer verheerender Brände wurde die Altstadt stets nach diesem Schema wieder aufgebaut. Als beherrschende Akzente sitzen auf benachbarten Hügeln über der Stadt das Schloß der Stiftspröpste und die Wallfahrtskirche Schönenberg (Abb. 46).

Die STIFTSKIRCHE hatte zwei Vorgängerinnen, von denen die jüngere 1182 mit Kloster und Stadt niederbrannte. Der heutige Bau wurde 1233 geweiht, eine Basilika, von einem Querschiff gekreuzt, die im Osten fünf Apsiden, davon zwei am Querhaus, besitzt. Kraftvoll steigt ein Turmpaar aus den Kreuzungswinkeln von Chor und Querschiff auf, gegliedert von starken Profilen. Bei der Erneuerung der Giebelpartie der südlichen Querhausfront 1588 wurden das große Relief des Weltgerichtes und die Figuren der Gründer Hariolf und Erliof angebracht. Die Sakristei setzte man 1699 an die östliche, die Wolkensteinkapelle 1701 an die westliche Querhausstirn. Die Nordwand ist nahezu schmucklos, da Stiftsgebäude den Blick verstellen. Anders die Südseite mit dem kräftigen Hauptportal, das von Bogenläufen mit Kerbschnittzier gerahmt wird. Im Tympanon thront Christus als Majestas zwischen zwei Heiligen.

Die Westfassade wird zum Teil von der Jesuitenkirche verstellt. Eine zweigeschossige Vorhalle aus dem frühen 13. Jh. lehnt an der Westwand. Sie wurde im 15. Jh. geschlossen, erhielt einen Dachreiter auf den Giebel und ein umgeformtes Portal, dessen

Tympanon die Patrone Sulpitius, Vitus und Servilianus zeigt. Die vier Joche tragen massige Pfeiler, die unverändert blieben, gekehlte Basen mit Eckknollen, walzenförmige Schäfte und gerahmte Würfelkapitelle besitzen und die Michaelskapelle im Obergeschoß beherbergen.

Wer den kräftigen romanischen Bau von außen betrachtet hat, erwartet einen schlichten, hohen Raum, wird aber von einem Schiff in hellem Barockschmuck überrascht (Abb. 44). Da Donato Riccardo Retti 1737 nicht gewaltsam, sondern schonend den Barock einführte, blieb die romanische Substanz überall erhalten, heben sich z. B. die Rippen der Gewölbe noch aus dem Verputz heraus, ohne zu stören. Allerdings ließ Retti das in Schwaben einmalige Zwischengeschoß über der Arkadenzone zumauern. Sein Stuck, im ganzen sparsam angebracht, greift auf ältere Formen wie Bandwerk, Kartuschen und Gitter zurück. Zu gleicher Zeit schuf er die Kanzel, sein Landsmann Emanuele Piquini aus Laino die guten Konsolfiguren (Apostel, Evangelisten, Christus Salvator) an den Pfeilern.

Vor der Vierung führen Stufen zum Chor hinauf, unter dem eine KRYPTA liegt. Ursprünglich tiefer gelegen und von Westen her zugänglich, wurden die Eingänge im Norden und Süden geöffnet. Die klobigen Löwenkörper, die im Süden der romanischen Krypta als Strebebögen dienen, sollen vom ältesten Westportal stammen. Der Hochaltar über der Krypta ist kein Original, sondern aus Altarteilen des 18. und 20 Jh.s zusammengesetzt worden. An die besondere Stellung als Stiftskirche erinnern die Bildnisse sämtlicher Äbte und Pröpste seit 1516 an den Vierungspfeilern. Bei einem RUNDGANG durch die Kirche erleben wir Kunstwerke aus allen Epochen, zumeist Einzelstücke, da jede Zeit Platz für ihre Figuren und Altäre benötigte, das ›Barbarische‹ und ›Altmodische‹ wegräumte. Im nördlichen Querschiff blieb ein stattlicher Altar von 1613 erhalten, links daneben eine Folge von Fresken, die Stiftsheilige in der Tracht des frühen 16. Jh.s zeigen. Rechts vom Altar wurde das Bronzedenkmal der ersten Pröpste aufgestellt, das um 1500 wahrscheinlich von Peter Vischer d. Ä. zu Nürnberg gegossen wurde. Aus seiner Gießhütte stammt, aber schon gegen 1480–90 gegossen, die Bronzetafel der Stifter Hariolf und Eriolf im südlichen Querschiff, links des Altares von 1600. Beide tragen das Modell der Stiftskirche im baulichen Zustand von 1480. Im Südflügel ist sehenswert »eine der schönsten gotischen Grabmalplastiken Schwabens«, das des Ritters Ulrich von Abelfingen († 1339).

An der Nordseite der Stiftskirche betreten wir den spätgotischen KREUZGANG, den Hans Stieglitz 1468 begann und mit überraschenden Gewölben und Maßwerkfenstern ausstattete. Er baute 1473 auch die Liebfrauenkapelle im Westflügel des Kreuzganges, deren Altar eine Sandsteinmadonna beherrscht, die ca. 1340–50 in Augsburg entstanden sein soll. Die Glasfenster von 1950 brachte Wilhelm Geyer ein.

An den Kreuzgang und die Stiftskirche stößt westlich die JESUITENKIRCHE (jetzt ev. Kirche) an, die 1721 von den Ordensbrüdern Amrhein und Guldimann nach ihren Plänen begonnen wurde. Da die Stiftskirche die Hälfte der Fassade blockiert, wurde nur eine der drei Fensterachsen genutzt. Für das Stadtbild wichtig wurde der prächtige,

117

ELLWANGEN SCHLOSS DER STIFTSPRÖPSTE · SCHÖNENBERG

mit Voluten besetzte Giebel und die beiden zurückgezogenen Türme, die ihn flankieren. Das Innere dagegen ist betont schlicht. Emporen auf der Wandpfeileranlage begleiten das Langhaus zum eingezogenen Chor. Gekonnt sind die Fresken von Thomas Scheffler, einem Schüler der Brüder Asam, der zarte Szenen aus dem Leben Mariens in vorgetäuschte Architektur stellte. Nimmt der Betrachter den richtigen Standort ein, wölben sich Kuppeln statt der flachen Decke.

Nicht verzichten sollten Sie auf einen Bummel durch die kleine Residenzstadt, die eine Reihe kostbarer Bauten bewahren konnte. Voran das SCHLOSS DER STIFTSPRÖPSTE (jetzt Museum). Die Wehrmauer, die Vorburg, der Torturm mit dem Zwinger stammen aus dem 13. Jh., wurden im frühen 16. Jh. umgebaut und schließlich im frühen 17. Jh. verändert. 1603–08 entstand die vierflügelige Anlage um den BINNENHOF, deren Ecktürme allerdings schon 1798 wieder abgetragen wurden. An drei Seiten umziehen den Hof in drei Geschossen hohe Laubengänge, an italienische Anlagen erinnernd, doch der rauhen nordischen Winter wegen verglast. Die gleichaltrige Schloßkapelle besitzt drei Altäre und die Kanzel von 1627. Erst 1723 stuckierte Melchior Paulus den Kirchensaal aus, denn Kapelle wie Schloß waren 1720 durch einen Brand beschädigt worden. Der Leiter des Wiederaufbaues, der Deutschordensbaumeister Franz Keller, fügte 1726 das doppelläufige Treppenhaus ein, ließ Franz Joseph Roth aus Mergentheim das Treppenhaus und den Fürstensaal in Blatt- und Bandelwerkmanier stuckieren und von Thomas Scheffler das Deckengemälde auftragen.

Unter den zahlreichen Stiftsherrn- und Amtshäusern aus der späten Renaissance und dem Barock, die zumeist die beiden Hauptstraßen oder den Marktplatz säumen, fallen einige besonders auf. So etwa am Marktplatz das ehem. Stiftsrathaus mit seinen üppigen Eisengittern an den Eckbalkonen, von Friedrich Prahl 1748–51 nach Plänen von Balthasar Neumann errichtet. Die ehem. Statthalterei bei der Stiftskirche, 1591 von Wolf Waldberger errichtet, zeigt einen Giebel mit Wappen und Reliefs und besitzt ein barockes Treppenhaus. Ein vorzügliches Beispiel für ein Adelspalais ist das der Familie der Freiherren von Adelmann, das 1688 nach italienischen Vorbildern von einem Baumeister aus der Familie Thumb gebaut wurde, geschmückt mit einer Portalmadonna (wie manch anderes Haus in Ellwangen) und einer Michaelsstatue im Zwerchgiebel.

Eine dichte Lindenallee, die Wallfahrtsstraße, führt uns auf den SCHÖNENBERG, vorbei an den Rosenkranzkapellen, die nach 1729 für die Andächtigen errichtet wurden. Die Wallfahrten setzten nach 1639 ein, nachdem die Jesuitenpatres eine Kapelle in den Abmessungen der Santa Casa von Loreto gebaut hatten, um darin eine Kopie der Altöttinger Muttergottes aufzustellen. Nach einem Brand in Ellwangen gelobte 1681 der Fürstpropst J. C. von Adelmann den Bau einer großen Wallfahrtskirche. Die Pläne entwarf der Baumeister Michael Thumb aus Vorarlberg, der seinem Bruder Christian die Bauleitung verschaffte, die er 1683 an den Jesuiten Heinrich Mayer abgab, der bereits bei der Planung mitgewirkt hatte. Der 1695 vollendete Bau wurde 1709 durch einen Brand geschädigt, durch den Mainzer Baudirektor Maximilian von Welsch aber

wiederhergestellt. Entstanden war eine langgestreckte, hohe Kirche mit schlichter Westfassade, flankiert von schlanken Türmen mit achteckigen Obergeschossen und einfachen
Hauben (Abb. 46). Über den Enden der Querachse sitzen hohe geschwungene Giebel,
an der Chorwand steht eine Engelsfigur, 1738 von Melchior Paulus geschaffen, dem
auch die Madonnenstatue im südlichen Querschiffgiebel zugeschrieben wird.

Die Gliederung des INNEREN war von Vorarlberger Baumeistern in Generationen
entwickelt worden: vier Joche markieren das Langhaus, dann folgt die Andeutung
eines Querhauses als Vorspiel zum langgestreckten Chor mit Hochaltar und Gnadenbild. In Kapitellhöhe der Pilaster laufen Emporen, die in den stumpfen Querarmen
zu einem Gang schrumpfen, über den Seitenkapellen die alte Breite wiedergewinnen.
Von hoher Qualität ist der Stuck, der aus zwei Perioden stammt. Bis zum Gebälk blieb
der Stuck erhalten, den H. Mayer 1683 saftig und dicht mit Fruchtbündeln, Laub und
Figuren aufgetragen hatte, darüber stuckierte M. Paulus nach 1709 Stabwerk und in
zarten Farben Muscheln, Ranken und Kartuschen. Hervorragend sind die Stukkaturen
von H. Mayer und Melchior Haudt in den Chorkapellen und den beiden Sakristeien.
Die 22 Fresken, Szenen aus dem Marienleben und Gleichnisse der Lauretanischen
Litanei, malte 1711 Melchior Steidl aus Innsbruck. Den großen Hochaltar und die
Seitenaltäre komponierte M. Paulus, während die beiden Weinmann und Kaspar Buchmüller den Stuckmarmor lieferten. J. Clasen hatte 1715 das Altarblatt Mariae Himmelfahrt gemalt, drei Jahre später Belluci ein Blatt Geburt Christi für die Weihnachts-
zeit. Die Altarausstattung ist bewußt dunkel gehalten, um einen Kontrast zum weißen
Raum und zu den zarten Stuckfarben zu schaffen. Durch die Chorkapellen gelangt man
in die Loreto-Kapelle von 1639 mit den genauen Abmessungen. Auf dem Rückweg
fällt auf dem Altar der südlichen Kapelle eine Pietà aus Ton auf, ein schönes Zeugnis
schwäbischer Kunst um 1420.

Die Straße der Hohenlohe-Residenzen

Das Haus Hohenlohe

Die Hohenlohe, deren Stammburg Hohlach südlich von Aub stand, werden mit Heinrich urkundlich erstmals 1156 genannt. Sein Sohn Heinrich II., verheiratet mit Adelheid von Langenburg, hatte fünf Söhne, von denen drei in den Deutschen Orden eintraten und ihren Grundbesitz der Kommende Mergentheim übergaben; einer, Heinrich, wird als Nachfolger des berühmten Hermann von Salza Hochmeister des Deutschen Ordens. Die 'weltlichen' Brüder Gottfried und Konrad waren die zuverlässigsten Parteigänger der Staufer, Gottfried sogar Erzieher des späteren Königs Konrad IV., Vater des unglücklichen Konradin, mit dessen Enthauptung auf dem Marktplatz von Neapel 1268 der letzte Staufer ausgelöscht wurde. Im Unterschied etwa zum Hause Württemberg, das sich aus der staufischen Erbmasse in Schwaben ein zentrales Stück aneignete, beteiligten sich die Brüder nicht am Zusammenbruch, obwohl Gottfried, der seiner Staufertreue wegen lebenslang im päpstlichen Bann war, finanzielle Forderungen zu stellen hatte. Seine Nachfahren aus der Ehe mit Richiza von Krautheim begründeten immer neue Linien, die mal durch Heiratsgut reicher, mal durch erneute Teilung ärmer wurden. Im Mittelalter und der frühen Neuzeit waren deshalb die nachgeborenen Söhne angehalten, als Staatsmänner, Feldherren oder Bischöfe außerhalb der Familie zu dienen, wie Kraft II. als Marschall König Ludwigs von Ungarn oder Hans von Hohenlohe, der dem Burggrafen Friedrich VI. von Nürnberg half, die ihm 1411 zugesprochene Mark Brandenburg zu erobern. Ohne Eklat wurde die Reformation eingeführt, nur das Gebiet der Linie Schillingsfürst blieb katholisch. Alle hohenlohischen Gebiete, immerhin 2500 qkm mit 20 Burgen und Schlössern, wurden infolge des Reichsdeputationshauptschlusses auf Napoleons Geheiß 1805 dem Rivalen Württemberg zugewiesen, ausgenommen Schillingsfürst, das an Bayern fiel. Den Linien verblieb der Privatbesitz, den sie, z. T. in Übersee, zu erhalten und zu mehren wußten.*

---

* Wer mehr über Geschichte und Schicksale des Fürstenhauses wissen will, greife zum Band ›Monarchen – Edelleute – Bürger‹ – von Franz Josef Fürst zu Hohenlohe-Schillingsfürst.

Öhringen

Wir beginnen mit Öhringen, das in eine fruchtbare Landschaft voller Kornfelder und Obstgärten eingebettet ist, mit Weinbergen an den südlichen Keuperhängen, eine behäbige Stadt mit schönen FACHWERKHÄUSERN (etwa der Hofapotheke), schmiedeeisernen Auslegern und Weinstuben, die mit Bäckereien verbunden sind, eine Allianz, die in Franken auszusterben beginnt. Den Weinbau dürften die Römer gebracht haben, die außerhalb der Altstadt (zwischen Bahnhof und Krankenhaus) ein befestigtes Lager hinter dem Limes errichtet hatten, der schnurgerade von Jagsthausen nach Mainhardt lief. Aus dem untergegangenen ›Vicus Aurelius‹ wurden Inschriften, Altäre, Standbilder bei Neubauten geborgen, darunter ein Kopf der Kaiserin Faustina aus Sandstein. In dieser Garnison mit Tempel, Exerzierhalle und Bädern soll Julian 359 die Unterwerfung der Alemannenfürsten entgegengenommen haben, die allerdings nur von kurzer Dauer war. Nach 500 verdrängten die Franken die Alemannen aus dem Öhringer Gebiet, das durch Rodungen erweitert wurde.

Aus dem Dunkel der folgenden Jahrhunderte trat Öhringen nach 1024 heraus, als Gebhard, Bischof von Regensburg, der Bruder König Konrads II., seine Güter um Öhringen der dortigen Kirche übergab, mit der Bestimmung, ein Chorherrenstift zu errichten. Seine Mutter Adelheid schloß sich mit Stiftungen an und verschaffte der KIRCHE dank der Vermittlung ihres königlichen Sohnes Reliquien aus Byzanz, die bald zu Wallfahrten Anlaß gaben. Der beliebten, fast wie eine Heilige verehrten Adelheid wurde 1241, rund 200 Jahre nach ihrem Tod, ein herrlicher Sarkophag geschaffen, der heute in der KRYPTA der Kirche steht. Der heutige Kirchenbau entstammt dem Umbau einer Basilika 1454–98, finanziert von Stift, Landesherrschaft, Bürgern und Wallfahrern. Zuerst wurden die Osttürme aufgestockt, dann der große Westturm mit dem Eingang und der Türmerwohnung, der Hochchor mit der Krypta gebaut und schließlich das Schiff gewölbt. Von der Vorgängerin blieben die Plastiken der Patrone Petrus und Paulus erhalten, die an die Figuren im Bamberger Dom erinnern, und der untere Teil des Südostturmes samt dem Löwentörle aus dem 13. Jh., gleichaltrig mit dem Adelheid-Sarkophag. Bernhard Sporer aus Schwaigern spannte ein Tonnengewölbe über das Mittelschiff und die niedrigeren Seitenschiffe. Den Kreuzrippen sitzen Konsolen auf, die Apostelköpfe oder Fratzen zeigen, während die Schlußsteine u. a. die Wappen der Förderer Gebhard von Regensburg, Kraft von Hohenlohe und seiner Frau Helene von Württemberg tragen. Die zahlreichen Altäre wurden im 17. Jh. ausgeräumt, ausgenommen der Margarethenaltar in einer Erweiterung des Querschiffes, nach einem Fresko des Jüngsten Gerichtes ›Höll‹ genannt, in der noch vor hundert Jahren die auswärtigen Gemeindemitglieder Platz zu nehmen hatten.

Nach der Verbreitung der Reformation und der Aufhebung des Stifts 1550 setzten die Grafen von Hohenlohe in den Chor ihre großformatigen GRABDENKMALE. So schuf Johann von Trarbach das ausgezeichnete Renaissancedenkmal für Ludwig Casimir von Hohenlohe und seine Frau Anna von Solms und das für Eberhard von Hohenlohe und

ÖHRINGEN · SCHLOSS NEUENSTEIN

Agathe von Tübingen. Das figurenreichste und detailgetreueste Grabmal arbeitete Michael Kern für den Grafen Philipp von Hohenlohe († 1606) und Maria von Oranien (Abb. 50). Philipp ließ in Halbreliefs die Schlachten schildern, die er an der Seite seines Schwiegervaters Wilhelm von Oranien im Befreiungskampf der Niederlande bestand. Schon zu Lebzeiten hinterlegte er 8000 Gulden, damit er nicht »wie ein Hund« begraben werde. Im Chor steht auch der Sarkophag des Mitbegründers, des Bischofs Gebhard. Der Schrein des HOCHALTARS, 1945 zerstört, aber restauriert, um 1500 in Nürnberg geschaffen, zeigt in der Mitte Maria, flankiert von Petrus und Paulus, den Kirchenpatronen, und von Hieronymus und Vitus. Ausdruck und Bewegtheit lassen an einen Schüler des Veit Stoß denken.

Durch den KREUZGANG gelangen wir auf den Marktplatz mit dem Renaissancebrunnen, dessen Säule die Figur des Grafen Albrecht von Hohenlohe krönt. Am Südrand steht das SCHLOSS, das Graf Joh. Friedrich 1680 anstelle eines verwahrlosten Vorgängers zu bauen begann, das seine Nachfolger erweiterten oder wie Graf Johann Friedrich II. mit Ziergiebel und Turmhaube bedachten, bis es 1782 seine heutige Form besaß. Aus Krautäckern, Wall und Graben erwuchs seit 1715 ein Hofgarten mit Wasserläufen und Pavillons, mit seltenen Bäumen und Sträuchern. Als Fürst Friedrich Ludwig von Hohenlohe-Ingelfingen, den Napoleon 1806 bei Jena besiegt hatte, als gebrochener Mann nach Öhringen kam, schenkte ihm die Bürgerschaft ein an den Hofgarten angrenzendes Grundstück zur Erweiterung. Heute ist die ganze, 6 Hektar große Fläche samt dem Schloß in Stadtbesitz.

Von Öhringen aus führt eine Straße nach Norden zum ehem. JAGDSCHLOSS FRIEDRICHSRUHE, heute Schloßhotel, eine nach Süden, nach PFEDELBACH, mit dem großen Faß im Kelterhaus. Nehmen wir die Straße nach Osten, die durch das klassizistische Karlstor und die uniform gebaute Karlsvorstadt führt, so erreichen wir CAPPEL mit seinem berühmten Biergarten und die Anhöhe über der Bernhardsmühle, dem Stammhaus der Gelehrtenfamilie Weizsäcker, die ca. 50 Meter unterhalb der Straße liegt. Von der Höhe haben wir den besten Blick auf:

Schloß Neuenstein

Die älteste Burg in Neuenstein, von der noch der Bergfried und Buckelquadermauerwerk in der jetzigen Anlage stecken, wurde von den Rittern von Neuenstein erbaut, die um 1250 abwanderten. Kraft II. von Hohenlohe, Enkel des Gottfried und der Richiza (s. S. 112), vertauschte Schillingsfürst mit Neuenstein. Sein einziger Sohn Kraft III. erwarb von Kaiser Karl IV. für Burg und Siedlung das Stadt-, Markt- und Gerichtsrecht. Was er an gotischen Gewölben baute, ist zum Teil ebenfalls in den repräsentativen Neubau übernommen worden, den Ludwig Casimir nach 1551 begann. Von Balthasar Wolf, dem Stadtbaumeister von Heilbronn, ließ er im Schloßteich das große Rechteck um einen Innenhof erbauen mit den drei kräftigen Türmen an den Kanten

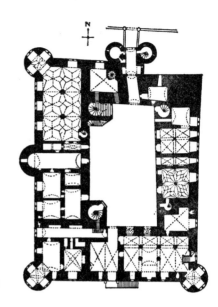

SCHLOSS NEUENSTEIN   Grundriß des Erdgeschosses

und dem umgestalteten Bergfried als vierten Turm (Abb. 45). Beraten von dem Stuttgarter Schickhardt ließ er verschiedene Prunkportale errichten und mit wertvollen Renaissancefiguren nach französischem Geschmack schmücken. Beide bedienten sich nur einheimischer Handwerker, wie etwa des Kalkschneiders Stoffel Limmich, dessen Stuckarbeiten allerdings nur zum kleinen Teil erhalten sind. Was er zu leisten vermochte, zeigt der Jagdsaal des Schlosses Hermersberg. In den ersten Jahrzehnten des 17. Jh.s vollendete Baumeister Georg Kern das Schloß nach Plänen Schickhardts, das aber bald verwaiste, weil um 1700 Öhringen Residenz wurde. 1736 bekam zwar der Park durch die Brüder Sommer aus Künzelsau Figurenschmuck, aber davon profitierten nur die Insassen eines Alters- und Krankenhauses, einer Zeugweberei und Tuchfabrik. Mit der gründlichen Erneuerung des Schlosses beauftragte Fürst Christian Kraft zu Hohenlohe 1906 den Burgenbauer Kaiser Wilhelms II., Bodo Ebhardt, wobei nicht gespart werden mußte, denn der Fürst zog als Herzog von Ujest aus seiner Herrschaft Slaventitz/Oberschlesien bedeutende Einkünfte aus Feld, Wald und Bergwerk. Am Komplex wurde nichts geändert, nur Aussehen und Ausstattung ins Prächtige gewandelt.

Durch das Torhaus mit vorspringenden Türmen und den reizvollen Säulentempelchen darüber gelangen wir über den Hof zu einem reichverzierten Portal, an der die Führung durch 22 Räume beginnt. Sehenswert ist der KAISERSAAL (Abb. 49), eine gotische Säulenhalle mit Jagdwaffen, Rüstungen und Wappentafeln, darunter die Rüstung des Grafen Helfenstein, der 1525 in Weinsberg durch die Bauern unter Jäcklein Rohrbach durch die Spieße geschickt worden war. In der JAGDHALLE ließ Fürst Christian Kraft seine Trophäen aus drei Erdteilen ausstellen, vor allem Bison und Bären aus

SCHLOSS NEUENSTEIN DIE KLEINODIEN

seinem Revier Javorina in der Hohen Tatra, in dem er 1926 auch beigesetzt wurde. Im MARSTALL sind herrliche Wagen und Schlitten des 17. Jh.s zu besehen, in den südlichen Räumen sakrale Gegenstände, auch die Insignien des Kardinals Hohenlohe-Schillingsfürst, des Freundes von Franz Liszt und Gegners des Unfehlbarkeitsdogmas. Der RITTERSAAL, über eine Schneckentreppe zu erreichen, besitzt eine freitragende Decke wie der zu Weikersheim, ist 41 Meter lang und 8,5 Meter hoch. Die Kassettendecke zeigt Ansichten hohenlohischer Schlösser und Ländereien, überwiegend von Kreuzfelder aus Pfedelbach gemalt und nach 1945 restauriert. Die kostbaren Möbel stammen aus dem Schloß Kirchberg, das inzwischen verkauft wurde, geschnitzte, bunt bemalte Schränkchen aus dem Egerland und ein vorzüglicher Intarsientisch mit Zinneinlagen aus der Werkstatt Sommer in Künzelsau.

Die Kleinodien sind auf verschiedene Räume verteilt. Im Rittersaal wird die *Schale von Breda* gezeigt, eine Deckelschale, silbervergoldet, des Niederländers Elias Marcus mit Darstellungen der Wiedereroberung der Stadt 1590. Philipp Graf von Hohenlohe erhielt sie als Erinnerungsgeschenk als Oberbefehlshaber der Belagerungsarmee, nachdem sein Schwiegervater Wilhelm von Oranien 1584 ermordet worden war. In der ›Kunst- und Raritätenkammer‹ steht der *Burgundische Pokal* (Abb. 47) aus dem 15. Jh., ein Geschenk Karls des Kühnen an seinen Kämmerer Adolf Graf von Hohenlohe, daneben eine *Prunkschale* aus Elfenbein, von Maucher in der 2. Hälfte des 17. Jh. geschaffen, mit 18. Relieffiguren aus den ›Metamorphosen‹ des Ovid. Aus Solnhofener Stein hatte Hans Daucher (1485–1538) einen Tempel der *Drei guten Christen* gemeißelt mit Säulen aus Halbedelsteinen, ein Meisterwerk der Frührenaissance (um 1530). Neben Kuriositäten wie dem größten Blasenstein, dem Hut Gustav Adolfs, einem Schuh der Kaiserin Katharina, einem Narwalzahn ist im zweiten Stock der *Goldene Hirsch von Hermersberg* zu sehen (Abb. 48), ein silbervergoldetes Trinkgefäß, aus dessen Kopf, der fast einen Liter hält, der Willkomm getrunken wurde. Der Augsburger Goldschmied Hölltaler schuf ihn 1580 im Auftrag der Stadt Niedernhall, die damit eine Buße für Jagdfrevel bezahlte. Den kostbaren Hausschmuck der Hohenlohe, die einen halben Meter lange Kette mit acht blauen Saphiren aus dem 14. Jh. ist allerdings nur im Farbdia zu betrachten. Beim neunten Saphir mit einem Narrenkopf und den gotischen Minuskeln ›m.h.b.n.m.‹ dürfen Sie Ihre Phantasie schweifen lassen.

Den Damen sei die Besichtigung der vollständig erhaltenen gotischen SCHLOSSKÜCHE empfohlen, die um 1420 eingerichtet wurde. Zunächst gelangen wir in die Schlachtküche. Ein ganzer Ochse oder Hirsch konnte in der anschließenden Kochküche am Spieß gebraten werden. Zuletzt kommt die Backküche mit dem eingebauten Backofen. Eine Treppe steigt von hier zur Anrichte hinauf, wo der Küchenmeister durch einen Sehschlitz den Fortgang des Mahles beobachten konnte. Von der Küche führt ein Gang hinaus auf die TERRASSE mit dem Blick auf Park und Herrensee, ein herrlicher Kontrast nach den verrußten Wänden. Hell und mit Fresken geschmückt ist dagegen das gotische Gewölbe der BURGSCHENKE, die Sie mit neuzeitlichen Speisen versorgt. Wer statt dessen die gewundene Hauptstraße hinaufwandert, kommt nicht nur am reizenden Rathaus

124

vorbei, sondern findet an einem Barockhaus gegenüber eine Tafel, daß hier 1638 Joh. Wolfgang Textor, der Urahn Goethes, als Sohn des hohenlohischen Kanzleiverwalters Wolfgang Weber (lat. Textor) geboren wurde.

Waldenburg

Wenige Kilometer südöstlich liegt auf einem Bergsporn Waldenburg (510 m) mit herrlichem Blick ins tiefer gelegene Land. Die dichten Wälder reichen bis an die Burg und das Städtchen heran, das sich aus der Vorburg entwickelt hat. Schon Gottfried, der Stauferfreund, hatte hier eine Burg angelegt, von der wir im Mändles-Turm, dem älteren Bergfried, das Buckelquaderwerk sehen. Erst 1576 erhielt der Turm auf Geheiß des Grafen Eberhard den figurengeschmückten Altanaufsatz in Renaissanceform. Eberhards Vater Georg I. hatte zum Umbau der Burg in ein Renaissanceschloß die beiden Heilbronner Balthasar Wolf als Baumeister und Christoph Mayer als Zimmermann verpflichtet, die allerdings wegen der Spornlage kein regelmäßiges Rechteck errichten konnten, an den Ecktürmen aber festhielten. Im Barock wurde das Schloß erneut umgebaut und ein Flügel abgebrochen. Besonders reich wurde die Schloßkapelle gestaltet, denn 1667 waren die Brüder Christian und Ludwig Gustav zum Katholizismus übergetreten. Da ihre Untertanen Protestanten blieben, warben sie katholische Kolonisten an, mitunter »an Hecken und Zäunen« aufgelesen, wie sich die Nachbarn mokierten.

Beim Beschuß durch amerikanische Artillerie im April 1945 wurden Schloß und Ort schwer getroffen. Beim Wiederaufbau hat man auch die ev. Stadtkirche instand gesetzt, eine spätgotische Halle von 1589–94 mit einer Ausstattung von 1717. Der Altaraufsatz von 1653 zeigt die Übergabe der Confessio Augustana.

Langenburg ob der Jagst

Über das nordwestlich gelegene Kupferzell, in dem ein einfaches Schlößchen zur Schule umgebaut wurde, und über Braunsbach kommen wir auf die Höhe jenseits Langenburg ob der Jagst. In Serpentinen geht es ins Jagsttal hinab (Abb. 52), auf der anderen Seite hinauf zur einzigen Straße, die den Bergsporn entlangzieht, an der sich innerhalb des östlichen Torturmes die dichte Folge der Fachwerkhäuser und barocken Beamtenhäuser aufreiht, die steilen Giebel zur Straße gesetzt. Einmal verbreitert sich die Straße zum lindenbestandenen Marktplatz, ein zweites Mal zum Schloßplatz, der rechts vom langen Marstall eingefaßt wird, in dem heute eine seltene Kollektion ›Oldtimer‹ besehen werden kann. Zu Füßen der Stadt und Schloß bindenden Mauer liegt der vielbesuchte ROSENGARTEN mit dem Schloßcafé.

Die Schloßbrücke führt über den trockenen Graben zum jüngsten Teil, dem 1721 errichteten OSTFLÜGEL, dessen massige Türme allerdings noch auf den Grundmauern der

125

LANGENBURG

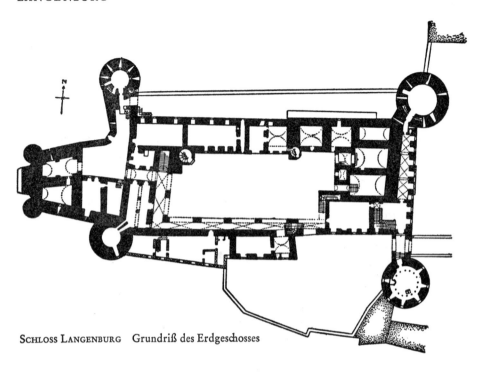

SCHLOSS LANGENBURG   Grundriß des Erdgeschosses

Hohenstauferzeit aufsitzen. Dieser Flügel, 1757 mit dem großen Wappen über dem Portal geschmückt, barg die Wohn- und Repräsentationsräume der Familie, die bei einem Brand von 1962 gelitten haben; bei starkem Frost waren die Löscharbeiten äußerst schwierig. Beeindruckender ist der INNENHOF (Abb. 53), ein Rechteck mit vor- und zurückspringenden Bauteilen. Zu den Plänen haben mehrere Baumeister beigetragen, so der Mainzer Baumeister Robijn aus Ypern, Georg Stegle und Georg Kern. Voran trieb den Bau Graf Philipp 1610-16, der einen der schönsten Renaissancehöfe bauen ließ, mit Schneckentürmen, mit Volutengiebeln auf jedem Trakt und einer steinernen Balustrade, deren Filigran mitunter zwei- und dreifach übereinander läuft. Der schlanke Bergfried in der Nordwestecke mit dem barocken Haubendach streckt die unbesetzten Kragsteine wie die Stacheln eines Igels aus. An die große Zeit unter den Staufern erinnert eine Tafel unter dem Wappen der Hohenlohe mit den beiden Leoparden: ›Markgrafen der Romagna, von Monopoli und Apulien‹.

Über die Turmpforte und eine Wendeltreppe (Schnecke) gelangt man in den RITTERSAAL, der um 1686 im barocken Geschmack vollendet wurde. Der kräftige, behäbige Stuck stammt vom Kalkschneider Schmid, die Porträts z. T. von J. H. W. Tischbein, dem ›Goethe-Tischbein‹. Die im Barock so beliebten Chinoiserien, hier vor allem Vasen und Lackschränkchen, sind zahlreich aufgestellt, während die Intarsienmöbel von dem einheimischen Schreiner Vogt gefügt worden sind. Den Saal, der einige Jahrzehnte auch als Theatersaal diente, erhellte ein großer polnisch-sächsischer Kronleuchter. In der anschließenden kleinen Bibliothek stehen zahlreiche Figuren aus massivem Silber, Geschenke der Königin Victoria von England, deren Enkelin die Gemahlin des Fürsten Ernst war. Im Billardzimmer sind weitere Erinnerungsstücke an die Queen zu besehen und Geschenke Kaiser Wilhelms II. an den Fürsten Hermann für seine Statthalterschaft in Elsaß-Lothringen 1894–1907. Von hier gelangt man über Treppen auf den LINDENSTAMM, die mächtige Bastion der alten Burg auf der Spitze des ›langen Bergs‹ zur Jagstschleife hin, die 1226 durch Erbschaft an die Hohenlohe kam.

Vom Rittersaal kann man durch den ›gedeckten Gang‹ oberhalb der steinernen Arkaden an der Waffensammlung vorbeidefilieren, an all den Armbrüsten, Bihändern, Feldschlangen und Rüstungen, schließlich an Livreen, Zolltafeln und an Jagdtrophäen. Im ARCHIVRAUM finden sich neben Akten und Urkunden die alten Richtschwerter, darunter eins mit eingraviertem Kalendarium. Die Porträts zeigen die beiden Hochmeister des Deutschen Ordens aus dem Hause Hohenlohe, den Reichsstatthalter Hermann und den Reichskanzler Chlodwig v. H. Im nächsten Raum bringen große Stuckmedaillons mythologische und biblische Szenen (Näheres beim Führer, der Ihnen auch die Legende vom Grafen von Gleichen erzählt, der angeblich durch päpstliche Dispens zwei Ehefrauen haben durfte. Fest steht, daß die Hohenlohe die Grafen von Gleichen in Thüringen beerbt haben). Die lebensgroßen Bilder zeigen Graf Philipp, den Schloßbauherrn, und seine Kinder. In den Glasvitrinen sind neben wertvollen Pokalen und eingelegten Flinten auch zahlreiche Orden ausgestellt, darunter der Hosenbandorden mit der Devise ›Honi soit qui mal y pense‹ (Ein Narr, wer Schlechtes dabei denkt) und der hohenlohische Phönixorden mit der Umschrift ›El flammis orior‹ (Aus den Flammen werde ich aufsteigen). Dieser Wahlspruch hat sich am 1962 beschädigten Schloß bewahrheitet.

Wenn Sie nun nach Osten und durchs Städtchen gehen, so liegt rechter Hand die HOFKONDITOREI WIBEL (Inh. Purucker), in der seit ca. 1800 die Wibele 'dressiert' werden, d. h. aus zwei nebeneinanderstehenden Düsen werden feine Tropfen Biskuitteig auf ein Blech gedrückt und im Holzkohleofen gebacken. 2500 Wibele sind dabei ein Kilogramm, wozu 18 Eiweiß, 750 g Staubzucker und 680 g Mehl nötig sind. Was der »Tipfeleskonditor« sonst noch zugibt, z. B. an Vanillezucker, bleibt sein Geheimnis.

Bartenstein

Fahren wir von Langenburg nach Osten und über Blaufelden, so kommen wir auf einigen Landstraßen nach Schillingsfürst (s. Kunst-Reiseführer ›Franken‹). Fahren wir aber das Jagsttal hinab bis Jagstberg und biegen dann nach Osten ab, kommen wir nach Bartenstein, dem jüngsten der Hohenlohe-Schlösser. Vom neuen Schloß hoch überm Tal wurde

BARTENSTEIN

zuerst die SCHLOSSKIRCHE von Bernhard Schießer aus Waldsassen gebaut, der nach 1700 in Schöntal arbeitete und die Witwe des Hofbaumeisters Georg Dientzenhofer geheiratet hatte. 1716 wurde das Gotteshaus geweiht, mit nußbaumfurnierten Altären des Schreiners Deichelmann aus Kitzingen und Deckenfresken des Mainzers Schaich ausgestattet. Johann Wolfgang Fichtenmeyer fügte 1728 den schweren, ungegliederten Kirchturm an und baute den Nordflügel. 1756–60 wurde dann die DREIFLÜGELANLAGE vollendet, ein dreistöckiger nüchterner Bau, an dessen Mittelrisalit nur das Rokokowappen im Dreiecksgiebel unterm Walmdach hervorsticht. Einst waren die Fronten farbig gefaßt, waren ihnen Risalite aufgemalt, so daß der Ankommende ein leuchtendes Schloß vor sich sah. Die Beamtenhäuser in Verlängerung der Kopfbauten bilden einen stattlichen Ehrenhof, denn der Regierungssitz benötigte ein Justizkollegium, eine Kanzlei, Rentamt und Hofkammer. Im Zentrum des Hofes steht ein barocker Brunnen mit aufgesetztem Fürstenhut, im Schloßgarten fasziniert eine barocke Sonnenuhr (Abb. 51).

Da das Schloß bewohnt ist, können derzeit der Festsaal und der Rote Salon, das Teezimmer und die Bibliothek nicht besichtigt werden, doch folgt hier wenigstens eine historische Episode.

Fürst Alois v. H.-Bartenstein, ein ausgesprochener Frankophile, nahm nach 1790 zahlreiche Flüchtlinge vor der Französischen Revolution auf und räumte der Legion Mirabeau Bartenstein als Hauptquartier ein. Der Schloßgarten, Theater, Musik und die Bibliothek mußten den Royalisten Frankreich einige Zeit ersetzen. Nach der Mediatisierung (Einnahme durch Württemberg) 1806 mußten die Flüchtlinge zwar weichen, doch vergaßen die Bourbonen ihren Helfer nicht. Als sie 1815 nach Wiedereinführung der Monarchie nach Frankreich zurückkehrten, erhoben sie Fürst Alois zum Pair von Frankreich.

Schwäbisch Hall und die Comburgen

> Am Kocher Hall, die löblich Stadt,
> Vom Saltzbrunn ihren Ursprung hat,
> Das Saltzwerk Gott allzeit erhalt,
> Und ob der Stadt mit Gnaden walt.
>
> Auf einer Stadtansicht von 1643 (Abb. 55)

Schwäbisch Hall

Hall verdankt seine Entstehung und seinen Reichtum im Mittelalter einer Solequelle, die schon 600 v. Chr. von den Kelten genutzt wurde. Sie gewannen das lebensnotwendige Salz, indem sie Sole auf erhitzte Steine warfen. Um 100 n. Chr. verschüttete ein Bergrutsch Quelle und Siedlung, so daß weder Römer, noch Alemannen und Franken diesen Bodenschatz ausbeuten konnten. Erst um 800 wurde die Quelle wieder entdeckt und mühsam vom Kocher getrennt. Da Bergwerke und Salzquellen Königsgut waren, urkunden die Salier, darunter Königinmutter Adelheid, 1037 über ›halle inferior‹ (Niedernhall) und ›villa halle superior‹ (unser Hall, das erst seit 1934 das Adjektiv ›Schwäbisch‹ trägt). An die Staufer kam die Salzquelle 1116, und Friedrich Barbarossa verlieh 1156 der Siedlung Markt- und Befestigungsrecht. Bald wurde Hall eingeengt, denn der Reichsdienstmann Walter von Schüpf baute seine Limpurg direkt vor die Stadt, die Herren von Hohenlohe erwarben das Gebiet westlich und nördlich, der Bischof von Würzburg als kirchlicher Oberherr wollte die Einwohner seinem Landgericht unterstellen. Da erkannte Rudolf von Habsburg 1276 Hall als Reichsstadt an, 1340 bestätigte Ludwig der Bayer diesen Stand und die Ratsverfassung. Hall wurde die bekannteste Münzstätte im Reich; dort wurden die ›Heller‹ (= Haller) geprägt. Ein guter Teil des Reichtums floß in die Befestigungen, denn als Mitglied des Städtebundes hatte Hall Gegner ringsum. Durch den Übertritt zur neuen Lehre, 1522 durch Johannes Brenz eingeführt, wurde Hall in die Niederlage des Schmalkaldischen Bundes gezogen; 1548 rückte Herzog Alba ein. Nach kurzer Pause, in der Hall sein Landgebiet auf drei Städte und 111 Dörfer und Weiler ausdehnte, kam mehrfacher Aderlaß im Dreißigjährigen Krieg und der verheerende Brand von 1728, der nur das Viertel um St. Michael verschonte. Wenn auch durch Gradierhäuser die Salzausbeute im 18. Jh. ums Zehnfache stieg, politisch war Hall ohnmächtig, als es 1803 ohne einen Schuß Württemberg einverleibt wurde. Bald darauf lieferten die Bergwerke am unteren Kocher so viel und billiges Salz, daß in Hall die Produktion aufgegeben wurde.

Hall sollte man zuerst vom Kocherufer aus betrachten, das Auge weiden am Sulfertor, Sulfersteg (Abb. 56), an der Partie bis zur Stadtmühle. Hier sieht man den stufenförmigen Aufbau der Stadt mit den mächtigen Steinhäusern, oft mit Fachwerkober-

SCHWÄBISCH HALL RATHAUS · ST. MICHAEL

Der Reformator
Johannes Brenz

geschoß. Der ROTE STEG aus kräftigen Eichenbalken spannt sich über den Kocher und führt zum ›Grasbödele‹ und über den Sulfersteg zum HAALPLATZ mit dem mauergefaßten Haalbrunnen, der in der Tiefe rauscht und nur noch Sole für Bäder liefert. Den Platz umstehen alte Häuser, darunter auch der Fachwerkbau des Haalgerichtes, in dem die endlosen Streitereien zu schlichten waren, die alleine schon deswegen entstanden, weil an der Quelle 111 Siederanteilseigner beteiligt waren. Auf dem Platz finden heutzutage Märkte, darunter der berühmte Pferdemarkt, statt, an der Stelle, wo einst die Flößer das Feuerholz zum Salzsieden verkauften, Händler und Spediteure einkauften und abfuhren. Vom ›Haal‹ (so die Einwohner) führen zahlreiche Gäßchen in die Altstadt.

Um uns nicht zu verlaufen, nehmen wir den Rückweg über den ›Sulfersteg‹ und dringen über den ›Steinernen Steg‹ in die Stadt vor, vorbei an der Sulmeisterburg, einem der acht noch erhaltenen Adelshäuser. In der ›Dritten Zwietracht‹* nämlich errangen

---

* Einen der Höhepunkte in der Geschichte der alten Reichsstadt bildete im 16. Jh. die Auseinandersetzung zwischen den ›Geschlechtern‹ (den Patriziern) und den Zünften.

1512 die Zünfte den entscheidenden Sieg über den Stadtadel, worauf dieser zum großen Teil die Stadt verließ. – Steil führt die Straße hoch, vorbei an der Bäckerei-Weinstube an der Einmündung der unteren Herrengasse, in der, das ist belegt, einst der Dr. Faustus mit den Siedern zechte. Nun sehen wir den MARKTPLATZ und darüber St. Michael. Eine großartige Platzanlage: die mitansteigenden flankierenden Häuser, der Querriegel des Marktbrunnens auf der linken Seite, dann die steile, auf das Kirchenportal zielende Treppe und darüber aufsteigend der Westturm. Diese TREPPE, als Freilichttheater sommers genutzt, sollte man einmal langsam hinaufsteigen, öfter sich umdrehen, um in den Platz hineinzusehen. Man beachte an der Mündung der oberen Herrengasse die alte Löwenapotheke und gegenüber ein fünfstöckiges Fachwerk auf Bruchsteinunterbau. Man bemerkt, wie ohne Aufhebens Gassen in den Platz münden, und die herrlichen Häuser an den Flanken sich nicht aus der Reihe drängen, darunter das Haus des Stadtschultheißen und des Münzmeisters. An der Treppe lehnt der FISCHBRUNNEN, den Hans Beyscher 1509 als Wandbrunnen errichtet und mit den Figuren von Simson, Michael und Georg geschmückt hat, die im Ungeheuer, das sie töten, die Dämonen des Bösen abwehren. Rechts davon und gegen die Kirche gerichtet steht der schlanke Pranger, dessen Halseisen für Stunden die zur Schau einspannte, die wegen Verleumdung oder Streitsucht 'gelinde' zu strafen waren (Abb. 58).

Von hier hat man den besten Blick auf das RATHAUS, das der Stuttgarter Heimb nach dem großen Brand von 1728 errichtete. Mit den leicht geschwungenen Formen, dem Balkon und der schmiedeeisernen Krone statt der Laterne auf dem Uhrturm ähnelt es sehr einem frühbarocken Landschlößchen (Ft. 8). Es ist ein graziöses Gegenstück zur Michaelskirche, die wir nun besuchen wollen.

Die MICHAELSKIRCHE (Abb. 58) steht auf einer Anhöhe, die zuvor die Salzgrafenburg und dann eine dreischiffige Basilika getragen hat. Von ihr geblieben ist der viergeschossige Unterteil des Westturms, dessen romanische Vorhalle mit ihren Säulen und den Ornamenten im Bogenfeld zum Besten gehört, was die Romanik in diesem Land hinterlassen hat. Nach 1206 wurde an dem Mittelpfeiler die *Michaelsstatue* aufgestellt, deren Flügel aus vergoldetem Kupferblech zur Säule zurückschlagen (Abb. 54). Vor dieser Statue soll der Reichsschultheiß Recht gesprochen haben, wie ein Haller Gerichtskreuz im Bogenfeld andeutet. Der eingemeißelte Name Bertold kann auf den Baumeister der 1156 geweihten Basilika hinweisen. Die MAGDALENENKAPELLE über der Vorhalle des Turms, ein feierlicher Raum mit Kreuzrippengewölbe, wurde 1959 restauriert. Dabei wurden Fresken freigelegt, die den Raum als Michaelskapelle ausweisen, von dessen Empore aus wahrscheinlich der König und sein Gefolge am Gottesdienst teilnahmen. Erst in der Renaissance (1573) wurde den vier romanischen Turmgeschossen zwei achteckige mit Wächterstube und Umgang aufgesetzt.

Da den Ansprüchen der wohlhabend gewordenen Bürger nur noch eine gotische Hallenkirche (analog Heilbronn oder Dinkelsbühl) genügte, wurde 1427–56 ein dreischiffiges LANGHAUS errichtet, das gedrungen wirkt, da alle Schiffe von gleicher Breite und Höhe sind. Konrad Heinzelmann, der in Ulm gelernt hatte, schuf das Langhaus; erst

SCHWÄBISCH HALL ST. MICHAEL · KECKENBURG

1456 wird als Baumeister Nikolaus Eseler genannt, der bereits an den Kirchen in Nördlingen, Rothenburg und Dinkelsbühl gebaut hatte. Lichter und kunstvoller ist der CHOR,
der 1495 begonnen wurde (Abb. 59). Die Brüder Hans und Jakob Scheyb aus Urach,
schließlich Konrad Schaller, der seinen Schwiegervater Jakob Scheyb ablöste, setzten
den Chor auf schlanke Säulen, so daß zwei schmale Seitenschiffe bleiben, und führten
die Rippen zu einem vielgestaltigen, phantastischen Gewölbe zusammen. In den Maß-
werken der Fenster der Seitenkapellen spricht noch einmal lebhaft die Gotik der Parler,
deren Schüler Hans Scheyb gewesen ist. Im Chor zu schweben scheint der *Kruzifixus*
des Michael Erhart von 1494; die Lichtfülle war zur Zeit der farbigen Verglasung
weitaus gedämpfter.

Daß die reiche Ausstattung von St. Michael nahezu erhalten geblieben ist, verdankt
man vor allem dem Reformator Joh. Brenz, dem die Bilderstürmerei gegen die »chri-
stenliche Freyheit« verstieß, denn »die Bilder sind Gottes Wort nit allein ohnhinderlich,
sondern demselben gemäß und seiner Gestalt fürderlich«. Der HOCHALTAR, entstanden
um 1460–70, steht unter dem Einfluß niederländischer Meister, denn der breite Schrein
ist mit 50 Schnitzfiguren angefüllt, die drei Szenen der Passion vorführen: Kreuztra-
gung, Kreuzigung, Kreuzabnahme. Die gemalten Flügel zeigen in niederländischer Ma-
nier die anderen Passionsszenen in der Art des Dirk Bouts. An einen Chorpfeiler gesetzt ist das sandsteinerne TABERNAKELTÜRMCHEN, das wohl um 1440, also vor dem
Chorneubau geschaffen wurde; mit seinen vier Prophetengestalten erinnert es an den
Mosesbrunnen in Dijon. Von den Altären in den Seitenkapellen sind bemerkenswert
der HEILIGGEISTALTAR in der 8. Kapelle von 1517, dem man Einflüsse Riemenschnei-
ders anmerkt, seitdem er vom weißen Farbüberzug befreit wurde, und der DREIKÖNIGS-
ALTAR von 1520 in der 10. Kapelle, eine Stiftung des Würzburger Klerikers Kilian
Kempffenagel, vor dem Brenz 1525 erstmals das Abendmahl in beiderlei Gestalt reichte.
Der MICHAELSALTAR von 1510, vermutlich von Hans Beyscher, mit einem ergreifenden
Schmerzensmann im Gesprenge, kam in die Sakristei, wo herrliche alte Schränke mit
Beschlägen und Einlegearbeiten das reiche Kirchenarchiv bergen.

Auf die ganz seltene Darstellung einer *Grablege Christi* an der Südwand des Langhauses darf aufmerksam gemacht werden. Um den Leichnam aus Stein, 1510 geschaffen,
gruppieren sich die um 1470 in Holz geschnitzten drei Marien und Johannes, wobei die
Wächter in Zeittracht besonders lebendig geraten sind. Das Gegenthema, die Auferweckung der Toten, hat hingegen um 1640 Leonhard Kern für die 4. Kapelle der
Nordseite geschaffen. Zahlreiche Grabmäler haben sich an der Außenwand der Kirche
erhalten, die einst von einem Friedhof umgeben war. St. Michael ist zwar die größte
Kirche Halls, aber nicht die älteste; die Grundmauern von St. Jakob liegen heute unter
Marktplatz und Rathaus, die wir von der Höhe der Freitreppe aus sehen.

Südlich St. Michael steht imposant und das Stadtbild prägend das GROSSE BÜCHSEN-
HAUS, schlicht der ›Neubau‹ geheißen, 1507–27 gebaut. Die Baustockung während der
3. Zwietracht ist am Wechsel des Steinmaterials zu erkennen. Das hohe Erdgeschoß
diente als Zeughaus, in dem die 1525 erbeuteten Bauernfahnen aufgehängt wurden, die

oberen Geschosse als Getreidespeicher. 1652 wurde ein Theatersaal eingerichtet, nachdem schon 1603 eine englische Schauspielertruppe mit ›Romeo und Julia‹ das Eis gebrochen hatte; seit 1926 ist eine Festhalle eingebaut. Um wenigstens einige der prächtigen Bürgerhäuser in Muße zu betrachten, lohnt sich der Gang über den Marktplatz, durch die Herrengasse (Nr. 9 und 11) oder die Gelbinger Gasse in der nördlichen Vorstadt mit dem Färberhaus von 1605 und dem Palais des Ratsherrn J. W. Engelhardt, dessen Ausstattung allerdings verschleudert wurde. In der gleichen Gasse stehen als bemerkenswerte Fachwerkhäuser die Nr. 23, 31, 39 und besonders 47, das Gräterhaus.

Wer mehr über Geschichte und Brauchtum Halls erfahren will, suche die KECKENBURG auf, einen turmbewehrten Adelssitz, dessen spätromanische Fensterbänke aus der Zeit um 1250 stammen. Der besondere Schatz ist eine reiche Sammlung alter Schützenscheiben aus dem 18. und frühen 19. Jh. mit politischen und privaten Motiven. – In der Vorstadt links des Kochers ist ST. KATHARINA sehenswert (Abb. 57), deren Turm und Chor noch spätromanisch (Mitte 13. Jh.) sind, während das Langhaus 1900 neugebaut wurde. Der Choraltar von 1460–70 birgt im Schrein geschnitzte Passionsszenen, die sich auf den gemalten Flügeln fortsetzen. Besonders reizvoll sind Ecclesia und Synagoge. Das südliche Chorfenster zeigt hervorragende *Glasgemälde* von 1343 mit dem Motiv der Tugenden und Laster, dazu die Heiligen Katharina, Dorothea, Magdalena und das Fegfeuer.

Groß-Comburg

Südöstlich von Hall liegt auf einer Anhöhe wie eine Festung die Comburg, von einer Ringmauer umgürtet, die einen vollständig überdachten Wehrgang mit mehreren Türmen besitzt (Ft. 7). Diesen Hügel besaßen im 10. Jh. die fränkischen Grafen von Rothenburg, deren Zweig sich von Comburg nannte. Burkhard II. errichtete in seinem Anteil der Burg ein Kloster nach den strengen Regeln der cluniazensischen Reform, wie sie vom Kloster Hirsau verbreitet worden waren. Darüber entbrannte ein heftiger Familienstreit, denn sein Bruder Rugger war streng kaiserlich gesinnt, so daß der gleichzeitige Investiturstreit zwischen Papst und Kaiser hier eine lokale Parallele hatte. Die gräfliche Burg wurde schließlich abgerissen, um Platz für einen großen Klosterkomplex zu schaffen. Nach dem Erlöschen der Comburger übernahmen die Staufer die Schutzherrschaft; unter dem von ihnen begünstigten Abt Hartwig (1104–39) erlebte das Kloster seine Blütezeit. Nach dem Niedergang im 14. und 15. Jh. wurde es in ein Chorherrenstift verwandelt, dessen Güterbesitz durch die Reformation dezimiert wurde. Unter Propst Erasmus Neustetter († 1594), dem Gegenkandidaten des Julius Echter bei der Würzburger Bischofswahl, wurde Comburg ein Mittelpunkt des Späthumanismus, mit einer berühmten Bibliothek, die bei der Säkularisation 1802 nach Stuttgart kam.

Um die Terrasse mit der Kirche zu erreichen, sind drei Tore zu durchschreiten (Abb. 62). Das äußerste ist ein Zierbau aus dem frühen 18. Jh., dann folgt der Zwingertor-

GROSS-COMBURG

bau mit Jahrzahlen zwischen 1560–75 und schließlich der romanische Torbau aus dem 12. Jh., über dessen Bogenfries eine Zwerggalerie mit Pultdach sitzt. Der Bau mit seinen Flankentürmen war ursprünglich eine Doppelkapelle, deren untere 1560 mit einem Tor durchbrochen wurde, deren obere als Michaelskapelle erhalten blieb. Im malerischen Höfchen zwischen zweitem und drittem Tor steht die Propstei mit ihrem Staffelgiebel, nach dem dritten Tor rechts die alte Dechanei von 1573 mit rückspringendem West-flügel von 1637. Dann folgt der reiche, aber unvollendete Barockbau der Neuen De-chanei von 1715, deren Ausstattung, darunter 145 Wappen der Pröpste und Chorherren, z. T. erhalten blieb. Im Nordwesten begrenzt der untere Stiftsbau von 1563, im Westen der kleine Vikarienbau um 1470 den Klosterbereich.

An der langen Südseite erheben sich auf der oberen Terrasse Kirche und Kloster. Der Treppenaufgang durchschneidet das Untergeschoß eines sechseckigen Zentralbaus der Romanik, der als Totenkapelle angesprochen wird. Das Hauptgeschoß, von einer Zwerggalerie umlaufen, birgt eine ERHARTSKAPELLE, in der Fresken (um 1230) an der Ostwand aufgedeckt wurden (Abb. 68). Im knienden Stifterpaar will man Heinrich VII. und Margarete von Österreich sehen. Schon aus der gotischen Zeit stammt die Mittel-säule mit dem ausstrahlenden Rippengewölbe und schließlich weitere Fresken aus der Renaissance (1562).

Die KLOSTERKIRCHE ST. NIKOLAUS, 1087 geweiht, war eine romanische Pfeilerbasilika mit flacher Decke, mit West- und Ostchor und einem Westturm. Um 1220–30 wurden zwei Türme im Osten gebaut, wovon der südliche schon gotische Einflüsse zeigt, und drei Apsiden angefügt. Diese Kirche bestand bis in den Anfang des 18. Jh.s unverän-dert, bis Propst Guttenberg einen barocken Bau wünschte, den Würzburger Zimmer-meister Joseph Greising aber beauftragte, nicht über die Maße des romanischen Ur-baues hinauszugehen. Dieser schuf 1706–15 in den beengten Dimensionen eine barocke Hallenkirche mit Kreuzgewölben in acht Jochen, legte seinen Ehrgeiz in reichge-schmückte Fensterkrönungen und Portale nach dem Vorbild von Neumünster und Universitätskirche in Würzburg. Von dort kamen nicht nur die meisten Stiftsherren, zumeist Domkapitulare, sondern auch die Innenausstatter, wie etwa Balthasar Ester-bauer, der den Hochaltar schuf und die Kanzel, auf deren Schalldeckel Allegorien der sieben Todsünden lasten. Doch wurden auch ältere Arbeiten eingebaut, so die Gemälde der Seitenaltäre von Oswald Onghers (1662), die Orgel von 1697, die Madonna (an der Westwand) von 1560 und der Epitaph, den sich Propst Neustetter schon zu Leb-zeiten (1570) meißeln ließ.

Dank der konservativen (= bewahrenden) Haltung des Stiftes sind uns drei Haupt-werke der Romanik erhalten geblieben, deretwegen der Weg auf die Comburg mehr-fach lohnen würde. Erstklassig ist das *Antependium* vor dem Hochaltar (Abb. 61), wahrscheinlich eine rheinische Arbeit vor 1140, gestiftet von Abt Hartwig († 1140). Im Mittelfeld der mit vergoldetem Kupferblech beschlagenen Holztafel steht Christus aus getriebenem Gold in der Mandorla (mandelförmiger Heiligenschein), umgeben von den sehr streng aufgefaßten Apostelfiguren. Abt Hartwig stiftete auch den *Radleuchter*

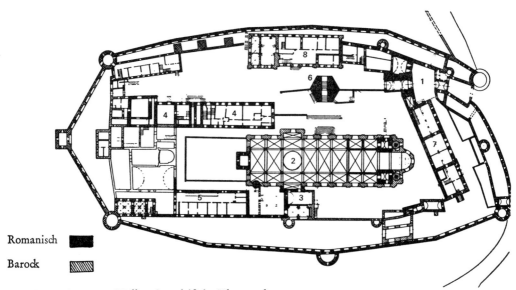

Romanisch
Barock

GROSS-COMBURG (Hall)   Grundriß der Klosteranlage
1 Zwinger mit Torhäusern 2 Klosterkirche 3 Schenkenkapelle 4 Vikarienbau 5 Refektorium 6 Erhartskapelle 7 Propstei 8 Neue Dechanei

mit fünf Metern Durchmesser (Abb. 63), der in seiner Art Gegenstücke nur noch in Aachen und Hildesheim hat. Durch eine lateinische Inschrift hat er die Symbolik des Leuchters festgelegt: »... Während der Blick sich weidet an der Kunst dieser Metalle, möge jeder sich bemühen zu fragen, was ein solches Werk für ihn bedeutet. Dieser Kreis aus Silber, Eisen und vergoldetem Erz zeigt den Bau der mystischen Kirche, die auf niemals stürzende Türme und Mauern gegründet ist. Die zwölf Türme zeigen den Rat der Apostel. In ebensoviel Säulen stellt ihr Bild die Propheten dar, die den ersten Grund des wahren Friedens legten. Die Schar, die würdig ist, in die Stadt des Heils einbezogen zu werden, leuchte in brüderlicher Gemeinschaft und höherer Glut. Der Goldglanz über dem Erz bedeutet das Werk des Glaubens. Das Silber mahnt, das Gewicht des Wortes zu steigern. Die Härte des Eisens empfiehlt die Kraft des Duldens.« – Die zwölf Türme, je einen Meter hoch, umfangen also das ›Himmlische Jerusalem‹, bergen in ihren Toren die zwölf Apostel und zwölf Heilige und Krieger. Die Zwischenfelder tragen Pflanzenmotive und in Medaillons die zwölf Propheten. Von der Innenseite dieser Medaillons führen Eisengestänge zu den vier Eckpunkten einer trichterförmigen Platte, die den segnenden Christus zeigt, begleitet von Alpha und Omega und der Schrift ›Ego sum lux mundi‹ (Ich bin das Licht der Welt). Der von Schrotschüssen und Stürzen lädierte Leuchter mit seinen 412 Figuren wurde durch die Würzburger Goldschmiede Amberg restauriert, die u. a. aus den Schriften des Mönches Theophilus die Firnisbrandtechnik des Originals wiedergewannen.

KLEIN-COMBURG · VELLBERG MIT DER STÖCKENBURG

Aus der gleichen Zeit stammen zwei vergoldete *Altarleuchter* aus Bronze und der *Stiftersarkophag*, der bei Ausgrabungen 1948 gefunden wurde. Er weist noch Bemalungsreste aus der Zeit um 1560 auf. Romanische Bauteile finden wir im vierflügeligen Kreuzgang des 12. Jh.s vor, der sich ausnahmsweise auf der Westseite der Kirche befindet, der ungewöhnlichen Besitzverhältnisse bei der Gründung wegen. Der östliche Flügel, erst 1941 ausgegraben, ging tunnelartig unterm Hauptchor, östlich des Westturmes durch. Am Südosteck des Kreuzganges, den Propst Neustetter mit großen Fresken ausmalen ließ, liegt der Kapitelsaal, seit langem die SCHENKENKAPELLE wegen der vielen Grabmäler der Schenken von Limpurg geheißen. Bemerkenswert ist der Epitaph des Schenken Georg von Limpurg († 1475, Abb. 65) und des Propstes Seyfried von Holtz († 1504), vor allem aber das romanische Steinpult, auf dem früher die Ordensregel auslag. In der östlich sich öffnenden JOSEPHSKAPELLE sind als hervorragende Arbeiten der Spätgotik die Grabmäler des Friedrich V. von Limpurg († 1474) und seiner Gemahlin Susanne von Tierstein erhalten geblieben (Abb. 66, 67).

Die Klausurgebäude sind von geringerem Interesse, zumal die Fresken, die Propst Neustetter auf den Nordflügel 1571 auftragen ließ, nahezu zerstört sind. Der Kaisersaal der Abtei, in der 1140 König Konrad III. und 1191 Kaiser Heinrich VI. gewohnt haben, ist ausgeräumt, eine prächtige Zwerggalerie zugemauert worden.

Bevor Sie die Comburg verlassen, sehen Sie sich nochmals den Christus des Antependiums an und lesen die Inschrift des Abtes Hartwig: »Diese (die Apostel) haben in Hoffnung auf das Leben all das ihrige und sich selbst aufgegeben, indem sie den Weisungen ihres Meisters Christus in ihren Taten folgten. Für ihn geopfert, leben sie in ewiger Seligkeit. Sie öffnen den Himmel den Würdigen und schließen ihn vor den Bösen. Sie werden mit dem strengen Richter Christus sitzen, wenn er wiederkehrend die Welt mit Feuer prüft.«

Klein-Comburg

Jenseits des Wachbaches steht auf einem Vorsprung des Kochertalhanges die zu Unrecht übersehene ehem. Klosterkirche ST. ÄGIDIUS (St. Gilgen). Auf Fürsprache von Abt Hartwig gründete Graf Heinrich II. von Comburg 1108 das Kloster, dessen bis auf Reste verschwundene Gebäude 1108–39 errichtet und für ein Frauenkloster gedacht waren. Von den Benediktinern der nahen Groß-Comburg übernommen, ging es im 18. Jh. an die Kapuziner, dann an die Franziskaner, wurde schließlich Strafanstalt.

Die Kirche (Abb. 69), eine romanische Basilika, hat nicht nur ihren Vierungsturm, sondern auch das Westportal mit seiner Vorhalle eingebüßt. Dafür entschädigt das unangetastete Langhaus mit der flachen Decke und den stämmigen Säulen mit den schweren Würfelkapitellen, die beiderseits vier Arkaden tragen, während die fünfte von Rechteckpfeilern gestützt wird (Abb. 64). Hier begann, durch eine Schranke von der Laienkirche getrennt, der Mönchschor. Das Vierungsquadrat, durch mächtige kreuz-

136

förmige Pfeiler von den Querarmen und dem gewölbten Chor geschieden, ist das Maß für alle anderen Bauteile. Der Aufbau erinnert sehr an St. Aurelius im Comburger Mutterkloster Hirsau.

Die *Fresken* im Chor stammen zwar aus dem 12. Jh., sind aber 1887 sehr grob aufgefrischt worden. Im Apsisrund zeigt sich Christus mit den Evangelistensymbolen, unter ihm Heilige. Beiderseits des Mittelfensters figurieren die lateinischen und griechischen Kirchenlehrer über einem Mäanderfries mit weiteren Heiligen. Das Tonnengewölbe trägt die ganz seltene Darstellung *Christus in der Kelter*, Gottes Sohn, der sein Blut für die Erlösung gibt. Gegen die Apsis zu ist die Auferstehung abgebildet, an den seitlichen Gewölbefeldern die Apostel und Propheten, was an die Figuren des Radleuchters erinnert. Am Wandabschluß sind Reste von Jagdszenen aus der Legende des hl. Ägidius sichtbar. Die Dekorationsmalerei im Schiff stammt von 1887. Beim Verlassen der Kirche besehen Sie sich bitte die beiden romanischen Weihwasserbecken mit zwiebelförmigem Schaft, eine Form, die an den Turmaufsätzen des Radleuchters wiederkehrt.

Vellberg und Stöckenburg

Von Schwäbisch Hall empfiehlt sich ein Abstecher nach Osten, nach Vellberg, das der Reichsstadt 1595–1802 gehört hat. Auf einem Bergsporn über dem engen Tal der Bühler, die sich tief in den Muschelkalk eingesägt hat, liegt die BURG, aus deren Vorhof der Markt Vellberg erwachsen ist. Die Burg, die mit einer wahrhaft zyklopischen Bastei gegen das Tal vorspringt, wurde 1525 durch den Schwäbischen Bund zerstört, doch 1543–46 wieder aufgebaut, woran die Renaissancegiebel und Geschütztürme erinnern. Mit all den erhaltenen und gepflegten Bastionen, Mauern, Toren und Türmen repräsentiert Vellberg *die* Burg des 16. Jh., in deren weitem Hofraum die Fachwerkhäuser der Ackerbürger samt dem Rathaus Platz fanden (Ft. 5; Abb. 60).

Nur durch eine schmale Klinge (Schlucht) getrennt, sitzt auf dem Nachbarhang die STÖCKENBURG, schon zur Keltenzeit eine Fliehburg. Im 6. Jh. wurde auf Chlodwigs Befehl hier eine Grenzfeste der Franken gegen die Alemannen angelegt und eine Pfarrei errichtet, von der aus das Gebiet zwischen Kocher und Jagst christianisiert wurde. Die heutige Martinskirche hat einen gotischen Chor von 1435 und ein Schiff von 1560, dazu gleichaltrige Fresken nach Motiven von Albrecht Dürers ›Kleiner Passion‹. Der Altarschrein birgt die Martinslegende, aus mehreren Schnitzaltären hier zusammengefügt.

III   An Altmühl und Wörnitz

An der Altmühl bis Kelheim

Die Altmühl ist, zumindest im Oberlauf wegen des geringen Gefälles, Deutschlands trägstes Flüßchen, das aber durch eine idyllische Landschaft zieht, wie sie so unverdorben und unbeschädigt kaum mehr zu finden ist. Von der Quelle im Hornauer Weiher am Rand der Frankenhöhe östlich Rothenburg o.d.T. bis zur Mündung in die Donau legt sie fast 200 Kilometer zurück, wobei die vielen Mäander mitzählen, die sie nach dem Eintritt in den Fränkischen Jura beim Durchbeißen des Gesteins schlagen mußte. Im Oberlauf besitzt die Altmühl breiten Raum, zieht durch eine Wiesenebene, sendet zahlreiche Nebenläufe aus, an denen sommers die Störche stehen, um den Fröschen im seichten Wasser nachzustellen. Ganz anders der Mittel- und Unterlauf. Nach dem Einbruch in den Jura konnte der Fluß nur ein schmales Tal aussägen, bis bei Dollnstein ein kräftiger Fluß, die Urdonau, mithalf, das Tal breiter auszuräumen. Diese Ur-Donau bog einst bei Stepperg nach Norden ab, schuf das (jetzt gewässerlose) Wellheimer Trokkental und nahm dann bei Dollstein die Altmühl auf. In diesem Tal treten nach Pappenheim die Dolomitfelsen steil heraus, als grauweiße Galerien und Bastionen begleiten sie das gewundene Tal, nach jeder Kurve mit neuen Zinnen überraschend. Zu ihren Häuptern und Flanken stehen die Laub- und Kiefernwälder, die im Herbst ihre Farbregister ziehen. Auch der Hausbau zeigt den Eintritt in eine andere Landschaft an. Während am Oberlauf das fränkische Fachwerkhaus mit steilem Giebel vorherrscht, ist abwärts Treuchtlingen das breite, behäbige ›Altmühltalhaus‹ dominierend, dessen Dachneigung nicht höher als ca. 30° sein darf, weil sonst die aufgelegten Kalkplatten abrutschen würden. Diese weißen, grauen oder gefleckten Legschieferplatten auf den Dächern und über den farbig verputzten Hauswänden werden uns bis Kelheim begleiten.

Die erste Burg (von vielen), die wir an der Altmühl erblicken, ist Colmberg (siehe DuMont Kunst-Reiseführer ›Franken‹). Daher beginnen wir unsere Wanderschaft in HERRIEDEN, im 8. Jh. als Kloster des Benediktinerordens gegründet, dem der fränkische Adelige Cadolt das Terrain geschenkt hatte. Ins Kloster zogen Mönche aus Heidenheim. Sie hatten der Überlieferung nach zum ersten Abt einen Hofkaplan Karls des Großen, den hl. Deocar. Seine Gebeine wurden 1317 bei einer Strafaktion Ludwigs des Bayern nach Nürnberg und München verbracht, bis auf die geringen Reste in einem Glasschrein auf dem Hochaltar. Das Kloster, anfangs reich beschenkt (auch mit Weinbergen am Main), wurde 888 durch König Arnulf an das Hochstift Eichstätt geschenkt, das es bis zur Säkularisation 1803 als nordwestlichsten Vorposten im Ansbacher Gebiet behielt. Über die schmale Brücke mit dem massigen Torturm kommen wir zur ehem. Abteikirche ST. VEIT mit ihren schlanken Türmen aus dem 14. Jh., während das Langhaus nach 1447 in spätgotischen Formen errichtet wurde. Endres Embhardt aus Kemnathen vollendete Chor und Sakristei, um 1500 wurde die Blasiuskapelle südlich an den Chor gefügt. Matthias Seybold wölbte 1740 das Langhaus ein und gestaltete es in barocken Formen um. Den Stuck schreibt man Franz Harneis, die Malerei Edmund Wiedemann zu. Der spätgotische Deocarschrein wurde in die Blasiuskapelle verbracht.

Als Gründung der Karolingerzeit gilt die LIEBFRAUENKIRCHE bei St. Veit und St. Martin auf dem Friedhof nördlich der Stadt. Der heutige Bau wurde 1721–34 nach Plänen von Gabrieli errichtet und besitzt einen guten Barockaltar mit der Darstellung des Titelheiligen, der seinen Mantel teilt.

ORNBAU, ähnlich Herrieden eines der unbeschädigten kleinen Städtchen, hat seine Mauern und Türme erhalten und zeigt sie am besten an der Altmühlfront. Die fünfbogige Brücke mit ihren Wellenbrechern führt auf ein niedliches Torhäuschen mit spitzem Giebel zu, vor dem massigen Torturm mit seiner eingeschwungenen Haube, daneben der Kirchturm mit Pyramidendach. Dieses Ensemble, vielgemalt, vielfotografiert, ist ein Verweilen wert. Wohlerhalten ziehen sich die Wehrmauern mit Türmen um den Ort. Ein Spaziergang führt zur St.-Jakobus-Kapelle auf dem Friedhof, die seltsame Skulpturen am Portal und eine Kreuzigung mit geschweiftem Balken besitzt. Auf dem Friedhof fällt das hohe Sandsteingrabmal des französischen Lustspieldichters Marquis de Bièvre auf, der nach 1789 emigrierte und die Ansbacher Hofgesellschaft mit seinen Stücken erfreute. Bei einer Hetzjagd nach dem Ballon des Luftschiffers Blanchard holte er sich den Tod, durfte als Katholik nicht in Triesdorf begraben werden, sondern mußte ins katholische Ornbau überführt werden. Daneben liegt ein weiterer Triesdorfer Gast des Markgrafen, Oberst Michael de Gaston, der 1792 die Festung Longwy an Preußen übergab und deshalb als Geächteter fliehen mußte.

Im nahen ALTENMUHR steht am Ortsrand an der Altmühl ein Schloß der Herren von Leutershausen, das 1803 der preußische Minister von Hardenberg erhielt als Anerkennung für seine Reorganisation des Fürstentums Ansbach, das 1792 an Preußen gekommen war. Der hochgieblige Hauptbau nach Süden trägt einen Volutengiebel und ist durch einen Gang mit dem Bergfried aus dem 12. Jh. verbunden. Das Schloß, das schön stuckierte Zimmer besitzt, ist heute im Staatsbesitz. Ein Spaziergang führt auf eine Anhöhe mit dem Witwensitz Julienberg, einem Bau aus dem 17. Jh. mit Volutengiebel. Solche Witwensitze waren mitunter in den Eheverträgen vorgesehen, damit es zwischen Mutter und Schwiegertochter ohne Streit abging und ein Mitregieren der Witwe verhindert wurde.

139

GUNZENHAUSEN · OSTHEIM · HEIDENHEIM · ELLINGEN

GUNZENHAUSENS ev. Pfarrkirche steht auf dem Platz, den die Römer für ein Kastell zum Limesschutz bestimmt hatten. Der heutige Ort taucht urkundlich erst 823 auf, als Ludwig der Fromme das Kloster Gunzenhausen dem Kloster Ellwangen überschrieb. Vom Kloster ist nichts geblieben, von der romanischen Kirche nur wenig, so der Turmsockel mit Rundbogenfries und einige Steinfiguren, die später im Turmobergeschoß eingemauert wurden: Tiere und zwei ringende Männer. Die dreischiffige KIRCHE wurde 1448–96 spätgotisch erneuert und besitzt ein besonders gutes Netzgewölbe im Chor. Im südlichen Seitenschiff steht ein hervorragendes Grabmal für Paul von Absberg († 1485), über dem sich ein großes Christophorusfresko spannt. Aus dem frühen Barock stammt das Hochaltarblatt *Verklärung Christi*, vom Ansbacher Joh. David Fillisch 1705 gemalt; gleichaltrig das Kruzifix auf dem Kreuzaltar von Giuseppe Volpini. – Bei einem Bummel durch Gunzenhausen entdeckt man immer wieder wohlgegliederte Amts- und Bürgerhäuser. So steht am MARKT der markgräfliche Oberamtshof (jetzt Landratsamt), in dem 1757 der ›Wilde Markgraf‹ (Karl Wilhelm Friedrich) regierte und starb. Unter den kleineren Bauten nebenan die Alte Apotheke und das Alte Rathaus. Dabei fällt auf, daß viele der alten Häuser winzige Zwischenräume freihalten, daß ihre Besitzer lieber eine Brandmauer mehr bauten, als Kompromisse zu schließen. An der Südseite des Marktplatzes (Nr. 49) ein Bau nach den Plänen von J. D. Steingruber, 1740/41 für den Obristfalkenmeister Ernst Wilhelm von Heidenab errichtet. Darin ist heute das HEIMATMUSEUM mit reichhaltiger vorgeschichtlicher Abteilung untergebracht. – Die Ummauerung des Städtchens, die noch in Resten steht, ist nach 1400 unter Albrecht Achilles erfolgt. Der Abbruch wurde im 19. Jh. erst eingestellt, als König Ludwig I. persönlich einschritt. So blieb der schlanke Färberturm (Diebsturm) mit seinem spitzen Helm als Wahrzeichen erhalten.

Ein Abstecher führt uns von Gunzenhausen auf der B 466 an der Burg Spielberg vorbei nach OSTHEIM, dessen ev. Pfarrkirche eine Reihe wertvoller Renaissance-Epitaphe aus Eichstätter Werkstätten birgt, darunter das Rechberger Ahnenepitaph aus der Hand des Loy Hering. Wer vor der Ortseinfahrt links abgebogen ist, erreicht nach 5 Kilometern Fahrt HEIDENHEIM am Südfuß des Hahnenkamm (Gelbe Burg 628 m), der wie ein Riegel zwischen Altmühl und Wörnitz liegt. Das Kloster Heidenheim wurde 752 vom hl. Wunibald zur Missionierung der Umgebung gegründet, aber 1537 aufgehoben, als die Markgrafen von Ansbach reformierten. Geblieben ist die ehem. KLOSTERKIRCHE, die 1150–68 als kreuzförmige Basilika mit kräftigen Querarmen gebaut wurde. Eine zweischiffige Vorhalle verbindet die Westtürme, die 1868 völlig erneuert werden mußten, mit dem Langhaus. Selten findet man ein Langhaus von solcher romanischen Klarheit ohne spätere Zusätze (Abb. 74), ausgenommen den 1350 angefügten gotischen Chor, der ein höheres Gewölbe als die Flachdecke der Basilika hat. Dem Südportal gegenüber wurde nach 1210 eine Memorien-(Gedenk-)Kapelle zwischen die Langhauspfeiler eingepaßt zu Ehren der hl. Walburg, deren Gebeine allerdings schon 871 nach Eichstätt überführt worden waren. Das hinderte Wallfahrer nicht, durch die beiden Portale am Hochgrab vorbeizuziehen, von dem heute nur die Deckplatte

140

von 1484 erhalten geblieben ist, und um Hilfe zu bitten. Die Platte zeigt die hl. Walburg mit dem Szepter, da sie als Nachfolgerin ihres Bruders Wunibald einen Frauenkonvent gründete, und zu ihren Füßen das Wappen der englischen Könige, die drei Geparden, da der Überlieferung nach ihr Vater Richard englischer König war. Die Tumba ihres Bruders, 1483 geschaffen, blieb dagegen ohne Wallfahrt. Ihn verbindet man hingegen mit dem Heidenbrunnen unterhalb und östlich des Klosterberges, mit dessen mineralhaltigem Quellwasser er die Taufe gespendet haben soll. Allerdings war die Zeit der Massentaufen längst vorbei; Wunibald mußte das Christentum festigen, in zäher Arbeit die heidnischen Gebräuche abstellen, eine innere Aufnahme des Glaubens vorbereiten.

Wappen der Fürsten von Wrede

Ellingen

Ein zweiter Abstecher führt uns von Gunzenhausen auf der B 13 östlich nach Ellingen und geradewegs auf das Deutschordensschloß zu, das 1806 an Bayern kam und 1817 an Fürst Karl von Wrede verliehen wurde. Diesem Sohn eines Heidelberger geheimen Rates war zunächst ein schneller Aufstieg in der pfälzischen Verwaltung gelungen, ehe er an der Spitze eines von ihm aufgestellten Korps die Feldzüge 1799 und 1800 als Oberst mitmachte. 1805 war er Oberbefehlshaber der bayerischen Truppen auf Napoleons Seite, den er erst 1813 verließ und bei Hanau vergeblich aufzuhalten suchte, als der Korse in der Schlacht von Leipzig geschlagen worden war. Nach dem Wiener Kongreß, der Bayern zum größten Bundesstaat nach Österreich und Preußen machte, erhielt Wrede als kostbarstes Geschenk Ellingen, dessen Unterhalt und Renovierung seinen Nachfahren allerdings schwere Lasten aufbürden sollte.

Mit Abstand ist dieses SCHLOSS das bedeutendste unter den Deutschordensschlössern, sowohl der Architektur als der Baumasse nach. Nachdem Markgraf Albrecht Alcibiades

ELLINGEN SCHLOSS

1552 Schloß und Ort niedergebrannt hatte, der Neubau in Renaissanceformen aber den Ansprüchen nicht mehr genügte, wird Franz Keller mit neuen Plänen beauftragt. Er baut 1718–20 den hohen Südflügel an der Straße mit den turmartigen Eckpavillons. Am östlichen Pavillon stehen die Figuren der vier Elemente, am westlichen die der vier Kardinaltugenden, am Mittelpavillongiebel jedoch die Allegorien für Religion, Gerechtigkeit und Caritas, die – einschließlich der dekorativen Bauplastik – Friedrich Maucher 1719–21 geschaffen hat. Die Dreifenstergruppe im zweiten Obergeschoß bildet mit dem Portal eine kompositionelle Einheit, denn von der Fensterbrüstung rollen schwere Voluten auf die gekuppelten ionischen Säulen herab, die das Portal flankieren. Die Voluten tragen die Figuren der Minerva (links) und des Mars, Symbole der Kunstfertigkeit und der Wehrhaftigkeit, die der Orden zur Bauzeit (1718–20) allerdings nicht mehr beweisen mußte.

Die Einfahrt ist eine dreischiffige Halle, deren Mittelschiff mit dem Hof verbindet, während die Seitenschiffe zu den Läufen des TREPPENHAUSES führen, das 1719/20 nach Plänen von Franz Keller zweiteilig gebaut und 1721 von Franz Joseph Roth stuckiert worden ist. Es ist eine bizentrische Doppelanlage, die sich um zwei rechteckige Schächte seitlich der Durchfahrt legt, wobei die Treppenschächte um die doppelte Breite eines Laufes auseinandergerückt wurden. Die anfangs auseinanderführenden Läufe vereinigen sich in den oberen Halbgeschossen jeweils auf der Hauptachse zu einem gemeinsamen Lauf von doppelter Breite. Der Betrachter dieses »Waldes von Pfeilern und Balustraden« steigt dabei aus dem Dunkel in die Helligkeit, aus pfeilerbedrängter Enge in die grazile Leichtigkeit der Doppelbalustrade des zweiten Obergeschosses (Abb. 71). Das Deckenfresko zeigt den *Titanensturz* des in Österreich geschulten Malers Joh. Anton Pinck (1721). Aus diesem kontrastreichen Paradetreppenhaus Frankens gelangt man im zweiten Obergeschoß zum Festsaal und den Fürstenzimmern. Während die Räume westlich des Festsaals im wesentlichen die Ausstattung von 1720 bewahrt haben, wurden die östlich davon 1774/75 nach Entwürfen von Michel d'Ixnard in klassizistischen Formen umgestaltet, wobei die Brüder Giuseppe Antonio und Carlo Luca Pozzi den noblen Stuck antrugen, der französische Bildhauer Mercier die Schnitzereien lieferte. Feldmarschall Fürst von Wrede ließ schließlich 1815–18 spätklassizistische Papiertapeten kleben und die Räume mit Empiremöbeln einrichten. Die Herkunft der kostbaren Ausstattung mit den zahlreichen Allegorien, z. B. im Intarsienkabinett, entnehme man dem amtlichen Führer. Sehenswert ist vor allem der FESTSAAL, zumal hier die Ausstattung von 1720 harmoniert mit den Zutaten von 1820, vor allem der Verkleidung mit gelbem und weißem Stuckmarmor. Während die Kartuschen unter der Emporenbrüstung das Wappen des Bauherrn, des Landkomturs Carl Heinrich von Hornstein, tragen, glänzt auf den weißen Marmorkaminen die vergoldete Initiale W für den Erneuerer, den Fürsten von Wrede.

Wenn Sie etwas Zeit haben, lohnt der Gang durch die Säle und Zimmer, vor allem die drei Gobelinzimmer, auch der Besuch des Museums der Landkommende Ellingen mit seinem baugeschichtlichen Raum und einem Münz- und Siegelkabinett. In der

Durchfahrtshalle wieder angelangt, betreten wir den BINNENHOF, dessen schmaler Ostseite eine klassizistische Kolonnade nach Entwürfen von M. d'Ixnard 1774–81 vorge-
spannt wurde. Die zwergenhaften musizierenden Putten, von Leonhard Mayer 1759
geschaffen, hat man vom Ziegelgarten hierher versetzt. Die Südfront des Hofes
nimmt die SCHLOSSKIRCHE ein, im Kern ein hochgotischer Bau nach 1274 in der
Art der Bettelordenskirchen, der, 1552 niedergebrannt, nachgotisch wiederaufgebaut
wurde. In zwei Anläufen wurde die Kirche barockisiert: 1717/18 unter dem Landkomtur von Hornstein hat man sie gewölbt, stuckiert und die Betstühle geschnitzt,
unter Landkomtur von Satzenhofen wurde die Außenhaut der Kirche 1746–51
umgeformt. Originell ist an der Schauseite, daß alle drei Teile zweiachsig gegliedert sind, daß zwei Portale in die Kirche führen, daß die drei Portalfiguren nur
mühsam das Auseinanderstreben der Teile verhindern. Auf Anregungen von Balthasar
Neumann soll die Zweischaligkeit des Chores und die axiale Stellung des Turmes
zurückgehen. Nachdem sich 1749 am Turm Risse gezeigt hatten, mußte F. J. Roth von
der Leitung zurücktreten; Mathias Binder vollendete ihn 1751, wobei Obergeschoß und
Helm auf österreichische Vorbilder hinweisen. Bemerkenswert ist der HOCHALTAR aus
grauem und rotem Stuckmarmor von Franz Xaver Feichtmayer aus Augsburg und die
Deckengemälde, vor allem die *Kreuzeserscheinung Kaiser Konstantins* und die *Anbetung des Kreuzes durch Kaiserin Helena,* die von D. Elsen dem Cosmas Damian
Asam zugeschrieben werden. Fürst Karl von Wrede kaufte die in den Kunsthandel
abgewanderten Altargemälde zurück, darunter das des Hauptaltars, eine *Mariae Himmelfahrt* des Würzburger Hofmalers Oswald Onghers von 1684.

Im Ort erwartet uns noch ein Juwel: das RATHAUS als Abschluß des südlichen Teils
der Hauptstraße (Abb. 72). 1744 als Obergerichtsverwalterei von Franz Jos. Roth
begonnen, im letzten Krieg teilzerstört, aber wieder aufgerichtet, gefällt der Bau durch
seine Zierlichkeit, vor allem mit dem 'schwebenden' Balkon über der schmalen Pforte,
flankiert von Prudentia (Klugheit) und Justitia (Gerechtigkeit). Der Mittelrisalit
stößt mit einem Zwerchgiebel über das gebrochene Dach hinaus, trägt das Glocken-
türmchen auf vier Säulchen. Der Türmer und sein Gehilfe, die im zweiten Stock wohnten, hatten um 12 Uhr liebliche Weisen zu blasen. Auf dem Vorplatz des ersten Stocks
wurden Tänze und Hochzeiten gehalten, vom Balkon aber den Verurteilten das Urteil
verlesen und über sie der Stab gebrochen. Die Bestimmung des Gebäudes befindet sich
über dem Portal: »Dieses Haus erhebt die Gerechtigkeit, straft das Verbrechen, bewahrt
das Gemeinwesen und liebt die Friedlichen«.

An der Hauptstraße stehen zwei besonders schöne Barockhäuser: der Gasthof ›Zum
Römischen Kaiser‹, 1748 von Franz Keller für den Juden Abraham Landauer erbaut,
und der Gasthof ›Zur Krone‹, 1734 von F. J. Roth errichtet; beide Gasthäuser sind als
Speiselokale zu empfehlen. Von der Befestigung sind u. a. erhalten das Pleinfelder Tor
mit massigem quadratischen Unterbau und achteckigem Aufbau mit Schießscharten und
Turmhaube, dazu das Weißenburger Tor an der südlichen Stadtmauer, ein Renaissancebau mit Erkertürmchen und Giebelaufbau.

143

Weißenburg

Nähern wir uns der Stadt auf der B 13, dann taucht vor uns das ELLINGER TOR auf, auf vielen Bildern, Postkarten und Plakaten inzwischen als das Urbild des mittelalterlichen Tores bekanntgemacht (Ft. 10). Der massige Torturm mit Haube, Laterne und Schornstein bekommt durch den luftigen Vorbau der Barbakane, des halbrunden Vorbaues, etwas von seiner Gedrungenheit genommen. Gebaut wurde das Ellinger Tor samt drei weiteren und 41 Wehrtürmen 1368–72, als Weißenburg seine Stadterweiterung ummauerte, da es als Mitglied des Städtebundes auf der Höhe seiner finanziellen Möglichkeiten stand. Die Siedlung ist aber weitaus älter. In diesem weiten Talbecken hatten bereits die Römer das Kastell Biricianis angelegt, das 233 von den Alemannen erobert, nach 500 von den Franken übernommen wurde, die dort einen Königshof an dem Platz anlegten, der heute noch ›Am Alten Hof‹ heißt. Eine Zeitlang war Weißenburg Mittelpunkt des Sualafeldgaues, bis dieser nach der Empörung des Herzogs Ernst zerschlagen und Nürnberg der neue Mittelpunkt Südostfrankens wurde. Dank seiner Kaisertreue erhielt Weißenburg zunehmend Rechte, vom Städtefreund Ludwig dem Bayer auch den Reichswald, Grundstock des Wohlstandes, der ausreichte, um jedem Bürger bis 1906 eine Holzzuteilung zu gewähren und bis 1939 die Gemeindeumlagen besonders niedrig zu halten. Kaiser Karl IV. bestätigte alle Rechte und gab 1377 der Reichsstadt eine Verfassung nach Nürnberger Muster. Der Aderlaß, von dem die Stadt sich nie mehr erholte, war die zweimalige Einnahme im Dreißigjährigen Krieg samt einer riesigen Brandschatzung. Die in inneren Kämpfen aufgeriebene Stadt besetzten 1803 die Bayern, ihre Sondergewerbe (Gold- und Silbergespinst-, Borten- und Tressenherstellung) erlebten im 19. Jh. einen Aufschwung und wurden nach 1945 durch weitere Betriebe ergänzt.

Der hinter dem Ellinger Tor aufsteigende Turm gehört zur ANDREASKIRCHE, die neben diesem gotisch hochstrebenden Turm noch einen niedrigen Nordturm besitzt. Über dem Haupteingang ist ein bemerkenswertes *Tympanon* (um 1430) eingelassen. Der untere Teil zeigt den Tod Mariens, wobei Christus die Seele seiner Mutter als kleine Gestalt in Händen hält, der obere Teil bringt die Marienkrönung durch die Dreieinigkeit, wobei statt der Taube des Hl. Geistes ein Engel eingesetzt ist. Das Langhaus, eine 1327 vollendete lichtdurchflutete Halle, wurde 1960 vom alten Anstrich und den Seitenemporen befreit und um eine Kreuzigungsgruppe des Weißenburger Bildhauers Hemmeter bereichert, die, obwohl zeitgenössisch, ausgezeichnet in den gotischen Raum paßt. Blicken wir zum Chor von 1468, so fällt dessen starke Abweichung von der Geraden auf. Einmal sollte die Neigung des Hauptes Christi am Kreuz wiedergegeben werden, zum anderen sollte der erste Strahl der Morgensonne den Hauptaltar am Tag des Namenspatrons (30. 11.) treffen. Wertvoller als die spätgotischen Altäre ist ein romanisches *Vortragekreuz*, das allerdings nur bei Kirchenführungen gezeigt wird. Unter den Ölbildern fällt ein Confessiobild von 1606 auf, weil das jüdische Passahfest neben das christliche Abendmahl gestellt ist, nach Taufe, Abendmahl, Predigt, Trauung,

Christenlehre und Beichte auch die Confessio Augustana gewürdigt ist, das Bekenntnis der evangelischen Fürsten und Städte, das 1530 Kaiser Karl V. auf dem Augsburger Reichstag übergeben wurde.

Durch eine kurze Gasse gelangen wir zum Platz ›Am Alten Hof‹; an der Einhornapotheke erinnert eine Gedenktafel an den Königshof. Der Verwalter der kaiserlichen Güter außerhalb der Stadt, der Reichspfleger, hatte seinen Sitz im ›Blauen Haus‹ (Rosengasse 1), das mit Doppeladler und Kaiserbüsten geschmückt ist. An der Ostseite weist eine abgehackte Hand und ein Beil mit der Zuschrift ›Kayserliche Freiheith 1766‹ auf die Tätigkeit des Pflegers als Stadtrichter hin und auf den Neubau des Hauses 1766. Weitere schöne Häuser mit Kaiserbüsten stehen am Holzmarkt östlich des Rathauses. Das RATHAUS, in dem auch Heimatmuseum, Archiv und Bibliothek untergebracht sind, ist ein schlichter Kastenbau, der von den stattlichen Bürgerhäusern mit Patrizierwappen ausgestochen wird. In der Front des Holzmarktes fällt die schlichte Fassade der KARMELITERKIRCHE auf, die 1711 ein Tonnengewölbe mit Stukkaturen und ein Deckengemälde des Nürnbergers Michael Gebhard erhielt. Im Chor wurde 1914 ein Fresko freigelegt, die älteste Darstellung der hl. Kümmernis (St. Wilgefortis), deren Legende sich um 1350 durch die Niederlande und Deutschland verbreitete. Danach soll sie, Tochter eines heidnischen Königs von Portugal, zur Heirat gezwungen, Gott angefleht haben, ihr zur Bewahrung ihrer Jungfräulichkeit die Zeichen der Männlichkeit zu verleihen, worauf ihr Vater sie kreuzigen ließ. Diese mißverständliche Auslegung von Kreuzigungsdarstellungen wurde noch mit der Legende verbunden, die hl. Kümmernis habe einen ihrer goldenen Schuhe einem armen Spielmann zugeworfen.

Am Denkmal für Ludwig den Bayern vorbei gelangen wir zur STADTMAUER und zu ihrer schönsten Partie am Seeweiher. An den bewohnten Türmen entlang bis zum Frauentor führt unser Weg zurück in die Stadt. Am markanten Eichstätter Hof vorbei, wo Bischof und Domkapitel die Abgaben ihrer Besitzungen bargen, gelangen wir zum Landratsamt, dem ehem. Augustinerinnenkloster, dessen Immunität (Selbständigkeit) der Reichsstadt sehr zu schaffen machte. Die nahe SPITALKIRCHE besitzt einen Turm, dessen Untergeschoß aus der ersten Stadtbefestigung stammt, dessen Oberteil Gabriel de Gabrieli gestaltet hat. Die Kirche aus dem 15. Jh. wurde 1729 umgebaut und von Brügl stuckiert. Jüngst wurden Fresken freigelegt, die Heilige und Märtyrer zeigen, letztere mit einem Pfahl im nackten Körper. Gehen wir links die untere Stadtmühlgasse entlang, verfolgen wir die ÄLTERE STADTMAUER und gelangen nach einer zweiten Linkswendung zur schönsten Stadtmauerpartie. Links reihen sich die Türme auf quadratischem Grundriß (Abb. 76), vor uns steht der spitzhelmige Scheibleinsturm, rechts zieht sich der Wehrgang hin, den man eine Strecke lang benutzen kann. Mit diesem ʻromantischen Anblick' kann man sich von Weißenburg verabschieden.

FESTUNG WÜLZBURG Kupferstich
von Matthaeus Merian. 1645

Vestung Wültzburg,
wie solche Anno 1649. gestanden.

...t erden gefüllt. B. dritte große gemauerte Bastion darauff ein Cavallier. C. 2 kleine Bastion auff.
...vehr, die ander mit ofnen Casematten. D. abgebrante zimmer. E. Tieffer brunne. F. Cistern.
...ommendanten hause. I. Alter kirchthurn. K. 2. Stehende wasser oder pfützen. L. Teich, wor...
... Soldaten wohnungen vnder den gewölbern. N. Postenthurn. O. gänge auff die Bastions.

Die Wülzburg

Der Bergsporn am Rande des Talkessels trug zunächst ein Benediktinerkloster, das 1146 erstmals genannt wird und durch Schenkungen großen Grundbesitz in der Umgebung erwarb, zum Verdruß der Stadt Weißenburg, in deren relativ kleinerem Territorium immer mehr steuerbefreiter Klosterbesitz auftauchte. Ihre Erbitterung entlud sich erst 1451, als die Weißenburger im Städtekrieg gegen Markgraf Albrecht das Kloster beraubten und verbrannten, dafür in den Kirchenbann gerieten und eine hohe Entschädigung leisten mußten. 1523 stellte sich der letzte Abt trotz päpstlichen Widerspruchs unter markgräflichen Schutz; 1537 trat ein, was befürchtet worden war: Markgraf Georg Friedrich säkularisierte den geistlichen Besitz und ließ, nun gegen den Protest von Weißenburg, Ellingen und Eichstätt, eine starke Festung nach italienischen Vorbildern bauen. Er fand in Georg Berwart d.Ä. und später in dessen Sohn Blasius 'moderne' Baumeister. Da die gewaltige Fortifikation aus Geldmangel unvollendet blieb, konnte Tilly 1631 die Wülzburg einnehmen, die trotz vieler Anläufe der Schweden, die Weißenburg besetzt hielten, bis 1649 in kaiserlicher Hand blieb und erst dann an die Markgrafen zurückgegeben wurde. 1658–62 vollendete der Nürnberger Zeugmeister Hans Karl die Burg und schuf als einzigen Schmuck das prachtvolle Eingangstor zur Festung, die ab 1730 als Gefängnis, nach der Besetzung durch Bayern 1806 als Kaserne diente, bis 1867 die Festungseigenschaft aufgehoben wurde.

Wir betreten die FESTUNG durch das Portal mit seinen kräftigen Rustikaquadern und den Wappen des Markgrafen Georg Friedrich von Ansbach und seiner Gemahlin Maria Sophia von Lüneburg, unter uns der tiefe gemauerte Graben. Durch ein Zwingerlein und einen tiefen Durchlaß gelangen wir in den geräumigen Innenhof, dessen Gebäude für ein Schullandheim, eine Jugendherberge und ein Durchgangslager genutzt werden. In der Ecke des Hauptbaues führt ein Renaissanceportal zur Reittreppe, die das Reiten in den Oberstock (wie in Weikersheim) zuließ. Im Nordflügel, dem Zeughaus, ist der Brunnen zu besehen, der 166 Meter tief ist und bis zur Sohle der Rezat reicht. Das riesige Tretrad erinnert an die kräftezehrende Arbeit der Knechte, später der Gefangenen, die tagsüber Trink- und Waschwasser heraufzupumpen hatten. Hinter der schlichten Burggaststätte liegt die Zisterne, die König Ludwig I. 1825–31 anlegen ließ. Bei einem Gang um den Wallgraben erkennt man erst die massive Anlage mit den fünf starken Eckbastionen, die allerdings zunehmend von Sträuchern überwuchert werden, da niemand die hohen Kosten einer Pflege aufbringen kann.

Der Karlsgraben (Die Fossa Carolina)

Auf dem Weg von Weißenburg nach Treuchtlingen sollten Sie bei Dettenheim rechts abbiegen, um beim Dorf Graben die Reste eines Kanalbauprojektes zu besehen, mit dem Karl der Große 793 Altmühl und Rezat (also Donau und Main) verbinden wollte.

Obwohl hier die Wasserscheide nur 8 Meter hoch über den Einzugsbereichen liegt und Karl bis zu 5000 Arbeiter einsetzen konnte, mißlang der Plan, da die Ufer im Dauerregen immer wieder nachrutschten, Sachsen und Sarazenen ins Reich einfielen. Übrig blieben zwei, meist mit Fichten bestandene Erdwälle mit einem Graben dazwischen, dessen Sohlenbreite immerhin 25–29 Meter beträgt. Das Endstück bei Graben ist ein Teich, auf dem sich Gänse und Enten tummeln.

Pappenheim

Bei Treuchtlingen erreichen wir wieder die Altmühl, die sich unterhalb dieser Stadt in die Jurafelsen einfrißt. Beim Namen Pappenheim fällt uns Schillers Wallenstein und sein Ausruf ein: »Daran erkenn ich meine Pappenheimer«, womit nicht die Einwohner des Städtchens, sondern die Panzerreiter gemeint waren, die der Generalfeldmarschall Gottfried Heinrich von Pappenheim aus dem Altmühltal und den Niederlanden rekrutiert hatte. Er war wohl der bekannteste seines Geschlechts aus schwäbisch-fränkischem Uradel, das seit 1111 lückenlos bezeugt ist, und wohl von Meginhart abstammt, der

Gottfried Heinrich Graf von Pappenheim (1594–1632)

PAPPENHEIM · SOLNHOFEN · DOLLSTEIN

902 den Ort als kaiserliches Lehen empfing. Das älteste Gebäude Pappenheims ist die
ST.-GALLUS-KIRCHE am Friedhof. Der schlichte romanische Raum ist mehrfach umgebaut und angestückt worden, mit einem Glockenturm und Seitenschiffen geschmückt.
Ein Besuch lohnt sich auch wegen des spätgotischen Flügelaltars, des Sakramentshäus-
chens (Ende 15. Jh.) und der 1953 freigelegten Fresken. Eine Besonderheit sind die
über 200 Jahre alten, aus Kupfer getriebenen, dann versilberten Totenkronen, die bei
Beerdigungen am Sarghaupt befestigt werden.

Das Stadtbild beherrscht die spätgotische, 1476 vollendete ev.-luth. PFARRKIRCHE
mit ihrem farbig gedeckten Spitzhelm. Sie birgt eine Reihe prunkvoller *Grablegen*
Pappenheimer Grafen aus dem 16. und 17. Jh., alle von Eichstätter Künstlern aus
dem fein zu bearbeitenden Solnhofener Stein geschaffen. Der aus einem gewundenen
Kalkstein gehauene Opferstock stammt von 1505 und ist etwa gleichaltrig mit den
eisernen Beschlägen des Portals. Eine gelungene moderne Zutat ist das Gefallenenmal,
›Die Auferweckung des Jünglings zu Nain‹ darstellend, von Karl Hemmeter aus einem
drei Meter hohen Baumstamm der Vogesen geschnitzt. Neben der Stadtkirche steht
behäbig das 1767 erbaute ›Graf-Carl-Haus‹, ein Rokokobau mit schönen Stuckdecken.
Der stolze Renaissancebau von 1595 daneben, einst gräfliche Verwaltung, heute RAT-
HAUS, wurde von dem »welschen Maurer Hans Rygeyssen aus Roflei« errichtet. Sein
Sitzungssaal, einst für Gericht wie Tanzerei zuständig, ist sehenswert, vor allem wegen
des Gemäldes ›Kayserliche Freyung bey Abhauung der Hand‹ mit dem Henkersbeil.
Früher stand dem Rathaus ein Renaissanceschloß gegenüber, so daß eine harmonische
Platzanlage gegeben war. Statt dessen wurde 1819/20 von Leo von Klenze, der später
München für König Ludwig I. von Bayern schmückte, das NEUE SCHLOSS errichtet, das
für die kleine Residenzstadt zu groß und zu klassizistisch kühl ausgefallen ist. Dagegen
nimmt sich das ALTE SCHLOSS neben der Pfarrkirche mit Ecktürmchen und Portal
wohlproportioniert und ortsgebunden aus (Abb. 75). Allerdings war Platz für einen
Hofgarten nur in den Altmühlwiesen hinter dem Neuen Schloß.

Spaziergänge sollten Sie zur ehem. Augustiner-Eremiten-Kirche führen, seit 1550
Privatbesitz der gräflichen Familie, seit 1700 ausschließliche Grablege der Familie der
Marschälle von Pappenheim, die seit 1141 das Reichs-Erbmarschallamt des Hl. Römi-
schen Reiches ausübten – oder zum israelitischen Friedhof, der daran erinnert, daß
Pappenheim eine der ältesten Judensiedlungen Deutschlands besaß, weil die Grafen,
zu Judenschutzherrn ernannt, ein eigenes Schutzgeld fordern konnten.

Solnhofen

Der Ort verdankt seine Entstehung dem hl. Sola († 794), einem Angelsachsen, der in
einer zwölf Meter langen Höhle gehaust haben soll und die Umwohner christianisierte.
Mit der Verwaltung seiner Güter, die er dem Kloster Fulda vermacht hatte, wurde der
kaiserliche Hofkaplan Guntram beauftragt, der 834 die Gebeine des Heiligen in eine

150

Tumba (Hochgrab) überführen ließ, die erhalten blieb. Von der frühromanischen Säulenbasilika, die der Eichstätter Bischof Gundekar 1065–71 über dem Grab errichten ließ, sind heute nur noch Reste vorhanden, so das im Pfarrgarten stehende nördliche Seitenschiff mit vier Arkadenbögen, auf drei prachtvoll gearbeiteten Säulen mit filigranartigen Kapitellen. Im Pfarrhaus werden die Originale der Säulen und das Rundrelief von 1065 verwahrt, das die Verherrlichung des hl. Sola darstellt. Dieser drei Relikte wegen lohnt sich schon ein Abstecher.

In der Welt bekannt geworden ist Solnhofen allerdings erst durch den Lithographieschiefer, der in den Jurakalkbrüchen ringsum gebrochen wird (Abb. 78). Zu empfehlen sind die Brüche auf dem Maxberg, auf den eine Straße führt. Zwar hatten schon die Römer die feine Schichtung und Polierfähigkeit des ›Plattenschiefers‹ erkannt und ihre Militärbäder in Pfünz und Weißenburg damit ausstaffiert, hatten Bildhauer wie der Ulmer Hans Multscher und der Eichstätter Loy Hering den 'weichen' Stein gerne bearbeitet, doch kam der große Aufschwung der Brüche erst, als Alois Senefelder 1797 bei Versuchen, seine von ihm verfaßten Theaterstücke zu vervielfältigen, ein Verfahren fand, mit Fett-Tusche oder Fettkreide auf die geglätteten Steine zu zeichnen und sie dann mit einer sauren Gummilösung zu behandeln. Bei Einfärben mit fetter Druckfarbe nahm nur die Zeichnung die Farbe an.

Die Brüche, auf dem Maxberg z. B. 30–40 Meter mächtig, gaben aber auch *Versteinerungen* (Petrefakten; Fossilien) frei, insgesamt 600 Arten von Wasser- und Landbewohnern, die zum großen Teil ausgestorben sind, aber in ihren akribisch genauen Abdrücken einen Blick in die Tierwelt vor 160 Millionen Jahren erlauben (Abb. 77). Besonderes Aufsehen erregten die Funde des hühnereigroßen Urvogels, von dem erst drei Exemplare zutage gefördert wurden, des Mondfisches oder des Gyrodus, von dem erst ein Exemplar aufgetaucht ist. Zu besichtigen sind diese seltenen Zeugen einer fernsten Vergangenheit im PETREFAKTEN-MUSEUM des ›Solenhofener-Aktienvereins‹ auf dem Maxberg oder im kleineren Friedrich-Müller-Museum im Erdgeschoß des Rathauses.

Dollnstein und Rebdorf

Dollnstein, in einem besonders idyllischen Abschnitt des Altmühltales gelegen, von seiner alten Mauer und massiven Wehrtürmen geschützt, besitzt in der kath. PFARRKIRCHE nicht nur zahlreiche Grabmäler eichstättischer Beamtenfamilien, sondern im Chor Fresken von hoher Qualität, ca. 1320–30 entstanden. Apostel, Propheten und Kirchenväter flankieren Maria mit dem Kind und halten Schriftbänder mit Zitaten aus ihren Lehren.

Diese lateinischen Schriftstellen hätten die gelehrten Mönche in REBDORF auf Anhieb übersetzen können. Das 1156 von Bischof Konrad I. von Eichstätt gegründete AUGUSTINER-CHORHERRENSTIFT, dem Friedrich Barbarossa das Reichsgut Rebdorf zugewie-

EICHSTÄTT WILLIBALDSBURG

sen hatte, war im 17. und 18. Jh. eine besondere geistige Pflegestätte, deren kostbare Bibliothek der französische General Joba 1810 in Paris als Kriegsbeute versteigerte. Die riesigen Klostergebäude wurden lange als Zuchthaus, dann als Kaserne verwendet und heruntergewirtschaftet, bis 1958 der Orden vom Heiligsten Herzen Jesu (MSC) den Komplex kaufte und u. a. ein Knabeninternat dort einrichtete. Bei der Renovierung wurde nicht nur die doppeltürmige Kirche erneuert, die der Eichstätter Bildhauer Mathias Seybold barockisiert hatte, unter dem rohen Verputz traten die Hofarkaden ans Licht, die der Eichstätter Baumeister Gabriel de Gabrieli 1715 geschaffen hatte. Mit einer Variation des Palladiofensters gliederte er den langen Trakt zur Rechten und den kurzen Mitteltrakt in beiden Geschossen, während zur Linken der ›Gabrielihof‹ vom barocken Chor und zwei unveränderten romanischen Seitenchörlein geschlossen wird. Allein dieses Hofes und seiner farblichen Abstimmung wegen lohnt sich ein Abstecher nach Rebdorf, bevor man das nahe Eichstätt aufsucht.

Eichstätt

Eichstätt sollte man wie Heidelberg und Würzburg, wie alle in eine Talniederung gedrängten Städte, zuerst von oben betrachten, etwa von der Anfahrt der B 13 aus. Umschlossen ist es von den Jurabergen, deren Felsen grauweiß im Norden aufleuchten, wo gelblich die Abraumhalden der Steinbrüche schimmern, die nicht nur die begehrten Steinplatten, sondern auch die Fossilien der Vorzeit freigegeben haben. In dem Gleithangfeld der Altmühl vor uns lag schon um 500 v. Chr. eine keltische Siedlung, die durch Funde bei der Grabung im Dom (1970–72) bestätigt wurde. Bei der Vorverlegung des Limes (90–160 n. Chr.) wurde sie einbezogen und zu einem der kleinen römischen Etappenorte, vermutlich nach dem Durchbruch der Alemannen durch den Limes (260 n. Chr.) zerstört. Beim Vordringen der Baiern ins Altmühltal (nach 560) geriet die Gegend um Eichstätt in ihren Besitz; 740 wird der Ort als im westlichen Teil des baierischen Nordgaus gelegen genannt. Schon ein Jahr später berief Bonifatius seinen Verwandten Willibald, Sproß einer angelsächsischen Adelsfamilie, zum Bischof des eben begründeten Bistums Eichstätt, das im frühen Mittelalter unmittelbares Reichsbistum wurde wie die Nachbarbistümer Würzburg und Bamberg. Der Bischof war bis zur Säkularisation 1803 Landesherr und Reichsfürst. Den Charakter einer ›geistlichen Stadt‹ hat Eichstätt bis heute bewahrt.

Das Wahrzeichen Eichstätts – das vom Aussichtspunkt ›Schönblick‹ an der B 13 am besten zu betrachten ist –, die WILLIBALDSBURG, sitzt auf einem Bergsporn über der Altmühl und hat die Stadt links hinter sich. Erhalten geblieben sind nur die jüngeren Bauteile der Burg, die Mitte des 14. Jh.s unter Bischof Berthold von Zollern (1354–65) errichtet und später immer wieder erweitert und verstärkt wurden. Der weißgekalkte Gemmingenbau mit seinen zwei kräftigen Türmen und den die Breite betonenden waagerechten Gesimsen wurde nach Plänen des Augsburger Stadtbaumeisters Elias Holl gebaut,

Landschaft im Altmühltal

71 ELLINGEN Schloß. Treppenhaus mit Korridor im zweiten Obergeschoß. Um 1720

72 ELLINGEN Rathaus. 1744 begonnen

73 BEILNGRIES Gotisches Haus

74 HEIDENHEIM Klosterkirche

75 PAPPENHEIM Altes Schloß

WEISSENBURG Partie am Stadtgraben

77 SOLNHOFEN Versteinerung des Archaeopteryx (Urvogel). Museum für Naturkunde, Berlin
78 Steinbruch bei Solnhofen

Essing bei Riedenburg an der Altmühl

80 EICHSTÄTT Inneres des Domes

EICHSTÄTT

1   Dom. Willibaldsdenkmal von Loy Hering. 1514
82 Dom. Buchenhüller Madonna. Um 1430

3   Dom. Westfassade von Gabrieli 1714–18 erbaut
84 Kapuzinerkirche Hl. Kreuz. Heiliges Grab. 1160

85 EICHSTÄTT Dom. Pappenheimer Altar. Um 1489–97

EICHSTÄTT Dom. Mortuarium

87 EICHSTÄTT Nonnenchor in St. Walburg. Um 1706

8 EICHSTÄTT Treppenhaus der Residenz von Pedetti. 1767–69
9 EICHSTÄTT Residenzplatz

90 KELHEIM mit Befreiungshalle
92 KELHEIM In der Befreiungshalle. 1863 vollendet

91 FEUCHTWANGEN Romanischer Kreuzgang der Stiftskirche

FEUCHTWANGEN Stiftskirche. Fresko in der Portalhalle. Frühes 13. Jh.

94 Luftaufnahme der ehem. Freien Reichsstadt Dinkelsbühl

DINKELSBÜHL

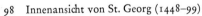

95 Löwenbrunnen und Wörnitztor

96 Spital mit Heimatmuseum u. Rothenburger Tor

97 Kornhaus und Seyringertor

98 Innenansicht von St. Georg (1448–99)

dem Augsburg sein prächtiges Rathaus verdankt. Die Türme mit ihren Zinnenkronen, die an spanische Festungen erinnern, trugen ursprünglich ein Stockwerk mehr und Zwiebelhauben, sahen also ›gut bayrisch‹ aus. Anfangs des 19. Jh.s wurden die Türme verkürzt und wirken nun festungshafter über den mächtigen Bastionen. 1725 war die Burg bevorzugter Sitz der Fürstbischöfe, die dann, wie die anderen Fürsten der Barockzeit, ihre Residenz in die Stadt verlegten. Ein Trakt birgt heute die Funde aus der Kelten- und Römerzeit, vor allem die Ausgrabungen aus dem Römerkastell Pfünz und dem Etappenort Nassenfels. Die rückwärtigen Teile der Burg wurden nach 1809 von privaten Käufern ausgeschlachtet und ruiniert.

Auf der Fahrt in die Stadt kommen wir zuerst in die Spitalvorstadt. Das namengebende HEILIG-GEIST-SPITAL, dicht vor der Brücke stehend, ist ein großer Bau mit einer rechteckigen Kirche, die durch spätere Einbauten einen kreuzförmigen Grundriß erhielt. Die Fassade zeigt Figuren von Christian und Veit Handschuher. Die alte Ausstattung ist 1634 verbrannt, als am 12. 2. die belagernden Schweden, Hessen und Finnländer die Willibaldsburg und die Stadt in Brand schossen und 444 der 567 Häuser vernichteten. Die Altarbilder für den Neubau von 1698 sind von dem Würzburger Hofmaler Oswald Onghers und von Heiß nach Plänen von Jakob Engels geschaffen worden. An der Spitalbrücke öffnet sich der zweite ›Schönblick‹ auf die Altstadt jenseits der gemächlich fließenden Altmühl: links die enggedrängten Häuser der bürgerlichen Stadt mit dem Rathaus, rechts davon die bischöfliche Stadt mit dem Dom als Mittelpunkt.

Der DOM auf dem baumbestandenen Platz, der einst ein Friedhof war, geht auf eine Klosterkirche zurück, die der hl. Willibald (741–787) bereits vorfand. Unter Bischof Reginold (966–91) wurde der westliche Arm verlängert und mit einem Westchor über einer Krypta bedacht. Bischof Heribert (1022–42) wollte den Dom weiter nach Osten verlegen, hatte den Kreuzgang u. a. schon im Osten bauen lassen, als er während des Baues starb; an seine Pläne erinnert die ungewöhnliche Lage des Kreuzganges an der Südostecke des Querschiffes statt der Südseite des Langhauses. Als Bischof Gundekar II. starb († 1075), der den Ostchor, die Johanniskapelle und die Turmkapellen bauen ließ, war der frühromanische Dom vollendet, der in seinen Maßen den heutigen Bau bestimmte, obwohl von ihm nur Mauerreste und die Türme Gundekars vorhanden sind.

In der Folgezeit erfuhr der Dom nur geringe Veränderungen; so ließ Bischof Hartwig 1210 den über die Türme hinaus verlängerten Ostchor weihen. In der Mitte des 14. Jh.s begann die Gotisierung des Domes, der Ostchor wurde dank einer Stiftung von 1349 erneuert, dann das Langhaus, dessen Nordportal die Jahreszahl 1396 trägt, um 1420 wurde der Nordflügel des gotischen Kreuzganges gebaut, 1463 die Kapitelsakristei am Ostchor begonnen, schließlich um 1500 das Mortuarium als Westflügel des Kreuzganges vollendet. Vom 16. zum 18. Jh. wurden die Kapellen der Südseite des Langhauses in Anlehnung an die Gotik der nördlichen Kapellenreihe erbaut.

Der bedeutendste Beitrag des Barock zum Dom ist die Fassade des West- oder Willibaldchores (Abb. 83), 1714–18 von Gabriel de Gabrieli errichtet, nachdem Fürstbischof Joh. Anton I. Knebel von Katzenellenbogen sie als Dankzeichen dem hl. Willi-

169

EICHSTÄTT

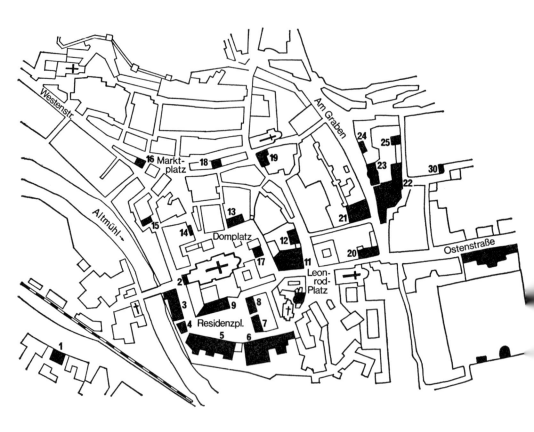

Plan von Eichstätt mit den Bauten Gabrielis (nach Th. Neuhofer)

1 Hettersdorfer Hof 2 Willibaldschor (Fassade) 3 Hofkanzlei 4 Generalvikariat 5 Kavaliershöfe 6 Hof Dietrichstein 7/8 Kanonikerhöfe 9 Stadtresidenz (Südbau) 10 Weldenhof 11 Schönbornhof 12 Riedheimhof 13 Gebsattelhof 14 Haus Amberger-Boegl 15 AWM-Haus 16 Stadtpropstei 17 Domkapitelapotheke 18 Gabrielis Wohnhaus 19 Oberstjägermeisterei 20 Hofreitschule 21 Marstallgebäude 22 Stift Notre Dame du Sacre Cœur 23 Kirche Notre Dame 24 Institut bei Notre Dame 25 Salettl 26 Sommerresidenz 27 Westpavillon im Hofgarten 28 Gloriette 29 Ostpavillon im Hofgarten 30 Gabrielis Grabmal

bald gelobt hatte, da Eichstätt aus den Gefahren des Spanischen Erbfolgekrieges gerettet worden war. (1724 vollendete Gabrieli die Sakristei des Willibaldschores, unter
der die Gruftkapelle des Bischofs Joh. Anton liegt.) Durch die enggestellten Häuser der
Pfahlstraße stoßen wir direkt auf den Eingang in der Fassade Gabrielis. Wer zuvor
die Kirche umwandern möchte, der gehe am Dom-Augusto-Haus vorbei auf den Domplatz und betrachte die kompakte Quadermasse, die nur im Osten aufgelockert ist, und
eine überzeugende Gliederung in der Abfolge von Querschiff, Türmen, Chor und der
Kapitelsakristei im Winkel zwischen Ostchor und nordöstlichem Turm besitzt. Beide
Türme sind romanisch und einheitlich gebaut, die Turmhelme stammen aus dem späten
Mittelalter. Kontrast zu dieser Stämmigkeit ist das hübsche Chörlein an der Kapitelsakristei. Ein Verweilen gilt dem Portal am nördlichen Seitenschiff, das von einer Vorhalle beschirmt wird, die in die Kapellenreihe eingesetzt ist. Das Tympanon von 1396
zeigt den Tod und die Krönung Mariens; aus der gleichen Zeit stammten die Propheten,
die durch Kopien ersetzt werden mußten. In den Hohlkehlen sitzen feine, aber etwas zu
klein geratene Terrakottafiguren – Maria, die Hl. Drei Könige, ein Stifter –, während
an den Vorhallenwänden Willibald, Walburg, Wunibald und Richard stehen, alle um
1450–60 lebensgroß geformt.

Das INNERE (Abb. 80) der breiten, dreischiffigen Pfeilerhalle verdankt ihr Aussehen
der Gotik, wenn auch der Barock und eine Purifizierungsaktion 1882 einige Details verändert haben. Die reiche Ausstattung wurde dabei kaum gemindert. Auftakt ist im
Willibaldschor die steinerne *Siboto-Madonna*, eine Stiftung des Domherrn Siboto von
Engelreut von 1297. Unter den *Wandepitaphen* ragen heraus die Augsburger Arbeit
für Bischof Eberhard von Hürnheim (1552–60), das kleine Epitaph für den Domherrn
Joh. v. Stein († 1543) von Loy Hering, der Dürers Gnadenstuhl (Dreifaltigkeit) zum
Vorbild nahm, oder das mit der Verklärung Christi, ebenfalls von Loy Hering gearbeitet, das Bischof Moritz von Hutten für seinen Vorgänger 1552 stiftete. Der kleine
Steinsarkophag in den Formen eines gotischen Chores barg von 1269–1745 die Gebeine
Willibalds und wurde vom frühgotischen Willibaldaltar hierherversetzt. Darüber fand
die Kreuzigungsgruppe Platz, die einst auf einem flachen Bogen über dem Willibaldsdenkmal stand. Sie wird Gregor Erhart zugeschrieben, zumal die Assistenzfiguren
nahezu getreu Figuren im Gesprenge des Blaubeurer Altars dieses Meisters nachgebildet
sind.

Vom *Willibaldsdenkmal*, das Bischof Gabriel von Eyb durch Loy Hering vollenden
ließ, sind der Sockel, die Muschelnische mit der Figur des Stadt- und Bistumsheiligen
und die Wappen erhalten geblieben, als Matthias Seybold zum Bistumsjubiläum 1741
den Altar an seinen jetzigen Platz verlegte und mit einem Baldachin aus kostbarem
Marmor überspannte. Eingebaut wurde Loy Herings reifste Arbeit im Dom, die Figur
Willibalds mit dem Antlitz voller Würde und Abgeklärtheit (Abb. 81). In den Jura-
kalk, der durch Politur wie Marmor wirkt, hat Loy mit Freude am Detail die Brokat-
muster des Ornates naturgetreu wiedergegeben, aber gleichzeitig eine klassisch geschlossene Form gefunden. Der Künstler, Sohn eines Goldschmiedes, in Augsburg geschult,

EICHSTÄTT DOM

hat über 100 bezeugte eigenhändige Werke hinterlassen, vor allem Grabmäler und Kruzifixe, von denen wir auf dem Rundgang im Dom noch beste Proben antreffen werden. Da es unmöglich ist, die zahlreichen Grabmäler und die Kapellen an den Seitenschiffen zu würdigen, sei auf den Domführer verwiesen.

Wir gehen den Mittelgang hinauf bis zum *Hochaltar* mit den kostbaren Schreinfiguren, die um 1470 entstanden. Zu seiten Mariens stehen unterm Sprengwerk die Bistumsheiligen (v.l.n.r.) Richard, der Vater Willibalds, als englischer König dargestellt, Willibald, Walburg und Wunibald, sehr individuell charakterisiert. Die Flügel tragen Flachreliefs mit Szenen aus dem Leidensweg Christi. Dieser Schnitzaltar ist ein hervorragender Ersatz für den untergegangenen des Mittelalters und für den Barockaltar, den Matthias Seybold 1749 errichtet hatte und der ausgangs des 19. Jh.s an die Pfarrkirche zu Deggendorf verkauft wurde. Seybolds Altar harmonierte mit den beiden großen *Grabmälern* an den Seiten. An der Südwand steht das für Fürstbischof Joh. Konrad von Gemmingen (1593–1612), eine prunkvolle Anlage, die der Münchner Hofbildhauer Hans Krumper (1578–1634), in Auftrag bekam. Auf einem schwarzgrundigen Marmorsarkophag liegt die Bronzefigur des Fürstbischofs, den rechten Ellbogen aufgestützt, in die Betrachtung des Gekreuzigten versunken. Der gelehrte Fürstbischof ließ nicht nur nach Holls Plänen den ›Gemmingenbau‹ der Willibaldsburg errichten, sondern auch den berühmten botanischen Garten (Hortus Eystettensis) anlegen, der nur in einem raren Tafelwerk der Nachwelt überliefert wurde. Gegenüber erhebt sich das Denkmal für drei Fürstbischöfe aus dem Hause der Schenk von Castell, das Franz Ludwig (1725–36) für sich und seine Vorgänger Marquard II. (1636–85) und Joh. Euchar (1685–97) nach Plänen von Gabriel de Gabrieli aufführen ließ. Als volle Figur (statt Porträtbüsten) ist nur Marquard II. um 1731 von dem Niederländer Willem de Groff in Bronze gegossen und teilvergoldet worden. Das Werk zeigt Anklänge an das Grabmal für Bischof Capello in Antwerpen; die Figur in ihrem leidenschaftlichen Gestus ist bewußt der konzentrierten Meditation des Fürstbischofs von Gemmingen entgegengesetzt.

An der Stirnseite des nördlichen Querschiffes steht der aus Kalkstein gehauene und 9,5 Meter hoch die Wand bedeckende *Pappenheimer Altar* (Abb. 85), nach seinem Stifter, dem Domherrn Kaspar Marschalk von Pappenheim benannt und, von einem unbekannten Bildhauer, der VW signierte, zwischen 1489 und 1497 geschaffen. Unter fratzenendendem Sprengwerk und gerahmt von kleinen Apostelfiguren stehen die drei Kreuze auf Golgatha vor dem Reliefhintergrund der Städte Jerusalem und Venedig (weil dort die Pilger abfuhren). Darunter drängt sich herab die Menge der Zuschauer, der Soldaten und Henkersknechte, alle mit großer Meisterschaft individuell gestaltet. Virtuos sind die Gruppen zusammengestellt, die um den Rock Würfelnden, die vor Maria und ihren Begleitern zu prügeln beginnen, Gaffer und Spötter neben gelassen amtierenden Soldaten.

An der Westwand ein Werk von Johanna Fischl, der 1946 enthüllte Gedenkstein für Eichstätts Bischof Gebhard, der als Viktor II. 1055–57 Papst war. Links vom Kreuzaltar, am südlichen Vierungspfeiler, steht eine der anmutigsten Madonnen Süddeutschlands, aus dem nahen Dorfkirchlein von Buchenhüll hierherversetzt. Der farbig gefaßte Ton der *Buchenhüller Madonna* begünstigt den weichen, fließenden Stil um 1430, der Maria als Inbegriff von Anmut, Mütterlichkeit und 'Süße' begriff (Abb. 82).

Von hier gehen wir ins MORTUARIUM, Grablege des Domkapitels, einer zweischiffigen Halle der Spätgotik (1497) mit schönem Netzgewölbe auf stämmigen Pfeilern. Die Schlußpfeiler sind gedreht, der nördliche von Ranken- und Astwerk sowie einem Schriftband überzogen (Abb. 86), Meisterstücke der Steinmetzen. Dieser ›Schönen Säule‹ gegenüber das Bildnis des Baumeisters Hans Paur, der Zirkel und Schriftband hält. Aus der Fülle der Denkmäler seien genannt: Loy Herings Epitaph für den Domherrn K. Adelmann († 1541) mit der Anbetung der Könige nach Dürer; die große Kreuzigungsgruppe an der Südwand, 1541 für den Ostfriedhof geschaffen; oder das reine Renaissance-Epitaph für den Domherrn B. Arzat, dessen Neffe Jakob Fugger der Reiche war. In diesen feierlichen Raum bricht das Licht z. T. durch farbige Scheiben von hoher Qualität, von Hans Holbein d. Ä. signiert und auf 1503 datiert. Neben Fenstern mit kleineren Motiven treten die vielfigurigen Scheiben des »Jüngsten Gerichtes‹ und der ›Schutzmantelmadonna‹ hervor. Der Stifter, Domherr Wilhelm von Rechberg, ließ von Holbein eine im 13. Jh. aufgekommene Darstellung der Madonna variieren. Die Schutzsuchenden gehören allen Altersgruppen und Ständen an wie die Gerechten und Ungerechten beim ›Jüngsten Gericht‹. Vom Mortuarium (anstelle des Westflügels) geht es hinüber zu den drei erhaltenen Kreuzgangflügeln von großer Eigenart. Zwischen den Fenstern mit ihrem schweren gotischen Maßwerk blieben die Säulen des romanischen Kreuzganges erhalten – wenngleich durch doppelte Fialen gotisiert –, dazu der Oberstock, durch Paare von dreiteiligen Schlitzfenstern gegliedert, mit Räumen (wie dem Kapitelsaal), die heute noch benutzt werden. Beruhigend ist der Blick durch die Maßwerkfenster über den stillen Hof, den jenseitigen Flügel und hinauf zu den romanischen Türmen.

Zu Beginn des 18. Jh.s wurde die Willibaldsburg als zu unbequem und eng empfunden, so daß in der Stadt eine RESIDENZ angelegt werden sollte, zumal durch die Verwüstungen des Dreißigjährigen Krieges freies Gelände vorhanden war. Als ersten Teil vollendete 1702 Hofbaumeister Jakob Engel den Westflügel. Der 1716 nach Eichstätt berufene Gabriel de Gabrieli setzte daran rechteckig einen Südflügel mit zweigeschossigen polygonen Erkern. Erst Maurizio Pedetti blendete 1791 den frühklassizistischen Mittelrisalit vor. Von ihm stammen auch die Schilderhäuschen von 1784 und die frühklassizistische Gestaltung der Hofwand des Westflügels. Der von Gabrieli gestaltete Residenzplatz (Abb. 89), der Rücksicht auf älteren Baubestand nahm, erhält seinen Akzent von der Mariensäule, die Pedetti schlank aus einem kurvigen Brunnenbecken aufsteigen ließ, gekrönt von der vergoldeten Madonna des Hofbildhauers Joh. Jakob Berg. Dieser bislang ungestörte barocke Platz wird im Süden von der Residenz, im Westen von der dreigeschossigen Anlage des ehem. Generalvikariats (1730) und einem

EICHSTÄTT RESIDENZ · LEONRODPLATZ

Flügel der ehem. Fürstl. Kanzlei (1738) samt vier Kavaliershöfen geschlossen, die zu einer einbiegenden Front gefaßt wurden. Im Osten begrenzen vier Kanonikerhöfe, zu Zweiergruppen zusammengefaßt, die Anlage. Alle Gebäude führte Gabrieli aus, der Baumeister aus Roveredo/Graubünden, dessen erste Leistung das Liechtensteinpalais in Wien war. Von 1705 ab mit der Direktion des Umbaues des Schlosses zu Ansbach betraut, überwarf er sich mit der dortigen Hofkammer und wurde 1716 nach Eichstätt berufen, das sein barockes Antlitz zum großen Teil ihm verdankt. Dank kunstverständiger Fürstbischöfe konnte er bis zu seinem Tode 1747 unbehindert wirken.

Die Residenz, 1803 von Bayern säkularisiert, war von 1817–55 von Eugène de Beauharnais und seinen Nachkommen bewohnt. Eugènes Schwiegervater, König Max I. Joseph von Bayern, hatte ihm die Landgrafschaft Leuchtenberg und das Fürstentum Eichstätt verliehen, nachdem Stiefvater Napoleon I. besiegt und verbannt worden war. Die Leuchtenberger konnten sich am TREPPENHAUS des Westflügels erfreuen, das Pedetti raffiniert konstruierte (Abb. 88). Die zarten Stukkaturen schuf J. J. Berg, das Fresko an der flachen Decke 1768 der Hofmaler J. M. Franz, den Sturz des Phaeton darstellend. Die ausgezeichneten Schmiedearbeiten der Treppenläufe von Sebastian Barthlme begleiten uns in den ersten Stock, dessen Räume wie die Kapelle, früklassizistisch ausgestattet sind. Der 1768 im zweiten Stock vollendete große Saal besitzt entzückenden Rocaillestuck und ein Gemälde von J. M. Franz mit Allegorien auf Friede und Gerechtigkeit. Die heutige Verwendung der Residenz für staatliche Ämter glossiert eine Inschrift im Treppenhaus: »Einst war sie ein Bischofs-, dann Herzogsschloß / Mit Hofkavalieren und dienendem Troß / Jetzt wird in Kanzleien die Feder geführt / So nimmt die Zeit sich, was ihr gebührt.«

Seit der Säkularisation bewohnt der Bischof von Eichstätt einen ehem. Domherrnhof am LEONRODPLATZ, einem weiteren schönen Platz in der Stadt. Errichten ließ diesen Marquard Wilhelm von Schönborn 1737 f. von Gabrieli, der die Hauptfront zur engen Straße setzen mußte, aber mit zwei kräftigen Erkern akzentuierte. Der Bauherr, jüngster Bruder der Würzburger Bischöfe Joh. Phil. Franz und Friedrich Carl, ließ die Räume des ersten Obergeschosses von dem Würzburger Materno Bossi stuckieren. Sein Palais steht in leichtem Kontrast zum gegenüberliegenden ›Ulmer Hof‹ mit seinen abgerundeten Erkern, den Jakob Engel (recte Giacomo Angelini aus Monticello bei Bellinzona) errichtet hat. (Sein Werk ist auch das Dom-Augusto-Haus am Domplatz mit seinen charakteristischen Erkern.) Die Südwestecke des Platzes schließt die alte Dechanei, ein dreigeschossiger Bau mit Erkern von 1765. Baumeister war entweder Pedetti oder sein Landsmann Barbieri. Die Südostwand nimmt das ehem. Jesuitenkloster mit der Schutzengelkirche ein (heute Bischöfliche Theologische Hochschule, Priesterseminar, Studienkirche). Die Jesuiten, 1614 nach Eichstätt gerufen, ließen die riesige, durch Pilaster leicht gegliederte Fassade mit hochgeschwungenem Giebel von 1617–20 von Hans Alberthal aus Roveredo bauen, der u. a. den Gemmingenbau nach Holls Plänen ausgeführt hatte. Er schuf auch den Arkadenhof des Priesterseminars, der an den der Willibaldsburg erinnert. Die Nordostecke des Platzes schließt die zwei-

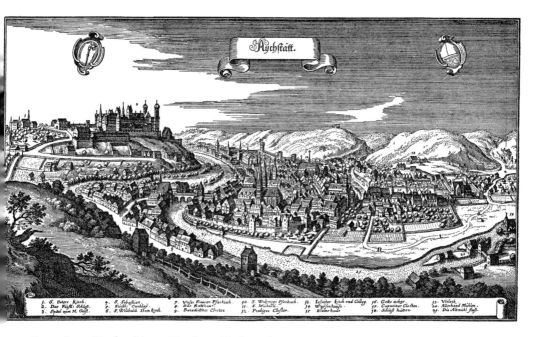

EICHSTÄTT Kupferstich von Matthaeus Merian. 1645

flüglige Dompropstei, wohl ebenfalls von J. Engel gebaut, mit einem polygonen Erker versehen und 1770 mit Stuck von J. J. Berg geschmückt.

Da Sie beim Ostentor sind, sollten Sie die Ostenstraße hinausgehen zur ehem. fürstbischöflichen SOMMERRESIDENZ, die in einen schon 1696 genannten Fürstengarten gestellt wurde. Der 100 Meter lange Hauptflügel besitzt ein dreigeschossiges kurzes Mittelstück, aber weit ausschwingende Flügel mit Eckpavillons, 1736 vollendet (jetzt Verwaltungsgebäude der Kirchlichen Gesamthochschule). Der regelmäßig angelegte Garten hat die meisten seiner zahlreichen Figuren eingebüßt, doch haben sich einige Götterstatuen erhalten (wohl von Josef Anton Breitenauer) und die Delphinreiterchen der Brunnenbecken (wohl von J. J. Berg). Der südliche Abschluß des Gartens wird von einer Mauer mit originellen Eckpavillons gezogen. Den Mittelpavillon, 1781 von Pedetti vollendet, seiner Form nach auch Muschelpavillon geheißen, zählt man zu den schönsten seiner Art, ein farbig gelungener Abschluß der Mittelachse des Gartens.

Auf dem Weg zum Ostenfriedhof, auf dem Gabrieli begraben liegt, kommen wir zur KAPUZINERKIRCHE, einem bescheidenen Kirchlein aus dem Beginn des 17. Jh.s, das aber eine Kostbarkeit aus der Kirche des Schottenklosters bewahrt hat, die vorher hier stand: die getreue Nachbildung des Heiligen Grabes zu Jerusalem (Abb. 84). Wie mancher Jerusalem-Pilger von Frankreich bis Armenien hatte auch ein Eichstätter (vermutlich

175

EICHSTÄTT MARKTPLATZ · RATHAUS · KLOSTER ST. WALBURG

Dompropst Walbrun von Rieshofen) Maß genommen und 1160 eine Nachbildung gestiftet, die besterhaltene, nachdem das Original und die Kopien zerstört oder wesentlich verändert worden sind. Romanisch ist der Rundbau mit den Blendarkaden und
dem Würfelfries, aus dem 19. Jh. stammen die Balustrade und das Türmchen.

In die Stadt zurückgekehrt, gelangen wir über den Domplatz, vorbei an Domherrn-
höfen (wie ›Arzat-Gebsattel‹ und ›Speth‹) zum dritten Platz Eichstätts, dem MARKT-
PLATZ. In seine Mitte hat J. Engel 1695 den Brunnen gestellt, auf dessen schlanker
Säule die Bronzesäule des hl. Willibald steht, modelliert von Hans Krumper. Leicht
geneigten Hauptes segnet Willibald seine Eichstätter. – Das RATHAUS ist spätgotisch,
stammt aus dem 15. Jh. und wird durch einen seitlich gestellten Turm aus der Masse
der Bürgerhäuser herausgehoben. Seine Bekrönung nach dem Vorbild südlicher Glocken-
türme erhielt er erst 1823, als der Architekt Jordan Maurer das Rathaus überformte.
Ein Abstecher führt uns nach rechts durch die Gabrieligasse mit reizvollen Fassaden des
Rokoko (das Wohnhaus des Meisters war die Nr. 4) zur DOMINIKANERKIRCHE ST. PETER,
einem frühgotischen Bau nach 1271, der ab 1713 durch Benedikt Ettl barockisiert wurde,
1918 ausbrannte. Bemerkenswert ist eine rote Marmorplatte, um 1440 bearbeitet, die
an die Klostergründerin Gräfin Sophia von Hirschberg und ihre Söhne erinnern soll,
und ein beschädigtes Sakramentshäuschen von Loy Hering um 1520. Nach Norden
setzt der Konventbau an, nach Süden die ehem. Oberjägermeisterei, 1722 von Gabrieli erbaut.

Auf diesem Umweg wie auch auf direkter Strecke gelangen wir im Norden zu dem
Punkt, an dem die Stadtbefestigung, die hier besonders gut erhalten ist, zur Altmühl
herabzog. Von der Stadtmauer eingefaßt und an den Hang gelehnt steht das KLOSTER
ST. WALBURG, das sich aus einem Kanonissenstift entwickelte, das um 870 entstand, als
die Gebeine der Schwester Willibalds aus ihrem Kloster Heidenheim überführt wurden.
Über eine Treppe steigt man auf die hochwasserfreie Uferterrasse, auf die Domenico
Barbieri 1629-31 ein neues Gotteshaus gesetzt hat, das allerdings erst nach dem Dreißigjährigen Krieg vollendet wurde. Der für das Stadtbild so wichtige Turm wurde vom dom-
kapitelschen Baumeister Ettl entworfen und 1746 gebaut. Wegen der Lage an der Berg-
lehne mußte der Eingang hochgesetzt werden. Eine doppelläufige Treppe mit Umkehr-
podest führt unter die kleine Vorhalle. Der Eingang darunter öffnet direkt die Gruftkapelle, wo hinter einem kunstvollen Gitter die Reliquien in einer eisenverschlossenen
Nische ruhen. Der Eingang der Vorhalle führt in die ›obere Gruft‹, eine Halle hinter
dem Hochaltar mit einem Schacht, der den Blick in die Gruftkapelle erlaubt. Zum
eigentlichen Haupteingang zwischen Turm und Südwand führt eine Freitreppe mit
origineller Loggia. Die Kirche, eine streng gegliederte Wandpfeilerhalle mit eingezoge-
nem Chor, wurde durch den Akanthusstuck Wessobrunner Stukkateure – sehr wahrscheinlich 1706 von Joh. und Franz Schmutzer angetragen – festlich verwandelt. Aus
der gleichen Zeit stammt auch die Nonnen- und Orgelempore im Westen mit reichem
ornamentalen Schnitzwerk (Abb. 87). Das Pendant im Osten bildet der Hochaltar, wie

die Seitenaltäre 1670 errichtet, aber 1740 neu dekoriert; er verbirgt den Gruftaltar der St. Walburg. Seine Mensa trägt ein seltenes Tabernakelrelief von 1450, darüber stehen (im modernen Schrein) gutgeschnitzte Figuren der Eichstätter Heiligen aus dem frühen 16. Jh.

Kirche und Klostergebäude bergen wertvolle Kunstschätze, wie sie in 1100 Jahren zusammengetragen werden, denn nur von 1803–35 war das Benediktinerinnenkloster (seit 1035) unbesetzt. Die Konventsbauten bilden im Westen ein Geviert, das 1661 begonnen wurde. Über eine kleine Brücke gelangt man in den südlich gelegenen Gästeflügel, so das Weltliche abscheidend; Ettl hat ihn 1746 errichtet.

Schlösser und Burgen zwischen Pfünz und Beilngries

Auf dem Kirchberg am Südrand von Pfünz (vom lat. pons = Brücke) lag ein römisches Kastell, das man als Vetonianis auf der Peutingerschen Tafel, einer römischen Straßenkarte des 3. Jh. n. Chr., festgestellt haben will. Angelegt wurde es als Stützpunkt hinter dem 20 Kilometer nördlich vorbeiziehenden Limes. Zu sehen sind von dem 233 durch Alemannen zerstörten Kastell deutlich der Doppelgraben sowie an der West- und Südseite die Grundmauern der Türme und Tore.

Das heutige SCHLOSS PFÜNZ wurde 1710 durch den eichstättischen Hofbaumeister Jakob Engel als Sommersitz der Eichstätter Fürstbischöfe errichtet, die einen weitläufigen Hofgarten hinzufügen ließen. Nach der Säkularisation überließ der bayerische Staat Pfünz dem letzten Fürstbischof, dem Grafen von Stubenberg, zu lebenslänglicher Nutznießung. Aus Privathand erwarb 1955 die Diözese Eichstätt das Schloß und baute es zu einem der modernsten Jugendhäuser der katholischen Jugend um. Dorthin führt über eine Freitreppe ein frühbarockes Portal. Sehenswert ist im Innern der Festsaal mit herrlicher Stuckdecke. Der Meierhof, durch ein stilvolles Tor mit dem Schloß verbunden, beherbergte die Stallungen. Vom Hofgarten haben sich vier kleine Weiher mit Springbrunnen erhalten; die Imperatorenbüsten, von der Willibaldsburg hierher versetzt, sind heute in den Sammlungen des Historischen Vereins Neuburg/Donau.

Jenseits von Straße und Bahn schmiegt sich an den Jurahang INCHING, eine Alemannensiedlung, die im 6. Jh. von den Bayern übernommen wurde. Die kleine Kirche St. Martin mit dem gedrungenen Turm diente, wie manche andere Kirche im Tal auch, als Wehrkirche. Das Schlößchen, eher einer Villa ähnlich, wurde auf der Wende des 17./18. Jh.s von Jakob Engel als Jagdschlößchen erbaut und von Gabriel de Gabrieli nachträglich mit einem originellen Saal im zweiten Obergeschoß geschmückt, dessen Stuck aus der Zeit um 1720 stammt. Dieser Saal besitzt einen halbrunden Erker zur Altmühl hin, der – ein Rückgriff um 250 Jahre – Butzenscheiben besitzt. Alle Kabinette und Zimmer sind geschmackvoll mit Rokokotapeten, Stuckdecken und Stilmöbeln ausgestattet.

177

BUCHENHÜLL · KIPFENBERG · KINDING · BEILNGRIES

Von hier lohnt sich ein Abstecher (am besten zu Fuß in 30 Minuten) zur einstigen WALLFAHRTSKIRCHE Mariä Himmelfahrt in BUCHENHÜLL, deren schönste Madonna in den Dom zu Eichstätt verbracht wurde (s. S. 173). Der 1616 erweiterte Bau aus dem 13./14. Jh. besitzt in der mittleren Nische des Hochaltars noch eine edle spätgotische Marienfigur (ca. 1470) und eine Sakramentsnische, von Loy Hering geschaffen, die mit einem kunstvollen Renaissancegitter verschlossen ist. Von hier führt ein Kreuzweg über die alte Römerstraße nach Eichstätt. Nochmals 30 Minuten zu Fuß von Buchenhüll ostwärts liegt die MAMMUTHÖHLE, in der 1911 die Skelette eines Mammuts, eines Hirsches, eines Rentiers und einer Hyäne gefunden wurden, die im Museum auf der Willibaldsburg gezeigt werden.

Bei Walting an die Altmühl zurückgekehrt, begleitet uns bald an den Hängen die GUNGOLDINGER WACHOLDERHEIDE, ein 70 Hektar großes Naturschutzgebiet mit den dunkelgrünen Juniperen, die als Einzelgänger oder in Gruppen der Landschaft etwas Feierliches verleihen. Fesselnd immer wieder der Widerspruch zwischen den weiten, wiesenbestandenen Gleithängen und den schroffen Felspartien des Prallhanges der Altmühl, etwa bei Arnsberg. Die BURG OB ARNSBERG, schon im 11. Jh. bezeugt, einst mit einem großen Palas und einem Bergfried mit mächtigen Quadern ausgestattet, kam 1475 an die Eichstätter Bischöfe, die im 18. Jh. die Burg ausschlachteten, um Hirschberg bei Beilngries zu bedenken. Was nicht niet- und nagelfest war, auch das Kupferdach des Hauptgebäudes, wurde abmontiert, der Rest als ›Steinbruch‹ genutzt. Was übrig blieb, harmoniert mit den imposanten Felspartien.

Vorbei an Böhming, das 181 unter Kaiser Commodus ein Numeruskastell aus Stein bekam, fahren wir nach KIPFENBERG, das man am besten vom weit ins Tal vorspringenden Michelsberg aus betrachtet. Dorthin führt ein Aufstieg von der Nordseite oder für Steigfreudige der steile ›Schlossersteig‹, der teilweise in den Fels gehauen ist. Bei der Untersuchung der Wälle und Gräben auf dem Michelsberg hat man Funde aus der La-Tène-Zeit, aus der Hallstatt- und Bronzezeit, aus der Besatzungszeit der Römer und Alemannen bergen können. Von hier sieht man den Markt Kipfenberg, angeschmiegt an den Schloßberg, auf engstem Raum auch die Pfarrkirche MARIAE HIMMELFAHRT mit dem originellen Kirchturm, dem zaghaft eine bayerische Zwiebel aufsitzt. Die Burg darüber war von 1301–1802 Sitz eines eichstättischen Pflegers (Amtmanns), geriet dann in Privatbesitz und verwahrloste. Die Familie Taeschner aus Berlin erwarb die Burg 1914 und ließ sie durch den Architekten Bodo Ebhardt in Anlehnung an andere Burgvorbilder 1914–25 wiederherstellen. Aus dem älteren Bestand stammen noch der Bergfried, die renovierten Seitentürme und Reste der Ringmauern.

KINDING wartet mit einer wohlerhaltenen Wehranlage um Kirche und Friedhof von einmaliger Geschlossenheit auf. Der Mauerring, der sich hinter der Kirche an den Fels anlehnt, legt sich eng um die Kirche und besitzt an der Südseite drei Wehrtürme. Der Friedhof vor dem Bering ist eigens als Vorbefestigung ummauert. Der Ansatz des Wehrganges ist am Mauerstück zwischen der doppelgeschossigen Fünfwundenkapelle am Südostturm und dem mittleren Turm deutlich zu sehen. Die Anlage war spätestens

1357 vollendet, als der innere und äußere Friedhof neu geweiht wurden. – Nahebei am rechten Talrand und südlich Unteremmendorf steht das steinerne Tor aus 'gewachsenem' Fels. Ursprünglich eine oberflächennahe Höhle, deren Decke einstürzte und deren Wände durch Wasser abgetragen wurden, bis nur noch das härtere Höhlentor stehenblieb.

BEILNGRIES, an der Mündung der Sulz in die Altmühl gelegen, wird von SCHLOSS HIRSCHBERG überragt, dessen Vorgängerin, die mittelalterliche Burg der Grafen von Grögling-Dollnstein, zum Teil erhalten blieb. Zwei Bergfriede aus dem 12. Jh. flankieren jetzt den Zugang zum Innenhof des Schlosses, das erst Ende des 17. Jh. begonnen wurde, nachdem die alte Burg 1636 durch einen Brand nach Blitzschlag zerstört worden war. Nachdem J. Engel und Gabrieli einige Trakte errichtet hatten, beauftragte der Eichstätter Fürstbischof Raymund Anton von Strasoldo seinen Hofbaumeister Pedetti, ein Sommerschloß in barocken Formen zu erbauen. Auf die lange, schmale Bergzunge setzte dieser 1760–64 zwei langgestreckte Seitenflügel, die perspektivisch auf einen kurzen Mittelbau zulaufen, der sich mit seinem Portal, dem Balkon und dem gebrochenen Dach gut behauptet. Die Achse des 150 Meter langen Ehrenhofes setzt sich jenseits der Türme in der Anfahrtsstraße, der sog. Fürstenstraße fort. Sehenswert sind die Schloßkapelle, der Kaiser- und der Rittersaal, wozu J. J. Berg (1727–87) Figuren schuf. Doch sind sie nur an wenigen Tagen zu besichtigen, weil im Schloß das Exerzitienhaus der Diözese Eichstätt untergebracht ist.

Beilngries, Mitte des 15. Jh. zur Stadt erhoben, war seit 1053 MARKT, der auf der Hauptstraße gehalten wurde, die von stattlichen breitgiebligen Bürgerhäusern eingefaßt wird und im Süden auf den ehem. Getreidekasten trifft, der zum Rathaus umgebaut wurde. Unmittelbar davor steht ein originelles gotisches BÜRGERHAUS (Abb. 73), dessen Stufengiebel durch Blendarkaden gegliedert ist und im ersten Stock vorkragt wie sonst die Fachwerkhäuser. Dieses und andere Häuser zeugen vom einstigen Reichtum dieser ›Straßenspinne‹; Autobahn und Kanal ziehen nun seitwärts vorbei. Dabei hatte sich Beilngries 'modernisiert', seine Mauern und Türme, bis auf den ›Säuhüterturm‹, eingelegt und 1911–13 eine neue Stadtpfarrkirche errichtet.

Von Beilngries nach Kelheim

Das an Fresken reiche Altmühltal bietet in der KIRCHE St. Vitus, Modestus und Crescentia zu KOTTINGWÖRTH, die mit zwei kräftigen Türmen aus dem 12./13. Jh. bewehrt ist, einen Zyklus in der Veitskapelle, dem ehem. Chor im östlichen Turm. Im frühen 14. Jh. entstanden, zeigen sie an der Ostwand die Marter des hl. Veit unter dem thronenden Erlöser, an der Nordwand St. Michael als Seelenwäger, gegenüber St. Georg und St. Martin mit drei weiblichen Heiligen, am Eingangsbogen die Erasmusmarter und daneben die seltene Darstellung von Kain und Abel.

RIEDENBURG · PRUNN · ESSING

DIETFURT, staatl. anerkannter Luftkurort, ist idealer Ausgangspunkt für Wanderungen, vor allem in die sieben Täler, wobei allerdings das Altmühltal doppelt (auf- und abwärts) gezählt wurde. Bei der Talfahrt wird plötzlich über einer Waldschneise SCHLOSS EGGERSBERG sichtbar, das auf einem bewaldeten Bergrücken westlich Riedenburg sitzt. Unterhalb liegt die mittelalterliche Burg, seit dem 14. Jh. im Besitz der Bayernherzöge, die sie immer wieder verpfändeten, bis sie schließlich um 1500 verfiel. Das höher gelegene Schloß ließ zu Anfang des 17. Jh. Adam Jocher erbauen, ein Rechteck mit schmucken Staffelgiebeln an den Schmalseiten und drei zierlichen Ecktürmchen, das im Dreißigjährigen Krieg verschont blieb. 1684 erwarb es der Ingolstädter Professor Dominikus von Bassus; seine Familie besitzt es noch heute.

RIEDENBURG liegt in einem etwas breiteren Talabschnitt, aus dem aber steil die Felsen steigen. Auffällig ist die Teilung der Vegetation: die linken Hänge tragen Wacholder und Krüppelkiefern, die rechten Laubwald, darunter herrliche Buchenbestände, bis hinunter nach Kelheim. Riedenburgs Singular täuscht; es besitzt gleich drei Burgen. Hinter dem eng an die Altmühl und die Felsen gedrückten Ort, in dessen einzige Hauptstraße Rathaus und Kirche gezwängt sind, erhebt sich die wohlkonservierte ROSENBURG. Von der Burg der Grafen von Riedenburg aus dem 12. Jh. haben sich nur Reste, darunter der des Bergfrieds erhalten. Die Wohngebäude stammen aus der Umbauzeit 1556–58, waren vielfach verpfändet, schließlich Sitz eines Rentamtes und Amtsgerichtes. Während der letzten Kriege war die Rosenburg stets Kriegsgefangenen-, danach Flüchtlingslager, seit 1955 Heimatmuseum, Antiquariatslager und Burgschenke, ein merkwürdiger Weg für eine Burg, die einst zwei Minnesänger des 12. Jh.s zu ihren Bewohnern zählte*. Die Eibe im Burghof, 'erst' 600 Jahre alt, haben sie nicht mehr gesehen. Bei der Burgführung zeigt man Ihnen die profanierte Burgkapelle, die prächtigen Kreuzgewölbe, den Rittersaal mit den originalen Eichenbalken und die hervorragende Aussicht. Die darunter gelegene BURG RABENSTEIN, ebenfalls den Grafen von Riedenburg, gleichzeitig Burggrafen von Regensburg, gehörig, ist eine Ruine, die mit Zementplomben vor dem Absturz ihrer Reste gesichert werden mußte wie die auf einem Felssporn gelegene BURG TACHENSTEIN. Beide haben Reste ihrer Bergfriede, Mauern und Eingangstore vorzuzeigen.

Talabwärts liegt, so recht zum Übersehen, das Kirchlein ST. MARTIN, zum Edelsitz Aicholding gehörig, ein romanisches Wehrkirchlein aus dem 12. Jh., das bis auf die Schwalbenschwanzzinnen der Westwand unverändert steht. Die 1,5 Meter dicken Mauern wie der dicke Turm blieben absichtlich ohne Fenster; nur die Ausstattung stammte aus dem 17. Jh. wie auch das nahegelegene Schlößchen. In dessen mittelalterlichem Vorgängerbau soll der Überlieferung nach 1052 Kaiser Heinrich III. mit Papst Leo IX., gesprochen haben, hier soll Isabelle von Bayern gelebt haben, ehe sie 1385 König Karl VI. heiratete und als Königin Isabeau in die französische Geschichte einging.

---

* Heinrich von Riedenburg, der »burcgrave von Regensburc«, und Otto, der »burcgrave von Ritenburc«, Anhänger der »donauländischen Lyrik« der 2. Hälfte des 12. Jh.s.

Wem Hirschberg zu schloßartig und die Rosenburg zu gut erneuert ist, der findet in PRUNN die 'ideale' Burg an der Altmühl vor, trutzig, sagenumwoben (Ft. 6). Manche Geschichte rankt sich um die ›Gurre‹, den Schimmel auf rotem Feld, der auf eine Flanke der Burg gemalt ist und das Wappen der Frauenberger war, deren berühmtester, Hans F., gen. der ›freidige Hans‹, der bekannteste Turnierritter und Haudegen seiner Zeit, den Speer 80 Meter weit warf. (Sein Grabmal steht in der Pfarrkirche zu Prunn.) Die Burg, im 11. Jh. erbaut, fiel 1288 an die Wittelsbacher, die sie immer wieder verpfändeten oder verliehen; von 1672 bis 1773 (seiner Auflösung) besaß der Jesuitenorden Prunn. König Ludwig I. von Bayern, begeistert von der Lage der Burg und dem 'Zusammenstimmen' der einzelnen Bauteile, ordnete 1827 eine Renovierung des baufälligen Gebäudes an, das sich heute in Staatsbesitz befindet. Hier wurde versucht, mit zeitgenössischer Möblierung die Wohnverhältnisse vergangener Zeiten vorzuzeigen, wobei die Sparsamkeit der Mittel dem Auge wohltut. Besonders gelungen ist das ›Gotische Zimmer‹ im turmartig vorspringenden Flügel an der Ostseite. Von den Sitzbänken der tiefen Fensternischen genießt man einen einzigartigen Blick ins Tal. Die Einzelheiten der Burg werden auf einem Rundgang gut erklärt.

Der Markt ESSING ist ein langgestrecktes Straßendorf, arg eingezwängt zwischen Altmühl und steil abstürzender Felswand. Dies Panorama mit der Holzbrücke über den

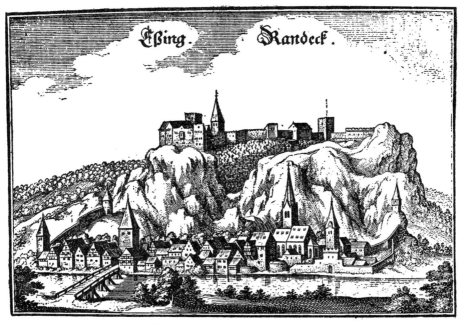

ESSING mit der Burg Randeck   Kupferstich von Matthaeus Merian.

KELHEIM

Fluß, dem Brückentor, der Heiliggeistkirche, schließlich der BURGRUINE RANDECK auf steilem Fels ist malerisch und einprägsam (Abb. 79). Die Burg, Anfang des 12. Jh.s durch Graf Rupert von Rotteneck erbaut, wurde jahrhundertelang von den Grafen von Abensberg bewohnt, fiel nach deren Aussterben an die Herzöge von Bayern, wurde 1529 von Wilhelm IV. dem verdienten Humanisten und Kanzler Leonhard Eck geschenkt. 1634 von den Schweden zerstört, kam Randeck wie Prunn 1672–1773 an die Jesuiten, dann an die Malteser, deren Besitz 1803 von Bayern säkularisiert wurde. Die Ruine verfiel, ausgenommen der Bergfried, der auf Betreiben von Kronprinz Maximilian 1844 wiederhergestellt wurde, so daß man ihn bis heute besteigen kann.

Vier größere begehbare Höhlen liegen zwischen Prunn und Kelheim, so die KASTL-HÄNGHÖHLE zwischen Prunn und Essing, die KLAUSENHÖHLE gegenüber Essing, die FISCHLEITENHÖHLE bei Mühlbach und die bekannteste, das SCHULERLOCH bei Oberau oberhalb Kelheim. Dort kann man nicht nur die riesigen ausgewaschenen Räume mit ihren Tropfsteinbildungen besichtigen, sondern im kleinen ›Schulerloch‹ die in den Fels geritzte Zeichnung eines Steinbocks, deren Alter und Originalität allerdings noch umstritten ist.

Kelheim

Die Stadt steht auf altem Siedlungsboden, denn das linke Altmühlufer war bereits in der Altsteinzeit, der Michelsberg (der die Befreiungshalle trägt) in der Jungsteinzeit besiedelt. Urkundlich wird Kelheim allerdings erst 866 erwähnt, wird um 1000 befestigter Markt, im 11. Jh. Residenz der Grafen von Scheyern und ihrer Erben, der Wittelsbacher, die 1181 Kelheim zur Stadt erheben lassen. Herzog Ludwig (II.) der Strenge verlegt dann die Stadt vom linken Altmühlufer (Vorstadt Gmünd) auf die breite Landzunge zwischen Altmühl und Donau. Sie erhielt einen nahezu quadratischen Grundriß, von einer Längs- und einer Querachse durchzogen, über deren Kreuzgang einst das Rathaus stand, das im 19. Jh. abgerissen wurde; das heutige Rathaus ist die ehem. Stadtschreiberei. Von den Mauern stehen nur noch Reste an der Nordseite, von den Türmen noch drei, aber alle drei Tore blieben erhalten, wovon Donau- und Altmühltor aus dem 13. Jh. stammen, das Mittertor dem 14. Jh. angehört. Während das ehem. Herzogsschloß außerhalb der Stadt auf einer Insel lag, die von der ›Kleinen Donau‹, einem Donauarm zum Stadtgraben, gebildet wurde, liegt der mächtige Herzogskasten (Frucht- und Abgabenspeicher) inmitten der Stadt. An die Präsenz der Wittelsbacher erinnert auch die SPITALKIRCHE ST. JOHANNES, von Otto dem Erlauchten an der Stelle errichtet, an der 1231 Herzog Ludwig der Kelheimer ermordet wurde. Das Sühnekreuz wurde später hinter dem Chor aufgestellt, offenbar um die Pfründner nicht zu stören, die im 1500 angegliederten ›Reichen Spital‹ unterkamen. An der PFARR-KIRCHE MARIAE HIMMELFAHRT, die im 15. Jh. abseits des Marktes gebaut wurde, ist eine spätgotische Madonna über dem südlichen Seitenportal bemerkenswert. Beim Schlendern durch Kelheim finden Sie fast ausschließlich schönste Ausprägungen des ›Altmühltalhauses‹ mit der flachen Stirn, dem niederen Giebel, dem Dach, das mit der Flucht der Stirnmauer abbricht. Zuweilen schwingt das Dach etwas barock mit, sind flache oder keilförmige Erker eingelassen worden.

Um und in Kelheim rückt die BEFREIUNGSHALLE immer wieder ins Blickfeld (Abb. 90), was durchaus in der Absicht ihres Gründers lag, der den 45 Meter hohen Bau auf dem Michelsberg errichten ließ, der sich 100 Meter über die Stadt erhebt. König Ludwig I., der im Gegensatz zu seinem Vater, einem langjährigen und erfolgreichen Parteigänger Napoleons I., in seiner Jugend für die ›teutsche‹ Sache und Einheit schwärmte, wollte ein Denkmal zur Erinnerung an die Befreiungskriege setzen. Der Gedanke kam ihm 1836 auf einer Reise durch Griechenland, das sich 1821–30 von der türkischen Herrschaft befreit und seinen Sohn Otto 1832 als König angenommen hatte. Ludwigs Architekt Friedrich Gärtner (1792–1847), der die Bauten an der Ludwigsstraße in München entworfen hatte, wurde beauftragt, auf diesem das Donautal nach dem Austritt aus der Weltenburger Enge beherrschenden Berg auf achtzehneckigem Grundriß einen ›byzantinischen‹ Rundbau zu errichten. Der Bau ging nur langsam voran, so daß bei Gärtners Tod erst die Grundmauern und zwei der mächtigen Sockelstufen fertig waren. Der zum Nachfolger eingesetzte Leo von Klenze (1784–1864), Erbauer der Glyptothek und Pinakothek in München, hielt zwar am Grundriß fest, entschied sich aber als Klassizist für Formen der römischen Antike. Als Ludwig I. 1848 abdankte, blieb die Baustelle Jahre verwaist, bis sich Ludwig entschloß, aus eigenen Mitteln den Weiterbau zu finanzieren, der rechtzeitig zum 50. Jahrestag der Völkerschlacht bei Leipzig fertiggestellt und am 18. 10. 1863 als persönliches Geschenk Ludwigs allen Deutschen geöffnet wurde.

Der kolossale Rundtempel, der sein Vorbild, das Pantheon in Rom, nur ahnen läßt, birgt einen riesigen Kuppelraum (Abb. 92). Zwei Ränge gliedern ihn: eine achtzehnfache Nischenreihe unten, eine Säulengalerie oben. Vor die Nischenreihe sind Viktorien aus Marmor gestellt, die nach Modellen von Ludwig Schwanthaler gearbeitet wurden und die 34 deutschen Staaten symbolisieren sollten, die 1815 die napoleonische Ära überstanden hatten. Auf ihren Bronzeschildern, die sich im Marmorboden des Mittelrundes spiegeln, stehen die Schlachtorte der Befreiungskriege 1813–15, auf den Schrifttafeln zu Häupten der Viktorien die Namen der Feldherrn, und goldene Lettern künden im Architrav die Namen der eroberten Festungen. Sechs Kassettenkränze gliedern die Kuppel, deren Laterne der einzige Spender des Tageslichtes ist, das den mit Marmor und Granit ausgekleideten Wänden und Böden Glanz verleiht. Ursprünglich sollte auch die Außenhaut, die jetzt eine gelbe Putzschicht auf Ziegelmauern trägt, ganz in Kelheimer Marmor ausgeführt werden, was dem Innenraum viel von seiner glänzenden Wucht genommen hätte. Die ‘schmälere’ Schatulle eines abgedankten Königs hat hier eine geschmackvolle Grenze gesetzt.

Vier Reichsstädte an der Romantischen Straße

Die ›Romantische Straße‹ ist ein Begriff, der etwa 20 Jahre alt ist und den Verlauf einer Straße benennt, die von Würzburg und seiner Feste Marienberg über Bad Mergentheim, Rothenburg, Nördlingen, Augsburg bis Füssen mit Hohenschwangau und Neuschwanstein führt. Wir beschäftigen uns mit den Städten am Mittelstück der Straße, mit Feuchtwangen, Dinkelsbühl, Nördlingen und Donauwörth. Gemeinsam ist ihnen, daß sie kürzere oder lange Zeit Reichsstädte gewesen sind und ihre Altstadt nahezu unversehrt erhalten konnten.

Feuchtwangen

Kernzellen der Siedlung in einer Mulde des Sulzachtales waren ein fränkischer Königshof und ein karolingisches Kloster, das auf der Synode von 817 unter den Benediktinerklöstern genannt wird. 1197 wurde es in ein Kollegiatstift umgewandelt, dessen Chorherrn in eigenen Häusern wohnten, die rings um die Stiftskirche gebaut wurden. Schon 1167 wird ein Adelsgeschlecht erwähnt, das sich nach Feuchtwangen benannte und zwei Hochmeister des Deutschen Ordens stellte. Die bürgerliche Siedlung wird erstmals 1293 Stadt genannt und kann sich in der kaiserlosen Zeit nach dem Untergang der Staufer zur Reichsstadt ausbilden, zum Verdruß der Dinkelsbühler, die während des Städtekrieges 1309 Feuchtwangen eroberten und niederbrannten. Die Freiheiten einer Reichsstadt büßte Feuchtwangen 1376 ein, als Kaiser Karl IV. die Stadt für 5000 Gulden an den Nürnberger Burggrafen Friedrich V. verpfändete. Da die Stadt von ihm und seinen Nachfolgern niemals eingelöst wurde, der Burggraf aber vom Bischof von Würzburg die Schutzvogtei über das Stift erhalten konnte, wurde Feuchtwangen Besitz der Zollern und blieb es bis zum Übergang an Bayern 1806. Der burggräfliche Schutz hinderte die Dinkelsbühler nicht, 1388 Feuchtwangen ein zweites Mal niederzubrennen. 1528 wurde die Reformation eingeführt, das Stift schließlich 1563 aufgehoben.

Den Marktplatz beherrscht nicht das Rathaus, ein Barockbau unter Fachwerk- und Treppengiebelhäusern, sondern die STIFTSKIRCHE mit ihren kräftigen Türmen. Der linke

mußte 1526 erneuert werden, der rechte 1912, wobei man Stein für Stein abtrug und
wieder verwendete. Bedeutend ist das Portal zwischen den Türmen, Zeuge der romanischen Basilika aus dem frühen 13. Jh., mit scharfen Zickzackprofilen. In der tonnen-
gewölbten Vorhalle wurde ein *Fresko* aus dem frühen 13. Jh. freigelegt, das Christus
in der Mandorla zeigt, umgeben von den Evangelistensymbolen, in der Art der otto-
nischen Buchmalerei, die über 200 Jahre früher blühte (Abb. 93). Während das Langhaus im 16. Jh. stark verändert wurde, blieb der Chor des 14. Jh.s erhalten. Vor dem
mittleren Chorfenster steht ein *Altar* von 1484, dessen Schrein mit einer lieblichen
Madonna ein unbekannter Nürnberger schnitzte; die Flügelbilder mit Szenen aus dem
Marienleben malte Michael Wolgemut, der Lehrer Albrecht Dürers. Das wertvolle
Chorgestühl, zwischen 1500–1510 geschnitzt, stammt wohl aus dem schwäbischen
Bereich. – Die dicht daneben stehende JOHANNISKIRCHE hat im Turmuntergeschoß noch
ältere romanische Teile als die Stiftskirche. Das gotische Langhaus besitzt eine gotische
Kanzel, Sakramentshäuschen und gotische Fresken in den Gewölbekappen, dazu ein
Grabrelief des Loy Hering von 1523.

An der Südseite der Stiftskirche steht der KREUZGANG mit seinen klaren romanischen
Bogen, die im Wechsel auf drei Rundsäulen und einem kantigen Pfeiler aufsitzen (Abb.
91). Im Fachwerkobergeschoß sind Stuben für alte Handwerke eingerichtet worden, in
denen die Techniken des Hafners (Ofensetzers), Zinngießers, Zuckerbäckers, Färbers
und Hammerschmiedes gezeigt werden. Im anliegenden Gebäude ist eines der reich-
haltigsten HEIMATMUSEEN Bayerns aufgestellt. Neben noblen Wohnräumen des Rokoko,
Empire und Biedermeier sind Bauernstuben, Küchen, Gläser- und Zinnsammlungen
aufgebaut worden. Eine Kollektion Fayenceteller trägt die im Fränkischen beliebten
Zweizeiler zu Ehestand und Kindersegen, zu Mitgift und Junggesellentum, die sich
auch auf Krügen und Schränken wiederfinden. Für volkskundlich Interessierte eine
wahre Fundgrube.

Dinkelsbühl

In der Niederung und an einer Furt über die Wörnitz entstand die Siedlung des
legendären Thingold, auf den man den Ortsnamen zurückführt. Hier kreuzten sich im
Mittelalter die Handelsstraßen von Rothenburg nach Augsburg und von Nürnberg nach
Stuttgart. Wegen der Ungarneinfälle mußte der Ort befestigt werden, wird 928 als
oppidum bezeugt. Im 12. Jh. geriet Dinkelsbühl in die Hand der Staufer. Friedrich
Barbarossa erhob die Siedlung zur Stadt und schenkte sie seinem Sohn Konrad, Herzog
von Rothenburg, 1188 als Morgengabe für seine Braut, die Prinzessin Berengaria von
Kastilien, die sich bis 1208 daran erfreuen konnte. Zweimal wurde die Reichsstadt an
die Grafen von Oettingen verpfändet; anders als Feuchtwangen konnten sich aber die
Bürger aus eigener Finanzkraft auslösen. Handel und Gewerbe hatten so viel Wohl-
stand gebracht, daß ein weiterer Mauerring gezogen und mit Türmen besetzt werden

185

DINKELSBÜHL

konnte. Wie Rothenburg und Nördlingen trat sie dem Schwäbischen Städtebund bei (1377); da die ratsfähigen Geschlechter den Zünften einen gleichen Anteil am Stadtregiment einräumten, wurden innere Kämpfe (wie in den meisten Reichsstädten) vermieden. Da auch die schwedische Besatzung 1632–34 nichts zerstörte, besitzt die Stadt heute noch (und darin Rothenburg vergleichbar) einen unversehrten Mauerring und einen kaum angetasteten Häuser- und Straßenbestand (Abb. 94). Da jüngst große Fußgängerbereiche die Blechkarawanen von der Altstadt abhalten, kann sie der Besucher so recht genießen, sich von Hostessen in roter Uniform und mit blauem Kordsamthut beraten lassen.

Zum Eindringen in die Stadt stehen die vier TORE noch parat: das Wörnitztor im Osten, das Nördlinger im Süden, das Segringer im Westen und das Rothenburger im Norden. Das älteste Tor, wenigstens im Unterbau aus dem späten 13. Jh., ist das WÖRNITZTOR (Abb. 95), das man bis zum Bau der Steinbrücke von 1770 nur über eine Zugbrücke erreichen konnte. War die Mauerpartie hier zusätzlich durch die Wörnitz geschützt, so sicherten an anderen Mauerstücken der Mühlgraben, Rothenburger- und Hippen-Weiher und schließlich ein Doppelgraben die eben gelegene Stadt. Durch welches Tor wir auch gehen, die drei Torstraßen (die Straße vom Wörnitztor wird bald von der Nördlinger Straße aufgenommen) münden im MARKTPLATZ. Von diesem Platz aus kann man in die leicht geschwungenen Straßenzüge hineinschauen, in denen die Fachwerkhäuser überwiegen, auch wenn viele ihr Balkenwerk noch unter Verputz liegen haben. Da die Häuser, gerade in der Straße zum Nördlinger Tor, in der Flucht leicht versetzt sind, wirken sie lebhaft und nicht uniformiert. Die städtischen Gebäude sind, im Gegensatz zu Rothenburg, nicht so groß geraten und so auffällig plaziert. Zu besehen sind die ehem. RATSTRINKSTUBE, ein dreigeschossiger Bau mit hohem Staffelgiebel aus der 2. Hälfte des 16. Jh.s; die SCHRANNE, ein Steinbau mit zierlichem Renaissancegiebel, in dem alljährlich die ›Kinderzeche‹ aufgeführt wird (s. S. 238); das KORNHAUS, ein Quaderbau von 1508 mit Fachwerkobergeschoß von 1600 (Abb. 97).

Fachwerk also auch an den kommunalen Bauten, übertroffen allerdings vom DEUTSCHEN HAUS, schräg gegenüber St. Georg (Weinmarkt 3), dem schönsten fränkischen Fachwerkbau (Ft. 9). Einst Wohnhaus der gräflichen Familie Drechsel-Deufstetten, woran im Hausflur noch die Figur des Stadtamtmanns Peter Drechsel von 1591 erinnert, heute Hotel. Über dem sandsteinernen Sockel kragen drei Obergeschosse vor, die einen mächtigen dreistöckigen Giebel tragen. Reiches Schnitzwerk überzieht die Balken, die von Schnitzfiguren gestützt erscheinen. Da der Eingang nach links versetzt ist, bleibt die hohe Front lebhaft. Konkurrieren könnte damit nur das DEUTSCH-ORDENSSCHLOSS, der Stadtsitz des Deutschen Ordens an der nahen Föhrenberggasse, 1760–64 von Mathias Binder errichtet, mit bescheidenen Flügeln und einem dreiteiligen schloßähnlichen Mittelbau. Auf dem Rückweg zum Markt kommt man in der Klostergasse am Geburtshaus von Christoph von Schmid (1768–1854) vorbei, der in der 1. Hälfte des 19. Jh.s vielgelesene, stark moralisierende Kindergeschichten geschrieben, das Weihnachtslied ›Ihr Kinderlein kommet‹ verfaßt und 200 Auflagen seiner ›Biblischen Geschichte für Kinder‹ in sechs Bänden erlebt hat. Vor der Stadtpfarrkirche am Markt setzte die Gemeinde (einstimmig Lutheraner wie Katholiken) dem Augsburger Domherrn ein Denkmal.

Nun betreten wir die STADTPFARRKIRCHE ST. GEORG, »eine der glücklichsten Schöpfungen der deutschen Sondergotik«, vor allem, weil die Kirche in relativ kurzer Zeit (1448-99) nach einem nie abgeänderten Plan gebaut wurde. Die Stadt setzte ihren Ehrgeiz darin, nicht nur eine große Hallenkirche, sondern auch den bekanntesten Architekten zu bekommen. Nikolaus Eseler, der seit 1644 in Nördlingen St. Georg baute, wurde dafür gewonnen, sein Sohn Nikolaus d. J. löste ihn 1463 in der Bauleitung ab. Trotz der riesigen Kontribution, die Kurfürst Albrecht Achilles von Brandenburg 1456 aus der Stadt preßte, blieb es bei der großzügigen Anlage, den rund 77 Metern Länge. Nur am Turm wurde etwas gespart; er ist dem riesigen Dach über der dreischiffigen Halle nicht gewachsen. Übernommen wurden seine romanischen Untergeschosse (um 1220-30) und die frühgotischen Mittelgeschosse vom Vorgängerbau, aufgesetzt das Glockengeschoß Anfang des 16. Jh.s, das Oktogon 1550. Ein Turmstrunk an der Chornordseite beweist, daß man einen Campanile im Sinn hatte, doch war die finanzielle Kraft um 1500 erschöpft. Mit dem Westturm blieb auch das hervorragende romanische Westportal erhalten.

Die äußerlich schlichte Kirche überrascht im INNERN durch die im hellen Licht stehenden Pfeiler, die schlank emporstreben und ihre Rippen in ein Geflecht unters Gewölbe drängen (Abb. 98). Langhaus und Chor sind eine Einheit mit zehn Jochen, die Seitenschiffe um den Chor herumgeführt. Vom Chor oder von der Orgelempore aus sollte das Auge die gebündelten Säulen verfolgen, das Auseinanderstreben der Rippen, die Flucht bis zum Chorhaupt oder zum Westeingang. Der Blick wird von der einstigen Barockausstattung nicht gehemmt, die bereits der ›Kirchenleerer‹ Heideloff abräumen

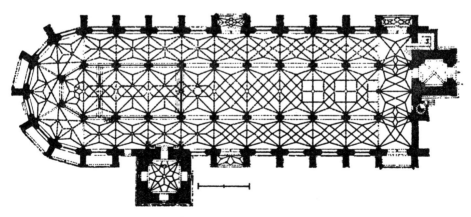

DINKELSBÜHL   Grundriß der Stadtpfarrkirche

NÖRDLINGEN STADTMAUER UND TORE

ließ. Geblieben ist das hohe zierliche Sakramentshäuschen am Aufgang zum Chor, das
der Ratsbürger Konrad Kurr und seine Ehefrau um 1500 aufrichten ließen, die strah-
lende Muttergottes am Chorpfeiler aus gleicher Zeit, die zierliche Kanzel und der
Taufstein. Der Hochaltar hat zwar nur ein neugotisches Gehäuse von 1892, doch bewahrt dieses eine spätgotische *Kreuzigungstafel*, die Michael Wolgemut aus Nürnberg
zugeschrieben wird. Die neugotischen Altäre des hl. Sebastian und des hl. Kreuzes
enthalten noch spätgotische Teile (s. Christophorusbild oder St. Katharina). Diese geringe Ausstattung nimmt der kühlen, hohen Halle etwas von ihrer Strenge. Von der
prunkvollen Leichtigkeit des Barock blieben unter Eselers Baldachin des Ziborienaltars
nur die Schmiedeeisengitter von 1724. Doch nicht Details (s. Kirchenführer) sind hier
zu bewundern, sondern die großartige Raumschöpfung.

Lohnend sind Spaziergänge entlang der STADTMAUER in der Stadt, um etwa beim
Rothenburger Tor (Abb. 96) das SPITAL und das HEIMATMUSEUM zu entdecken, und
genauso außerhalb des Mauerrings, auf der Neuen und der Alten Promenade, um die
vielen malerischen Winkel und Türme zu besehen, die zahlreichen Ausleger (Wirts-
hausschilder) zu fotografieren oder zur Stadtmühle zu wandern, die wie eine Wasser-
burg befestigt war.

Nördlingen

Von welchem Abhang des Rieskessels Sie auch zur Mitte fahren, früh zeigt sich als
Ziel der Turm der Stadtpfarrkirche St. Georg, stets der ›Daniel‹ geheißen, der mit
seinen 89 Metern Höhe weit übers Land blickt. Die zentrale Lage nutzten bereits die
Römer, die einen Militärposten anlegten, dann im 6./7. Jh. die Alemannen, von deren
Siedlung drei Reihengräberfriedhöfe ermittelt wurden. Das königliche Hofgut ›Nordi-
linga‹ samt zwei Kirchen stiftete 898 Winburg, die Erbin Kaiser Arnulfs von Kärnten
(896–99), dem Bistum Regensburg. Die Kirche St. Emmeram auf dem Totenberg war
die Mutterkirche der ersten (nicht mehr existierenden) Pfarrkirche der Siedlung. Erst
Kaiser Friedrich II. löste durch Tausch Nördlingen aus dem Regensburger Besitz und
bahnte der Siedlung den Weg zur Reichsstadt. Dank der Privilegien, die Ludwig der
Bayer und Karl IV. verliehen, konnte Nördlingen Mitte des 15. Jh.s die Reichsunmittelbarkeit erlangen, die erst mit dem Einmarsch der Bayern 1802 endete. Die
Stadt war rings umgeben vom Gebiet der Grafen von Oettingen, daher eifriges
Mitglied der Städtebünde und unbedingt kaisertreu, was vor allem Maximilian zu
schätzen wußte. Wie die meisten Reichsstädte bekannte sich Nördlingen früh zur
Reformation, säkularisierte den kirchlichen Besitz im Territorium, nahm 1633 eine
schwedisch-weimarische Besatzung auf. Vor den Toren der Stadt, auf dem Albuch*,

* Nicht verwechseln mit dem gleichnamigen Teil der Schwäbischen Jura zwischen der Geislinger Steige und dem
Brenztal.

fand 1634 die Schlacht statt, in der die Kaiserlichen die Schweden unter Bernhard von Weimar und Horn vernichtend schlugen, woran eine Steinpyramide erinnert.

Damals war die mächtige Mauer mit den fünf prachtvollen Toren gerade ein Menschenalter vollendet, zog sich (wie heute noch) vier Kilometer um das Eirund der Stadt, das man aus der Vogelperspektive (Abb. 100) allerdings am besten ausmachen kann. Da der WEHRGANG völlig erhalten ist, können Sie von Tor zu Tor wandern und in die Gassen sehen. Interessiert Sie die Außenmauer mit den Türmen mehr, so führt Sie ein Promenadenweg rings um die Altstadt. Da wir von Dinkelsbühl kommen, gelangen wir auf der Würzburger Straße vors BALDINGER TOR, das 1700 einen Turm durch Einsturz verloren hat. Nur wenige Schritte stadteinwärts liegt linker Hand das SPITAL mit Kirche, malerisch um einen Innenhof gelegen, von Caspar Walberger Anfang des 16. Jh.s erbaut. Untergebracht sind jetzt das VOR- UND FRÜHGESCHICHTLICHE MUSEUM und das REICHSSTADTMUSEUM mit einer Anzahl Tafelbilder schwäbischer Meister, die in Nördlingen gearbeitet haben: Friedrich Herlin, Hans Leonhard Schäuffelin, Sebastian Taig. Herlins Hochaltarbilder von St. Georg, an niederländischen Vorbildern geschult, sind ebenso in der Spitalkirche aufgestellt wie Schäuffelins – des Dürerschülers – Altarblätter, die nach der Reformation aus der Pfarrkirche weichen mußten. Wer sich in die abwechslungsreiche Geschichte der Reichsstadt versenken will, wird hier eine liebevolle Sammlung finden.

Wer den Rundgang auf Wehrgang oder Promenade rechts fortsetzt, wird bis zum BERGER TOR an sechs Türmen vorbeikommen, darunter dem staatlichen LÖWENTOR, ehe die Straße nach Neresheim durchs Tor schlüpft. Der nächste Mauerabschnitt trägt den FEILTURM, dem die SALVATORKIRCHE gegenübersteht, ein dreischiffiger, gotischer Bau aus der 1. Hälfte des 15. Jh.s, mit flacher Decke und gewölbtem Chor, den Katholiken eingeräumt. Der Hochaltar von 1518 mit geschnitztem Schrein und bemalten Flügeln wird der Werkstatt des Veit Stoß zugeschrieben und kam 1827 aus der Fürther Michaelskirche. Aus der Mauer springt dann die ALTE BASTEI vor, in deren Hofraum ein Freilichttheater eingerichtet wurde, in der Wanderbühnen im Sommer gastieren. Die dreieckige Befestigung schuf Caspar Walberger 1554, vom Sohn Wolfgang 1598 vollendet. Das nächste, das REIMLINGER TOR, das die Straße nach Augsburg entläßt, hat Wolfgang Walberger, ältere Teile nutzend, 1595 vollendet. Die schweren Wülste unterm Vorbaudach und Turmdach betonen die massierte Abwehr der Gegner, die der Wächter ausfindig zu machen hatte. Treten wir nur wenige Schritte in die Stadt, so sehen wir als Eckhaus rechts das MÜNZHAUS mit gutem Fachwerkgiebel. König Sigismund ließ hier 1418 eine Reichsmünzstätte einrichten, um dem ständigen Mangel an Kleingeld bei den Nördlinger Messen abzuhelfen. Am REISTURM vorbei gelangen wir zum DEININGER TOR mit der Straße nach Wemding, ein wahrer Gegensatz zum Reim-

NÖRDLINGEN Kupferstich von Matthaeus Merian. 1645 ▷

A. Die Pfarkirch.	E. Barfüßer Closter.	I. Berg
B. Das Raht hauß.	F. S. Emeran.	K. Bald
C. Der Spital.	G. Zoll hauß.	L. Löp
D. Carmeliter Closter.	H. Waßer thurn.	M. Din

N. Reinlinger thurn.
O. Der Sal.
P. Die Blaich.
Q. Siechen hauß.
R. Die Hall.
S. Burger Weyer.
T. Schützen hauß.
V. Die Keysers wiesen.

NÖRDLINGEN RATHAUS · ST. GEORG

linger Tor. Auf viereckigem Unterbau sitzt ein schlanker Turm mit kleiner Zwiebel.
Wie ein Bruder dazu, nur kräftiger, gepanzerter, steht der Turm des LÖPSINGER TORES
(Abb. 99) über der Straße nach Nürnberg. W. Walberger hat 1592 diese eindrucksvolle
Toranlage erbaut. Da uns bis zum Ausgangspunkt nur noch drei Türme und vertraute
Blicke in die Gassen erwarten, ziehen wir durchs Löpsinger Tor ein und gelangen an der
Alten Schranne von 1601, einem schlichten Bau zum Lagern von Getreide, zum MARKT-
PLATZ, vorbei am Haus Schrannenstr. 2, aus dem sich Wilhelm Hauff seine Base als Braut
geholt hat.

Das RATHAUS, im 14. Jh. begonnen und um 1500 aufgestockt, durch den 1563 höher-
gezogenen Schatzturm wie eine Festung ausstaffiert, ist ein Kontrast zu den fränkischen
Rathäusern, die ihren Schmuck an Treppen, Erkern und Glockenspielen usw. ganz
nach außen legen. Hier steht ein wuchtiger Baukörper, die originelle Freitreppe mußte
von W. Walberger 1618 in eine Ecke eingepaßt werden (Abb. 102). Im Schmuck sind
Formen der Spätgotik (Balustrade) mit denen der Renaissance (Türmchen, Portalauf-
satz) kombiniert worden. Unter den Ausgang ist das Narrenhäusle (Ausnüchterungs-
zelle) eingebaut, wobei ein Narrenrelief den Eingelieferten begrüßte mit: »Nun sind
unser zwei!« Im Hauptgeschoß liegt die Bundesstube, der Sitzungssaal des Schwäbischen
Bundes, dem sich Nördlingen 1347 angeschlossen hatte. H. L. Schäuffelin hatte 1515
dafür eine riesiges Gemälde geliefert, das die Belagerung von Bethulien und die Enthauptung des Holofernes durch Judith in sehr bewegten Gruppen vorführt.

Dem Rathaus gegenüber steht das ebenso stattliche TANZHAUS, das aber weniger
trutzig wirkt, weil auf zwei Steingeschossen Obergeschoß und Giebel aus Fachwerk
gefügt wurden. Auf Ratsbefehl bauten 1442 Hans Tübinger aus Schwäbisch Hall und
Nikolaus Eseler d. Ä. aus Alzey, der gleichzeitig mit dem Bau der Georgskirche beauf-
tragt war, dieses ›Mehrzweckhaus‹, denn einmal sollte es den Tanzveranstaltungen der
Patrizier und des Rats dienen, zum anderen Fürstenherberge sein. Kaiser Maximilian
hat hier manche Ratstochter zum Tanz geführt. Er umgab sich gerne mit Nördlinger
›Reisigen‹ (Soldaten), z. B. auf seiner Brautfahrt nach Burgund. Sein Konterfei mit
Reichsapfel, Krone und Schwert steht über der Tür zum Marktplatz, von Stephan
Weyrer gemeißelt. Das danebenliegende Hohe Haus von 1442 hat neun Stockwerke.
Genau gegenüber und hinter dem Rathaus befindet sich das Leihhaus von 1552, in dem
jetzt die Stadtbibliothek untergebracht ist.

Nach diesen stattlichen städtischen Gebäuden ist es Zeit, den kirchlichen Mittelpunkt
der Stadt, die ev. Pfarrkirche ST. GEORG aufzusuchen, ein großartiges Denkmal der
Spätgotik in Süddeutschland. Der Plan zu dieser vom Opfersinn der Bürger getragenen
großen Anlage stammt wahrscheinlich von Hans Kuhn, dem Baumeister des Ulmer
Münsters, der ihn 1427 ablieferte. Bis zur Fertigstellung 1505 hat eine Reihe damals
berühmter Baumeister ihren Beitrag geleistet, allen voran Konrad Heinzelmann, der
dann St. Lorenz in Nürnberg schuf, Nikolaus Eseler d. Ä. 1444–62, der noch die Um-
fassungsmauern des Chors mauern ließ, Hans Zenkel aus Regensburg 1462–64, Wilhelm Kreglinger aus Würzburg 1466–80 und neben ihm auch Moritz Ensinger aus

Ulm 1472–81, Stephan Weyrer aus Burghausen, der die Schiffe einwölbte, schließlich 1507/08 die Westempore und die Zieglersche Kapelle (1511–19) errichtete. Der 1490 vollendete Turm erhält erst 1538/39 Umgang und Bekrönung durch Stephan Weyrer d. J. und Klaus Höflich. Wer gut zu Fuß ist, sollte die rund 350 Stufen zur Brüstung des Daniel erklettern und über die Rieslandschaft mit einem Radius von rund 20 Kilometern blicken, hinunter auch auf die Dachlandschaft im Maueroval. (Jeden Abend ruft der Türmer von 22 Uhr bis Mitternacht in einem Abstand von einer halben Stunde seinen Kontrollruf: »So, Gsell, so!«, den der diensttuende Beamte auf der Rathaustreppe mit gleicher Losung zu beantworten hat.)

Durch die westliche Turmfront führt das von einem Kielbogen überhöhte Haupttor in eine dunkle quadratische Vorhalle. Sie trägt die Westempore, die, 1945 von einer Bombe getroffen, inzwischen erneuert wurde. Jetzt sieht man die Flucht der Pfeiler, die bis zum Chor sechs quadratische und im Chor sechs rechteckige Joche tragen. Schlank wirkende Rundpfeiler stützen die Gewölbe der dreischiffigen Halle, deren Seitenschiffe geringere Breite besitzen und den Chor begleiten, nicht umfassen wie in Dinkelsbühl (Abb. 101). An das nördliche Seitenschiff legen sich zwischen je zwei Streben die Lauingerkapelle von 1450 und die 1511 begonnene Zieglerkapelle. Diese ließ Nikolaus Ziegler, Rat Maximilians I. und Reichsvizekanzler Karls V. als seine Begräbniskapelle bauen, doch wurde ihm die Bestattung dort verweigert. Er wurde auf seinem Gut in Barr/Elsaß beigesetzt. In der nebenan stehenden Lauinger Kapelle hängt ein Tafelbild der *Beweinung Christi* von Schäuffelin, das mit den Bildern im Spitalmuseum (s. o.) zu einem großen aufgelösten Altar gehört.

In der Reformation wurde St. Georg (wie in Dinkelsbühl) von seiner reichlichen gotischen Ausstattung 'gereinigt', doch blieben einige hervorragende Stücke erhalten. So die Figuren des Hochaltars, eine oberrheinische Arbeit um 1460, mit einem verklärten Christus am Kreuze, darunter erschüttert Maria und Johannes, die Hll. Georg und Magdalena zur Seite. Diese hervorragenden Figuren sind einem barocken Altar von 1683 eingefügt, während die Flügel des ursprünglichen Altars, von Friedrich Herlin gemalt, im Museum (s. o.) verwahrt werden. – An der Nordwand des Chors errichtete St. Weyrer d. Ä. 1511–25 ein sandsteinernes *Sakramentshäuschen*, dessen Figuren zumeist Ulrich Creycz meißelte. Die tragende Säule umstehen vier Propheten, das Hostiengehäuse vier Evangelisten. Darüber schießt eine Baldachinfolge mit hohen Fialen in die Höhe, bevölkert von Engeln, Heiligen und Aposteln. Zuoberst die beiden Johannes und Christus als Retter der Welt, auf der Spitze schließlich St. Georg mit dem Drachen. Eine großartige Erfindung mit ungleichmäßiger Ausführung. Aus dieser Spätgotik stammen auch der Taufstein von 1492, die Kanzel von 1499, eine Augsburger Arbeit mit vorzüglichen Reliefs der Evangelisten vor ihren Schreibpulten, getrennt von den Figuren: Magdalena, Dolorosa, Schmerzensmann, Johannes und St. Georg (Schalldeckel von 1681). Gleichaltrig ist die Westempore mit ihrer durchbrochenen Maßwerkbalustrade mit dem Kreuztragungsrelief des Paul Ypser von 1507. Von hier aus ein Blick zurück in die so nüchterne wie großartige Halle bis zum Maßwerkfenster im Chor.

DONAUWÖRTH RATHAUS · KLOSTERKIRCHE · HL. KREUZ

Von St. Georg führt die Hallgasse zum Weinmarkt mit dem HALLHAUS, das 1541–43 als Lagerhaus für Salz (daher der Name), Wein und Getreide aufgeführt wurde, zunächst von den beiden Weyrer, dann von den fuggerschen Baumeistern Chirion Knoll und Ulrich Beck. Hohe Treppengiebel und vier gebrochene Eckerker zeichnen den 'neuen Bau' aus. An der dort abzweigenden Neubaustraße steht an der Ecke Bräugasse das WINTERSCHE HAUS, ein Fachwerkbau von 1697 mit reichgeschmückter Türe. Rechts führt die geschwungene Herrengasse zum Spital mit seinen Museen und zur Vorderen Gerbergasse. Beidseits der Eger stehen die Holz- und Fachwerkhäuser mit Altanen und steilen Giebeln, ein malerischer Anblick für den, der nicht darin wohnen muß. Am ›Klösterle‹ vorbei, dem ehem. Barfüßerkloster mit schönem Portal, kommen wir auf der Baldingerstraße zurück zum Rathaus der alten Reichsstadt. Wer sich länger aufhalten kann, erfährt mehr über Ausflüge in und um Nördlingen direkt gegenüber im Fremdenverkehrsamt.

Donauwörth

Auf einem letzten Ausläufer des Jura liegt die Stadt, zieht sich hinunter in die Donauebene und zu jener Wörnitzinsel (Werd = Wörth), die der Stadt den Namen gegeben. Nach dieser Insel, nicht nach einer Burg, nannten sich auch die Herren von Werd, die unter Otto III. dienten und 1030 ihrer Siedlung das Marktrecht verschafften. Als dieses Geschlecht 1148 ausstarb, fiel der Ort an einen Wittelsbacher, Pfalzgraf Friedrich, der aber 30 Jahre später als Laienbruder in das Kloster Ensdorf/Oberpfalz eintrat. Jetzt nahmen die Staufer Werd in den Reichsbesitz auf, doch verteidigten die Wittelsbacher hartnäckig ihren Anspruch und besetzten die Stadt. Herzog Ludwig der Strenge mehrte nicht nur zielstrebig seinen Hausbesitz, indem er sich hier festsetzte, er zeigte den Einwohnern auch, was er im Jähzorn zu leisten vermochte. Auf einen leisen Verdacht hin ließ er 1256 aus Eifersucht seine Gemahlin Maria von Brabant enthaupten und im Kapitelsaal des Benediktinerklosters bestatten. Als Konradin, der letzte Staufer, enthauptet war, nahmen die Wittelsbacher Donauwörth ungestört in Besitz. Doch König Albrecht forderte 1301 die Stadt fürs Reich, eroberte schließlich Donauwörth und zerstörte die Burg Mangoldstein. Noch zweimal besetzten die Wittelsbacher die Stadt, noch zweimal eroberten sie die Kaiser, bis 1465 Kaiser Friedrich III. ihr den großen Freiheitsbrief ausstellte und die Stadt ihre beste Zeit als Handelsknotenpunkt erlebte. Damals entstand die großartige, den Hügel hinanziehende Reichsstraße (Augsburg–Nürnberg), die am Rathaus beginnt und in leichter Kurve zum Fuggerhaus führt.

Donauwörth verlor seine Eigenschaft als Reichsstadt durch nichtigen Anlaß. Die protestantische Mehrheit war über die Prozessionen der katholischen Minderheit so erbittert, daß 1605 eine Prozession überfallen, Fahnen und Stangen zerbrochen und einige Teilnehmer schwer verletzt wurden. Unter Androhung der Reichsacht wurden solche Exzesse verboten. Als 1607 das gleiche vorfiel, wurde die Reichsacht verhängt und Herzog Max von Bayern mit der Exekution beauftragt, der Donauwörth 1609 einnahm und nie mehr herausgab, weil niemand ihm seine Auslagen ersetzen wollte; 1714 im Frieden von Rastatt wurde die Stadt endgültig Bayern zugesprochen.

Diese Ereignisse änderten nichts an der stolzen Reichsstraße, am RATHAUS, auf dessen alten Teilen von 1236 und 1308 ein Barockbau errichtet wurde, von dessen Balkon aus die Ratsherrn den Handel am besten beobachten konnten. Weiter aufwärts steht der Stadtzoll, 1418 erbaut, 1524 erweitert und aufgestockt, mit spätgotischem Erker, übertroffen vom Gasthof ›Zur Rose‹ mit einer sechs Fenster breiten Front und frühbarocken Formen. Die Staffelung der Häuser endet im FUGGERHAUS (Landratsamt), im 15. Jh. Wohnung des kaiserlichen Pflegers, im Auftrag der Fugger 1543 umgebaut in den Formen eines Stadtpalais der Renaissance mit hohem Zinnengiebel. Die repräsentative Vorhalle ist von Bernhard Zwitzel, der auch die der Landshuter Stadtresidenz schuf.

Über die Heilig-Kreuz-Straße gelangen wir zum EHEM. KLOSTER DER BENEDIKTINER, das Mangold von Werd 1034 gestiftet hat. Nach mehreren Umbauten wurde es Ende des 17. Jh.s um einen Vierflügelbau erweitert. Guten Stuck aus dieser Zeit besitzen der Kreuzgang und die Prälatur. Der Festsaal im Dekor des Spätbarock hat ein Deckenfresko von J. B. Enderle von 1780, das Szenen aus der Klostergeschichte bietet. Das Kloster, 1803 säkularisiert, gehört heute der Pädagodischen Stiftung ›Cassianeum‹ mit Knabenmittelschule, Internat, Verlag und Druckerei, alljährlich Stätte für Pädagogentagungen. – Nach Plänen von Franz Beer baute Joseph Schmuzer aus Wessobrunn 1717–20 die KLOSTERKIRCHE HL. KREUZ nach dem Schema der Vorarlberger Baumeister, also eine emporenbesetzte Wandpfeileranlage mit breitem, aber kurzem Querschiff und einer (1936 erneuerten) Vierungskuppel. Die Stichkappengewölbe bedeckt feiner Stuck (um 1720) mit Rahmen-, Band- und Akanthusmotiven. Die *Deckenfresken,* von Karl Stauder 1720/21 angetragen, vermengen drei Themen: Kreuzessymbolik, Heils- und Klostergeschichte (Abb. 105). – Sehr gediegen und gekonnt ist die übrige Ausstattung, so der Hochaltar, 1724 von Franz Schmuzer entworfen, mit einem Altarbild von Georg Bergmüller, die Verherrlichung der kath. Kirche durch den die Laster besiegenden hl. Benediktus, flankiert von Figuren des Petrus, Paulus, Ulrich und Amandus von Maastricht. Lebhafter sind die Figuren der Seitenaltäre, die J. G. Bschorer 1714–25 geschaffen hat. Von der älteren Ausstattung ist nur die große Kreuzigungsgruppe des Andreas Frosch von 1519 geblieben. – In der GRUFTKAPELLE (Ende 17. Jh.) ist ein Vesperbild (um 1510) in einen Doppelaltar des 19. Jh.s eingelassen, der auch eine Monstranz von 1716 bewahrt, in die ein Kreuzpartikel des 11. Jh.s eingefügt wurde, Mangold I. von Mangoldstein, kaiserlicher Gesandter am byzantinischen Hof, soll den Partikel 1028 nach Donauwörth gebracht haben.

Die STADTPFARRKIRCHE MARIAE HIMMELFAHRT ist ein spätgotischer Backsteinbau anstelle einer Ulrichskapelle von 1044. Neben zahlreichen spätgotischen Wandmalereien, freigelegt 1938/39, besitzt die Kirche, deren Ausstattung aus dem 17. Jh. im 19. Jh. beseitigt wurde, ein hervorragendes *Sakramentshaus.* 1503 von dem Bürger Georg Regel gestiftet, ist es von Gregor Erhart ausgeführt worden (Abb. 104). Während die

DONAUWÖRTH STADTPFARRKIRCHE MARIAE HIMMELFAHRT

Baldachinarchitektur noch ganz spätgotisch-schwerelos aufwächst, sind die Reliefs (Opfer Melchisedechs; Mannalese) schon renaissancehaft-realistisch aufgefaßt. – Über der Sakristeitüre steht eine Madonna des weichen Stils um 1450. In der Sakristei überrascht das *Regelsche Epitaph* von 1515, ein der Donauschule um Albrecht Altdorfer nahestehendes Gemälde.

Beim Gang zur Donau begegnen uns Reste der Befestigung, die zumeist im 19. Jh. eingelegt wurde. Ein gutes Mauerstück, in das sich Häuser eingenistet haben (Abb. 103), blieb an der Donauseite erhalten, wo auch das Rieder- und das Färbertor stehen. Vielleicht hören Sie bei einem Spaziergang dort Bayerns größte Glocke von der Stadtpfarrkirche läuten, die 1512 gegossene, 131 Zentner schwere ›Pummerin‹, deren Schwester im Wiener Stephansdom hängt.

Rund um das Ries

Harburg

Um die Besonderheiten außerhalb der dominierenden Stadt Nördlingen kennenzulernen, beginnen wir eine Rundreise in HARBURG. Hier liegt ein Riegel des Jura quer, zwingt die Wörnitz zum Durchbruch, dieweil Autofahrer in einem 300 Meter langen Tunnel durch den Burgfelsen geführt werden (Abb. 106). Das Städtchen ist zwischen Wörnitz und Burg an den Hang gepreßt und von drei Gebäuden akzentuiert: der Brükkenmühle mit Schneckengiebel und Freitreppe, höher dann vom Rathaus aus dem 15. Jh., schließlich der ev. Pfarrkirche von 1612 mit rundem Helm. Die Harburg auf dem Riegel zum Schutze des Ries war um 1150 Reichsgut, dann Stauferbesitz und kam 1299 an die Grafen von Oettingen; die Fürsten Oettingen-Wallerstein besitzen die vollständig erhaltene Burg noch heute. Über den Halsgraben am schmalen Zugang geht es durchs Untere Tor des 16. Jh.s über den Zwinger, vorbei an der Roten Stallung mit ihren drei hübschen Fachwerkgiebeln in die Vorburg mit den Wirtschaftsgebäuden. Schließlich öffnet uns das Obere Tor den Weg in die Hauptburg mit dem Bergfried aus Buckelquadern, nach späterer Verwendung ›Diebsturm‹ geheißen, dem Kastenhaus von 1594 samt Marstall und Rüstkammer, dem Saalbau, der einen 1719 stuckierten Festsaal im zweiten Geschoß birgt und schließlich dem Fürstenbau, in dem die Reste des mittelalterlichen Palas stecken. Von dort gelangt man über einen gedeckten Gang zur KAPELLE ST. MICHAEL, die 1720 stuckiert wurde. Der Chor birgt zwei hervorragende Schnitzarbeiten: eine um 1480 geschaffene Maria in der Art der Nördlinger Hochaltarfiguren und einen St. Michael, der eine Generation jünger ist. Michael Kern schuf 1620 das Grabmal des Grafen Gottfried.

Nachdem die reichen Sammlungen der Fürsten Oettingen-Wallerstein von Maihingen hierher gebracht wurden, lohnt sich ein Besuch unbedingt (tägl. 9–12 und 13–18 Uhr). Die BIBLIOTHEK enthält nicht nur 140 000 Bände, sondern auch wertvolle Handschriften. In der KUNSTSAMMLUNG sind zwei Figuren aus einem Altar Tilman Riemenschneiders und zwei aus der Werkstatt des Veit Stoß zu besehen, dazu gotische Wandteppiche aus dem Katharinenkloster zu Nürnberg, Gemälde schwäbischer Meister des 18. Jh.s, eine große graphische Sammlung, darunter Blätter von Rembrandt, Tischbein, Kobell u. a. (Von den Eindrücken können Sie sich in der Fürstlichen Burgschenke erholen oder auf dem zwei Kilometer entfernten ›Bock‹ die herrliche Aussicht genießen.)

Wemding und Maria Brünnlein

Nordöstlich Harburg liegt vor der dunklen Wald-Kulisse der Jurastufe WEMDING, das 798 von Karl dem Großen dem Kloster St. Emmeram in Regensburg geschenkt wurde. Die Grafen von Oettingen kauften 1306 den Ort, ummauerten ihn, verschafften ihm das Stadtrecht, verkauften das Städtchen jedoch 1467 an Herzog Ludwig den Reichen von Bayern. Von der alten Ummauerung haben sich Baronturm, Hautbachturm und Folterturm, sowie das Amerbacher und das Nördlinger Tor erhalten. Noch mehr als am Amerbacher Torturm bemerkt man am weiten MARKTPLATZ den bayerischen Einfluß. Die behäbigen Giebelhäuser mit den charakteristischen Wetterfahnen stehen locker gereiht, während in Schwaben und Franken ein engerer Marktplatz üblich ist. Das Rathaus von 1552 zeigt abgewandelte Renaissanceformen in den offenen Bogen der Längsseite, in der geschwungenen Freitreppe, dem Staffelgiebel mit aufgesetzten Kugeln. Am Marktplatz und an der Wallfahrtsstraße lassen sich herrliche Giebel studieren; besonders stattliche am ›Gasthof zur Krone‹ und am Gasthaus ›Zum weißen Hahn‹.

ST. EMMERAM, die Stadtpfarrkirche, stiftete 1030 der Edelherr Mangold I. als Dank für die glückliche Heimkehr aus dem fernen Konstantinopel. Aus der Gründerzeit stammen nur noch die Fundamente und der Unterbau des Südturmes, der 1308 in gotische Form gebracht wurde. Im 16. und 17. Jh. erhielten die Türme die heutige Gestalt, wobei der ›Daniel‹ in Nördlingen Pate stand. Im INNEREN haben sich spätgotische Fresken erhalten, so im Chor die Darstellung der Stände unter einer Kreuzigungsgruppe, in der Annakapelle die ›Werke der Barmherzigkeit‹ (1510). Die Pietà in der Rundbogennische des Hochaltares von 1630 stammt von August Mannasser, die Stuckmarmoraufbauten der Seitenaltäre beim Chorzugang sind Frühwerke von Dominikus Zimmermann um 1713, dessen Hauptwerk die Wieskirche werden sollte.

Auf einem Hang nahe der Stadt steht die WALLFAHRTSKIRCHE MARIA BRÜNNLEIN, eine äußerlich schlichte Kirche, 1748–52 nach Plänen des Ellinger Deutschordensbaumeisters F. J. Roth errichtet. Sie ersetzte eine Kapelle, in der ein wundertätiges Marienbild aufgestellt war, das der Wemdinger Schuhmachermeister Franz Forell 1684 von seiner zweiten Pilgerfahrt nach Rom mitgebracht hatte. Dieses Gnadenbild, das über der Quelle steht, ist Zentrum des Raumes. J. B. Zimmermann hat 1755 den Gnadenaltar entworfen, der ähnlich dem Altar in Vierzehnheiligen nach vier Seiten offen ist und vier Schalen für das Quellwasser bietet. Im zartfarbenen *Deckengemälde* nimmt Joh. Baptist Zimmermann den Gedanken nochmals auf, daß Maria aller Gnaden Quelle sei. Vom Sternenkranz umgeben steht sie vor einer großen Sonne, das Wasser teilt sich in vier Ströme, aus dem die Vertreter der vier Erdteile schöpfen. (Australien war noch kein Begriff.) Die kleineren Fresken beziehen sich auf Stellen der Lauretanischen Litanei, die den Wallfahrern geläufig war. Für die Fresken und den Stuck hatte man die führenden Meister verpflichtet, außer den Münchnern J. B. Zimmermann und seinem Sohn Michael die Wessobrunner Thomas Finsterwalder und Thomas Zöpf. Ihr Stuck sitzt in Weiß und Gold auf zartgrün lasiertem Untergrund.

Dazu stimmt die Ausstattung mit Altären. Der Münchner Wilhelm Rämpl schuf in bewegter Pracht den Hochaltar 1761, Joh. Jos. Mayer die Seitenaltäre, der Landsberger F. A. Anwander in anmutigem Rokoko die luftige Kanzel. Dem Klassizismus gehört bereits das überlebensgroße *Kruzifix* von 1791 an, das Roman Boos aus München geschaffen hat. Die ganze Pracht wurde nicht von einem reichen Kloster oder einem Mäzen finanziert, sondern von Wallfahrern und Wemdinger Bürgern. Schon der Baumeister F. J. Roth hatte auf seine Gebühren verzichtet, und es hatten »die herumliegenden Lutheraner mehr denn 2000 Stein- und Sand- so ander Fuhren gratis verrichtet«, was im 18. Jh. eine Ausnahme geblieben sein dürfte.

Oettingen

Der Ort, 917 als ›Adinga‹ erstmals erwähnt, war Sitz der Grafen im Ries, die sich erst 1140 Herren von Oettingen nennen. Ihre Herkunft führten die Grafen von Oettingen auf den 987 genannten Fridericus comes und dessen 1007 genannten Sohn Sigehardus (Graf im Gau Riezzin = Ries) zurück. Die Grafen, die bei der Gründung des Deutschen Ordens in Akkon dabeigewesen waren, gründeten 1242 ein Deutschordenshaus mit Kirche in Oettingen, das sie mit Grundbesitz ausstatteten. In zäher Anstrengung gelang es ihnen, das Ries in ihre Hand zu bekommen, ausgenommen die beiden Reichsstädte Nördlingen und Bopfingen. Ähnlich den Hohenlohe zersplitterten sie Macht und Besitz durch Teilung in drei Linien im 15. Jh.; nach Aussterben der Linie Oettingen-Oettingen wurde die Linie Spielberg 1734, die Linie Wallerstein 1774 gefürstet. 1806 hat man das Territorium beider Linien zwischen Bayern und Württemberg aufgeteilt.

Bis heute hat Oettingen das Aussehen eines Residenzstädtchens bewahrt, führt doch schon der wichtigste Straßenzug, die Schloßstraße vom Königstor (Abb. 107) im Süden direkt auf das SCHLOSS zu, das wie ein Riegel quersteht. Beim massigen Fachwerkrathaus weitet sich die Schloßstraße zum brunnenbesetzten Marktplatz. Auf der linken, der Rathausseite, stehen die Fachwerkhäuser, auf der rechten solide Barockhäuser, zumeist von Hofbeamten und Hoflieferanten des 18. Jh.s erbaut. Die ev. Stadtpfarrkirche ST. JAKOB nahe dem Schloß, 1312–26 erbaut und 1494 erweitert, ist durch den Einbau von Emporen zur Predigtkirche gewandelt worden. Die flache Tonne des Saales und das Gewölbe des Chors hat der Wessobrunner Matthäus Schmuzer 1680/81 hervorragend stuckiert.

Schmuzer stuckierte auch den Festsaal im Hauptbau des Schlosses reich mit Pflanzenornamenten, während das ›Weiße Zimmer‹ und der ›Goldene Saal‹ ihren schmückenden Stuck erst 1710–20 erhielten. Geplant hatte das ›Neue Schloß‹ der Kasseler Architekt Georg Weiß; 1679 wurde mit dem Bau begonnen. Fremdenbau und Nebengebäude umgeben den SCHLOSSHOF im Osten, in dessen Mitte der Marienbrunnen von 1720 steht. Joh. Georg Bschorer aus Oberndorf stellte einen Obelisk mit Putten und Wölkchen auf, von der Gottesmutter auf der Weltkugel bekrönt. Im HOFGARTEN, der nach Westen bis

199

OETTINGEN · AUHAUSEN · HOCHALTINGEN · WALLERSTEIN

zu den Resten der alten Stadtmauer zieht, findet man eine Orangerie des Gabriel de
Gabrieli von 1726, aus der Zeit, da der Garten noch im französischen Stil angelegt war;
im 19. Jh. wurde er mit Baumgruppen und Rasenflächen, die nicht mehr geometrischen
Figuren gehorchten, in einen englischen Park verwandelt.

Von Oettingen lohnt sich ein Abstecher nach Norden zum Hesselberg (689 m), einem
vor dem Jura stehenden kahlen Zeugenberg, dessen Aufwinde eine Segelflugschule
nutzt. Entweder durchqueren Sie den Oettinger Forst, seit alters die Grenze zwischen
schwäbischer und fränkischer Mundart, auf schmalen Straßen oder Sie umfahren den
Forst mit seinen Steigungen, indem Sie der Wörnitz folgen, zunächst bis Auhausen.

Auhausen

Schon von ferne fällt uns die viel zu große KIRCHE für den kleinen Ort auf. Sie war die
Kirche einer Benediktinerabtei, die 1120 von Graf Ernst von Hohentrüdingen und
seinem Schwager Hermann von Lobdeburg gestiftet worden war. Aus der Gründungs-
zeit stehen noch das Torhaus (Ende 12. Jh.) und der Nordturm, dessen drei Obergeschosse den Schmuck der Zeit um 1230 mit Blendbogenfries und Zahnschnittreihen
zeigen. Der Südturm mußte im 14. Jh. neu aufgebaut werden. Daß neben der stark
mitgenommenen Kirche nur noch die NEUE ABTEI von 1521 stehen geblieben ist, muß
dem Überfall im Bauernkrieg 1525 und der Säkularisation 1534 durch Markgraf Georg
von Ansbach zugeschrieben werden. Das Langhaus wurde eine Zeitlang durch Einzug
einer Decke zu einem Getreidespeicher umfunktioniert.

Wichtige Einzelwerke sind jedoch erhalten geblieben, so der hervorragende *Altar*
des Hans Leonhard Schäuffelin, eines Schülers von Albrecht Dürer, der 1513 das Altarblatt malte, wobei sein eigener Schüler Sebastian Dayg half. Gefühlvoller als Dürer
gestaltete er die Marienkrönung mit der Verehrung des apokalyptischen Lammes, die
Auferstehung in der Predella und die Passionsszenen auf den Flügeln. Ein Selbstbild-
nis ist der Mann, der ein Täfelchen mit dem Namenszeichen und einem Schäufelchen
vor sich hinhält. Daneben blieben zwei Arbeiten von Loy Hering bewahrt, das Sakramentshäuschen von 1521, das statt des gotischen Türmchens eine viergeschossige Renaissanceform bringt, und ein Auferstehungsrelief von 1521, das den Stifter in Pilger-
tracht zeigt, vom Tod begleitet. Das Grabmal des stolzen Stifters Hermann von Lobdeburg in der Prunkrüstung stammt erst von 1542, also bereits nach Aufhebung der
Abtei.

Hochaltingen – Maihingen – Wallerstein

Auf dem Weg von Oettingen zur Romantischen Straße liegt HOCHALTINGEN, dessen
KIRCHE in der zweiten rechten Seitenkapelle einen ungewöhnlichen Altar besitzt, der

NÖRDLINGEN   Wehrgang mit Löpsinger Tor. 1592 von Wolf Walberger erbaut

NÖRDLINGEN

100 Blick auf die Stadt mit St. Georg und ›Daniel‹
101 Inneres der Pfarrkirche St. Georg
102 Rathaustreppe. 1618 von W. Walberger erbaut

DONAUWÖRTH

103 Mauerpartie an der Donau
104 Stadtpfarrkirche. ›Mannasammler‹ vom Sakramentshäuschen. 1511–25

105 Inneres der Klosterkirche Hl. Kreuz. 1717–20

106 Blick auf Harburg an der Wörnitz

107 ÖTTINGEN Königstor

109 KAISHEIM Mittelschiff der Stiftskirche

108 KAISHEIM Stiftskirche. Stiftergrabmal. 1434
110 KAISHEIM Chor und Vierungsturm der Stiftskirche. 1352–87

111 LEITHEIM Schloß. Fresko ›Die Jugend‹ von G. B. Götz. 1751 f.

12 KAISHEIM Blick vom Turm auf die ehem. Reichsabtei
13 KAISHEIM Kaisersaal. 1725

114 Brüsseler Wandteppich, den Pfalzgrafen Ottheinrich darstellend. Um 1535. Museum Neuburg a. d. Don:

NEUBURG an der Donau Schloßhof (1530–55). Arkadengänge mit Sgrafitti

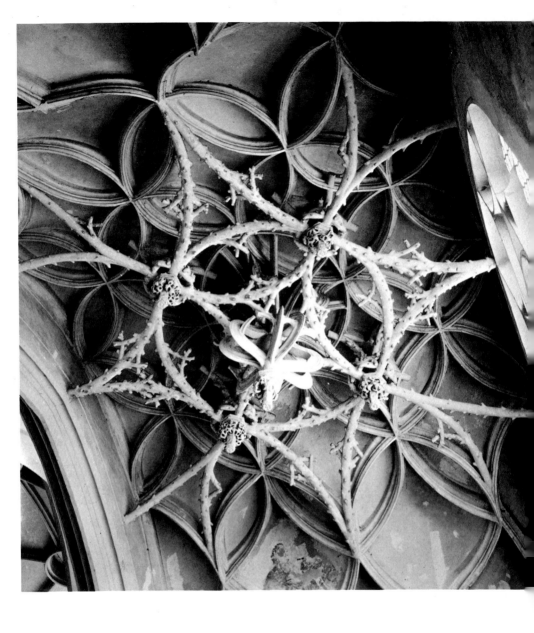

116 INGOLSTADT Liebfrauenmünster. Gewölbe der Seitenkapelle. 1525

INGOLSTADT

117 Santa Maria de Victoria. Prunkmonstranz. 1708

118 Liebfrauenmünster. Grabstein des Prof. J. Permetter († 1505)

119 St. Moritz. Madonna im Strahlenkranz von J. F. Canzler. 1760

120 Santa Maria de Victoria. Hochaltarfigur St. Katharina. Um 1763

121 INGOLSTADT Saalkirche Santa Maria de Victoria mit Deckenfresko von Cosmas Damian Asam

INGOLSTADT Santa Maria de Victoria. Detail aus der Prunkmonstranz, die Seeschlacht von Lepanto darstellend (vgl. Abb. 117)

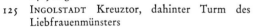

123 INGOLSTADT Inneres des Liebfrauenmünsters. 1425 beg.
125 INGOLSTADT Kreuztor, dahinter Turm des Liebfrauenmünsters
124 INGOLSTADT Neues Schloß mit Armeemuseum
126 WELTENBURG Klosterkirche St. Georg. Blick zur Orgelempore

Kloster WELTENBURG am Donau-Durchbruch

128 WELTENBURG Klosterkirche. Blick auf den Hochaltar von Egid Quirin Asam

wie ein gotischer Flügelaltar aufgebaut ist, aber Renaissancedekor von 1565 trägt. Statt Schnitzfiguren enthält der Schrein ein *Rosenkranzbild*, das bei der Darstellung der Dreifaltigkeit, der Chöre der Engel und Heiligen an Albrecht Dürers Bild stark angelehnt ist. – Wenn wir aus dem Langhaus von 1730 mit dem Stuck von 1735 in die Gruftkapelle aus dem 13. Jh. gehen, umfängt uns eine andere Welt. Beherrschend ist ein Meisterwerk des Augsburgers Hans Daucher, ein *Epitaph* aus rotem Marmor für Eberhard von Hürnheim und seine Frau Anna von Rechberg von 1526. Aus zwei Nischen der Platte treten in voller Pracht die Ehegatten heraus, deren Gesichter aus weißem Marmor eingelassen sind. Ein grauer Sandsteinrahmen trägt Sinnbilder der Vergänglichkeit, so den schlangenumzogenen Totenkopf. In der Kopfleiste umtanzt ein Totenreigen, zwischen zwei Feuer eingezwängt, das Donnerwort ›FINIS‹ (Ende).

Über Utzwingen erreichen wir nach Süden MAIHINGEN, dessen Franziskanerkloster und KIRCHE der Ordensbruder Ulrich Beer 1703 f. baute, wobei er sich Bauten der Vorarlberger Bauschule zum Vorbild nahm, beim Langhaus z. B. die Michaeliskirche in München. Die Decke freskierte der Regensburger Martin Speer 1752 mit der Erhebung der Esther, der Himmelfahrt Mariens und der Verzückung des hl. Franziskus, der, dem Elias gleich, mit feurigem Wagen gen Himmel fährt. Nur zehn Jahre älter ist das reichgeschnitzte Gestühl im Mönchschor hinter der Westempore mit dem barocken Orgelprospekt. Columban Lichtenauer ist der Schöpfer dieser barocken Kostbarkeit.

Der Markt WALLERSTEIN ist neben einer Burg der Grafen Oettingen-Wallerstein entstanden, die den Burgfelsen seit 1261 besaßen. Erst im 16. Jh. machten sie es sich bequemer, ließen das Neue Schloß und das Grüne Haus bauen, im 17. Jh. den Galerietrakt und den Welschen Bau. In der SCHLOSSKAPELLE ist ein Holzrelief des Ulmer Daniel Mauch, die Hl. Sippe darstellend, sehenswert. – Die Pfarrkirche St. Alban von 1612 ist ein in Süddeutschland seltener Bau, denn die Halle ist zweischiffig und schließt mit zwei Apsiden. Auf dem Straßenmarkt steht eine *Pestsäule* mit der Dreifaltigkeit, die der Oberndorfer Joh. Georg Bschorer 1720 nach dem Vorbild der berühmten Pestsäule auf dem Graben zu Wien gearbeitet hat, nachdem sich die Kunde vom Ausbruch der Pest zu Marseille verbreitet hatte. Auf dem Sockelgesims stehen die drei ›Pestheiligen‹ St. Sebastian, St. Rochus (mit der Pestbeule) und der hl. Antonius von Padua. Über ihnen schwebt Maria, vor der bekrönenden Strahlensonne steht die Dreifaltigkeit.

Ein Abstecher nach Baldern

Von Wallerstein gelangen wir über Kerkingen an den Westrand des Rieskessels, wo SCHLOSS BALDERN, auf einem der Abhänge gelegen, einen prächtigen Blick ins Ries bietet. Während die Außenmauern aus dem 14. und 15. Jh. stammen, wurde das Burginnere im 18. Jh. zum Schloß umgebaut. Kraft Anton Wilhelm von Oettingen-Baldern und seine Gemahlin Joh. Eleonora von Schönborn, die Schwester der baulustigen Schönbornbischöfe, vertrauten den Umbau Gabriel de Gabrieli an, dessen Werk vor allem

217

die Kapelle und der große Saalbau sind, während der Torbau nach (vereinfachten) Plänen des schönbornschen Baumeisters N. Loyson ausgeführt wurde, der damals die Kirche in Wiesentheid baute. Wegen Geldmangels zog sich der Umbau von 1718–37 hin. Erst 1730 wurde der große Saal verakkordiert: »In die vier Ecken sollen die vier Weltmonarchien, in die mittlere Quadratur die Vorsehung Gottes als Auge kommen, von den sie umgebenden Genien, den theologischen und Kardinaltugenden ...«

Als 1794 die Revolutionsarmee die Österreicher in deren Niederlanden (heutiges Belgien) besiegt hatte, floh der Kölner Dompropst Graf Franz Wilhelm von Oettingen-Baldern mit dem Schrein der Hl. Drei Könige, hinterstellte ihn in der Abtei Weddingshofen/Westfalen und begab sich nach Baldern, das nach seinem Tode an die Linie Wallerstein fiel. Sehr zum Verdruß seines Freundes Wallraf, der nur einige Stücke erhielt, brachte er seine reiche Bibliothek, seine Empiremöbel und Kunstschätze nach Baldern; z. T. sind sie heute in Harburg zu sehen (s. S. 197). Vollzählig geblieben ist die Waffensammlung seiner Vorfahren. Wollte er zelebrieren, so hatte er die Schloßkapelle neben dem Torhaus, über dessen Portal im Strahlenkreuz die hebräischen Zeichen für Jehova leuchten. Unter dem Baldachin des Hochaltars steht in einer Nische aus weißem Marmor der Patron St. Georg, unter den flankierenden Heiligen links Joh. von Nepomuk, für dessen Heiligsprechung und Verbreitung seines Kultes die mit dem Bauherrn verwandten Schönborns so viel getan haben.

Hohenaltheim und Mönchsdeggingen

Über Bopfingen, Nördlingen und Reimlingen gelangen wir nach HOHENALTHEIM am Südrand des Rieses. Die karolingische Pfalz, in der 876 Karlmann, Ludwig und Karl die Länder ihres Vaters, Ludwig des Deutschen, aufteilten, steht nicht mehr; auf dem Hügel sitzt die ev. Pfarrkirche, ein Bau von 1366, erweitert 1755. In jener Pfalz hielt 916 Konrad I. eine Synode der deutschen Bischöfe ab, auf der er u. a. seine Sonderstellung bestätigen ließ. Er, der ›Gesalbte Gottes‹, ist Herr über die deutschen Stämme, ihm sind alle Einwohner, also auch die Fürsten, Gehorsam schuldig. Während er mit den 'ungehorsamen' Sachsen und Baiern nicht fertig wurde, konnte er Erchanger und Berchtold, die Machthaber in Schwaben, ergreifen und 917 in Oettingen hinrichten lassen.

Daß hier auch später noch Recht gesprochen und Gesetze ausgelegt wurden, zeigt die Gerichtslinde am östlichen Ende des Kirchberges, bald ein Vierteljahrtausend alt, von zwölf stark verwitterten Gerichtssitzen umgeben. – Das Schloß der Oettingen-Wallerstein, 1711 anstelle eines älteren Wasserschlosses angelegt, ist bewohnt und daher z. Z. nicht zu besuchen. Die Räume sind zwischen 1740–50 stuckiert worden und haben schönes Mobiliar aus jener Zeit. 1777 spielte hier Wolfgang Amadeus Mozart, Konzertmeister aus Salzburg, als Gast vor dem Fürsten Kraft Ernst.

Wenige Kilometer südöstlich liegt MÖNCHSDEGGINGEN, aus einer alemannischen Siedlung des 5. Jh.s hervorgegangen. Kaiser Heinrich II. schenkte 1007 Deggingen im Riesgau dem von ihm gegründeten Bistum Bamberg, dem er 1016 auch die Oberhoheit über das KLOSTER verschaffen konnte, das der Überlieferung nach von Kaiser Otto dem Großen 955 (im Jahr der Schlacht auf dem Lechfeld gegen die Ungarn) gegründet worden sein soll. Das frühere Frauenkloster wurde 1142 mit Benediktinern des Bamberger Klosters Michelsberg besetzt. Durch Kauf an das Haus Oettingen gelangt, kam das Dorf später an die Linie Oettingen-Harburg und wurde evangelisch, das Kloster blieb der (kath.) Linie Wallerstein. 1950 erwarb die Marianhiller Missionskongregation, die sich vor allem der Missionsarbeit in Südafrika widmet, die Kirche und die übrig gebliebenen Abteigebäude. Die Marianhiller restaurierten Abtei und Kirche in vorbildlicher Weise. ST. MARTIN geht im Kern auf eine dreischiffige Basilika zurück, die der Überlieferung nach Abt Marquard von Hirsau 1161 gegründet haben soll. Der gotische Chor wurde 1480–90 angefügt, das Langhaus nach Bränden mehrfach erneuert, der originelle, an den Hang gestellte Turm 1721 von Joh. Baptist Zimmermann nach Augsburger Vorbildern gebaut. Er leitete seit 1716 den barocken Umbau und setzte vor das Langhaus eine Barockfassade.

Die Innenausstattung in der spritzigen, schwingenden Art des Rokoko erfolgte nach 1751 unter Leitung des Bildhauers Joh. Michael Fischer aus Dillingen, der auch die meisten Stuckarbeiten in flatternder Rocaille ausführte. Der ebenfalls aus Dillingen stammende Vitus Felix Rigl schuf die farbenfreudigen *Fresken*, die über der Orgelempore mit der Mission bei den Indianern beginnen, im Mittelschiff Otto den Großen und Heinrich II., den Heiligen, ehren, dann die Bekehrung der Angelsachsen zeigen und im Chor mit dem Triumph des hl. Martin enden. Dominikus Bergmüller aus Türkheim, der Schöpfer der Kanzel, hat zwölf Seitenaltäre kulissenartig aufgereiht, um den Blick auf den *Hochaltar* zu richten, der sich in einem festlichen Akkord ins Gewölbe der Gotik schwingt. Große Stuckfiguren von Heinrich und Kunigunde am Hochaltar bekräftigen nochmals die Zugehörigkeit zu Bamberg. Am eindrucksvollsten ist der Raum, wenn die *Orgel* ihre brausenden Töne aus dem Chorbogen schickt. Als liegende Orgel wurde sie 1693 von dem damals in Nördlingen wohnenden Lausitzer Paulus Prescher gebaut, eine Rarität, da mit dieser nur noch drei liegende Orgeln in Betrieb sind. Wer dagegen die Stille liebt, besuche den Kreuzgang, der 1716 umgebaut wurde. – (Vier Kilometer nördlich erreichen Sie die Romantische Straße und nach weiteren acht Kilometern Harburg, den Ausgangspunkt.)

IV   An der Donau bis Weltenburg

Wenn Sie von Donauwörth nach Neuburg fahren, dann benutzen Sie am besten nicht
die Bundesstraße 16 auf dem rechten Ufer, die weit vom Fluß entfernt bleibt, sondern
die Landstraße auf dem linken Ufer. Zuvor sollten Sie aber noch 10 Kilometer nordöstlich von Donauwörth die ehem. Reichsabtei Kaisheim aufsuchen.

Abtei Kaisheim

Im Kaisbachtal gründete Graf Heinrich von Lechsgemünd 1134 ein Zisterzienserkloster, das mit Mönchen aus der Abtei Lützel im Elsaß besetzt wurde. Der Zulauf zu
diesem strengen Reformorden war groß, vor allem zu Lebzeiten des großen Predigers
Bernhard von Clairvaux (1091–1153), bis zu dessen Tod schon 300 Zisterzienserklö-
ster gestiftet worden waren. Da in Kaisheim eine besonders straffe Klosterzucht
herrschte, hieß es damals »carcer ordinis« (Ordenskerker), was ein Ehrentitel war und
Nachwuchs anlockte. Von Rudolf von Habsburg (1273–91) und Ludwig dem Bayer
(1314–47) besonders gefördert und unter den Schutz des Reiches genommen, erhielt die
ABTEI KAISHEIM ihre Reichsunmittelbarkeit von Kaiser Karl IV. (1347–78) verbrieft,
was die Wittelsbacher nicht hinderte, bis zum Westfälischen Frieden (1648) ihre An-
sprüche auf die Vogtei zu verfechten. Erst mit der Säkularisation 1802 fiel der reiche
Grundbesitz Kaisheims an den bayerischen Staat, der die 95 Mönche entließ und 1816
in den weitläufigen Gebäuden ein Zwangsarbeitshaus unterbrachte.
  Diese Klostergebäude (Abb. 112), die zwei Binnenhöfe umschließen, und die Wirtschaftsgebäude mit einem Außenhof erbaute der Vorarlberger Franz Beer 1716–21 in
den Formen des Barock. Die langgezogenen Flügel wurden durch Eck- und Mittel-
pavillons gegliedert. Von der einst reichen barocken Innenausstattung ist nur der
prachtvolle KAISERSAAL (1725) unangetastet geblieben und zugänglich (Abb. 113).
Beers zweites Werk, die barocke Zweiturmfassade, die er 1719–21 vor die Kirchenfront
gelegt hatte, wurde im 19. Jh. abgerissen.
  Die großartige gotische KIRCHE ist es, die den Weg lohnt (Abb. 110). 1352 wurde der
Bau durch Ordensbaumeister begonnen und in einem Zug bis 1387 fertiggestellt. Erst

1459 hat man den Vierungsturm aufgesetzt, dessen heutige Gestalt nach mehreren Blitzschlägen erst der Erneuerung von 1770–80 entstammt. Die Kirche ist ein langgestreckter und kreuzförmiger Bau, dessen Westfront seit 1872 wieder die für Zisterzienser typische schlichte Note besitzt. Der strenge Geist des Ordens zeigt sich auch im nüchternen Langhaus (Abb. 109) und dem Querschiff mit seinen hohen Fenstern. Abweichend von den sonst gerade geschlossenen Chören der Ordenskirchen besitzt der zu Kaisheim einen Umgang um den Altarraum, die Seitenschiffe laufen weiter und teilen sich in eine zweite Reihe mit schlanken Säulen. Die Vielgestaltigkeit des Chors steht im Kontrast zum nüchternen Langhaus, dessen Gewände im Barock mit Apostelbildern in schweren geschnitzten Rahmen bestückt wurde. Vom spätgotischen Hochaltar sind einige Teile nach Augsburg und München gekommen; der jetzige, 1673 aufgebaut, trägt zwei Gemälde von Joh. Pichler zum Thema der Himmelfahrt Mariens, da Marienverehrung und Christusmystik zu den bevorzugten Anliegen der Zisterzienser gehörten. Ein unbekannter Schnitzer schuf die Figuren der Verkündigung für die Predella, die zwei Johannes und die drei Erzengel (Gabriel, Michael, Raphael) für die Bekrönung. Das Chorgestühl, jetzt in die Seitenschiffe gerückt, mit Rankenornamenten von 1698, besitzt ovale Bildchen mit Zeichen der Marienverehrung. Dem gleichen Stil gehören die Kanzel von 1699 und die Nebenaltäre an. Die bewegten Schnitzfiguren der Muttergottes und des hl. Joseph entstanden 1660, die beiden steinernen Marienfiguren hingegen wurden um 1290 und um 1320 geschaffen, gehören also wie der Kirchenraum in die Hochgotik. Die *Tumba* für den Stifter, den Grafen Heinrich, wurde 1434 aufgestellt, genau 300 Jahre nach der Gründung (Abb. 108). Er ist als Idealfigur eines würdigen Herrschers gestaltet.

Schloß Leitheim an der Donau

Die Straße von Kaisheim zur Donau führt direkt zur Sommerresidenz der Äbte, nach Leitheim, das zu den zwölf Hofgütern gehörte, die Graf Heinrich von Lechsgemünd seiner Stiftung überließ. Zu unserer Überraschung thronen Kirche und Schloß auf einem Rebenhang, von dem erstmals 1193 berichtet wird; ausgedehnt wurde der Weinberg 1427 unter Abt Leonhard Weinmayr. In guten Jahren brachte er zwischen 40 und 50 Hektoliter Wein. Die von der Reblaus im 18. Jh. vernichteten Lagen bepflanzte erst nach dem Zweiten Weltkrieg ein aus Nikolsburg/Mähren vertriebener Weinbauer. (Der einzige Weinberg Südbayerns ist er allerdings nicht, denn die Reben bei Donaustauf abwärts Regensburg sind nicht zu übersehen.)

Das alte Weingärtnerhaus von 1542 steht noch neben dem Portal, durch das wir Schloß und Kirche erreichen, die unter Abt Elias Götz 1685 f. im frühen Barock errichtet und durch einen gedeckten Gang verbunden wurden, denn auch im Sommersitz waren regelmäßige Gebete und Messen zu halten. Wessobrunner Stukkateure haben 1690 die Kirche ST. BLASIUS mit Blattwerkstuck ausgestattet, sechs Jahre später wurden

SCHLOSS LEITHEIM · BERTHOLDSHEIM · BERGEN

drei schwarzgoldene Altäre aus Kaisheim eingefügt. Der Hauptaltar zeigt als Gemälde *Maria Empfängnis* und den Patron Blasius, die Seitenaltäre *Elias in der Wüste* und die *Vision des Bernhard von Clairvaux,* dem sich der Corpus Christi entgegenneigt. Aus dem Ende des 15. Jh.s stammen das hölzerne Feldkreuz, von Votivtafeln umgeben, und eine Pietà. Die Rokokokanzel hingegen ließ nach 1750 Abt Coelestin Meermos einfügen. Er war es, der das SCHLOSS ab 1751 im Geschmack des frühen Rokoko ausstatten ließ. Der Wessobrunner Anton Landes überzog die Decken mit duftigen Stuckranken, in die Gottfried Bernhard Götz seine zartfarbigen Fresken fügte. Auftakt ist das TREPPENHAUS, dessen Geländer mit reicher Schmiedearbeit in einem hölzernen Rahmen sitzt, mit Füllhörnern und Rebranken auf zunehmenden Obst- und schwindenden Weinreichtum hinweisen. Darüber spannt sich das große Fresko *Der Tag vertreibt die Nacht,* wobei u. a. ein Putto mit Morgenstern und Äskulapstab uns suggerieren will, daß die Krankheiten mit dem Morgen weichen. Der große, lichtdurchflutete FESTSAAL gibt nicht nur herrliche Blicke in die Landschaft frei, sondern zeigt in den Zwischenflächen die damalige Mode der Chinoiserien in der Darstellung der vier Elemente, dazu ›Ernst‹ und ›Heiterkeit‹ an den Schmalseiten. Das Deckenfresko aber bringt in pastellartigen Farben die *Fünf Sinne* in der Verkleidung von Schäfer und Schäferinnen, in die sich die Hofgesellschaft gelegentlich zu stecken beliebte (Abb. 111). Der Bauherr hat sich ebensowenig vergessen wie der Maler. Diesen herrlichen Saal und die Nebenräume, mit erlesenen Möbeln, Porzellanen und Stickereien eingerichtet, kann man am besten zur Zeit der Leitheimer Schloßkonzerte (April–Oktober) besehen.

Da von der ursprünglichen Ausstattung nur zwei Keramiköfen aus einer Neuburger Werkstatt verblieben sind, brachten die Freiherren von Tucher auch Raritäten mit, wie das ›Sterbekreuz der Maria Stuart‹, das Papst Pius V. 1587 in ihr Gefängnis schmuggeln ließ. Schaustück ist auch die ›Taufdecke‹ der Markgräfin Wilhelmine von Bayreuth, eine bedeutende Seidenstickerei um 1732.

Bertholdsheim und Bergen

Weiter auf Neuburg zu liegt Bertholdsheim, im 12. Jh. eine Burg der Grafen von Lechsgemünd, die dann drei Jahrhunderte der Familie von Waller gehörte. Ihre Nachfolger, die Freiherren von Isselbach, ließen sich 1718–30 durch den führenden Barockbaumeister, den Eichstätter Hofbaudirektor Gabrieli, ein SCHLOSS bauen, das besonders harmonisch ausgefallen ist. Im Unterschied zu Leitheim ist die alte Ausstattung erhalten geblieben und wurde von den jetzigen Besitzern, den Grafen du Moulin-Eckart um eine Gemäldesammlung bereichert, die Werke aus dem 16. mit 18. Jh. umfaßt.

In Rennertshofen führt eine Straße links ab nach BERGEN. Dort stiftete Wiltrud, Witwe des Bayernherzogs Berthold I., 976 ein Kloster der Benediktinerinnen, dessen erste Äbtissin sie wurde, ein damals keineswegs ungewöhnliches Verfahren. Als der Konvent angewachsen war, baute man im 12. Jh. eine große romanische HALLENKIRCHE, von der

222

heute noch die halbkreisförmigen Chorapsiden, das Stufenportal, aber auch der stämmige Campanile, der festungsartige Turm, zeugen. Erhalten blieb vor allem die Krypta unter dem Chor, ein von fünf Säulenpaaren getragener dreischiffiger romanischer Raum. Der Neubau der Kirche unter Verwendung alter Bauteile erfolgte 1758, als die Jesuiten in Neuburg, die 1618 das zuvor von Ottheinrich 1552 säkularisierte Kloster geschenkt bekommen hatten, den Domkapitelsbaumeister Barbieri aus Eichstätt beriefen. Er schuf einen festlichen Innenraum, von Joseph Köpl aus Mertingen mit feinem Stuck geschmückt, vom Bildschnitzer Joh. Fischer aus Dillingen mit Kanzel und Altären versehen. Die kräftigen Fresken des Joh. Wolfgang Baumgartner aus Augsburg stellen Kreuzeserscheinungen dar, denn die Jesuiten hatten eine Wallfahrt zum Hl. Kreuz in Bergen in Gang gebracht.

Neuburg an der Donau

An diesem von einem Hügel beherrschten Donauübergang hatten bereits die Römer einen Standort ›Venaxomodurum‹ angelegt, dessen seltsamer Name von der keltischen Siedlung stammt, die sie antrafen. Funde aus der keltischen und römischen Zeit, darunter eine hervorragende römische Maske, verwahren das Heimatmuseum Neuburg und das Museum Mannheim. Nach dem Abzug der römischen Truppen und romanisierten Siedler besetzten im 6. Jh. auf fränkische Veranlassung die Bajuwaren, aus Böhmen kommend, nach und nach das Gebiet beiderseits der Donau bis zur Mündung des Lechs. Aus dem baierischen Dominalhof entwickelte sich ein herzogliches Amt, zu dem Neuburg und zahlreiche Ortschaften gehörten. Dieses Amt wurde 788 Königshof, dann wieder herzogliche Residenz. Herzog Heinrich IV. (= Kaiser Heinrich II., 1002–24) gründete 1000 in Neuburg ein Benediktinerinnenkloster, das er 1007 dem von ihm gegründeten Bistum Bamberg übergab. Kaiser Heinrich IV. verlieh 1197 seinem Marschall Heinrich von Kalendin das Moosamt mit Neuburg als Lehen, das bis 1246 bei seinen Verwandten, den Marschällen von Pappenheim blieb; erst dann kam Neuburg an die Wittelsbacher. Neuburgs Gesicht als Residenzstadt formte der baulustige Herzog Ottheinrich (1522–59), der 1543 zum neuen Glauben übertrat, was die Stadt mitvollziehen mußte, ebenso wie die Rückkehr Wolfgang Wilhelms 1614 zur alten Kirche, dem sich die Bürger wiederum anzuschließen hatten.

Den besten Blick auf die Stadt hat man vom linken Ufer unterhalb der Brücke. Die Häuser im Tal drängen sich um die Hügelnase. Auf dem Hügel liegt kraftvoll das SCHLOSS auf seinem gemauerten Sockel, beherrscht von den massigen Rundtürmen mit ihren Kuppeln und Laternen. In ansteigender Kurve gelangt man auf die Anhöhe und zum Oberen Tor, mit seinem breiten Renaissancegiebel und seinen zwei kräftigen Rundtürmen ein Vorgeschmack des Schlosses. Auf der Höhe erhebt sich die Pfarrkirche St. Peter an der Hauptstraße, die als Achse des Bergrückens zum Schloß zieht, sich jetzt zum KARLSPLATZ weitet, der von recht gegensätzlichen Bauten gerahmt wird. Dazu ge-

NEUBURG AN DER DONAU · JAGDSCHLOSS GRÜNAU

hört das schlichte Rathaus mit der doppelläufigen Treppe zum ersten Stock, 1613 von Gilg Vältin gebaut, oder die Provinzialbibliothek, 1713 als Kongregationssaal errichtet, nach der Säkularisation mit den wertvollen Büchern in den geschnitzten Schränken der Abtei Kaisheim beschenkt. Schon von Stuckgirlanden des Rokoko überzogen ist das schmale Taxishaus. Dominierend ist die HOFKIRCHE mit dem wuchtigen Turm und der kräftigen Fassade, nach Plänen des Hofbaumeisters Sigmund Doctor 1607 von Gilg Vältin und Joh. Alberthal begonnen, die das Innere mit den Emporen über den Seitenschiffen wesentlich leichter gestalteten. Die Innenausstattung zog sich lange hin; der Stuck stammt aus den Jahrzehnten zwischen 1616 und 1725; Hochaltar und Seitenaltäre schuf Jos. Anton Breitenauer 1752–54 und stattete sie mit Gemälden von Domenico Zanetti aus Bologna aus. Die Gemälde der älteren Altäre von 1617–20 waren von Peter Paul Rubens, das *Jüngste Gericht* am Hochaltar, *Pfingstfest* und *Engelssturz* an den Seitenaltären. Sie wurden schon 1703 nach München verbracht und gehören heute zu den repräsentativen Stücken der Alten Pinakothek. Beiderseits des Hochaltars sind die Grabmäler für Pfalzgraf Wolfgang Wilhelm, den Gegenreformator, und seine Gemahlin, dazu ein Denkstein für den Dichter Jakob Balde (†1668) aufgestellt.

Die leicht abschüssige Straße führt uns direkt auf einen Flügel des OTTHEINRICHS-BAUES zu, der zwei Achsen besitzt: eine für die vier Untergeschosse, eine zweite im prächtigen Renaissancegiebel. Unter hohem Kostenaufwand ließ Ottheinrich 1530–55 drei Flügel um einen Innenhof bauen, die durch Galerien und Arkaden verbunden sind, doch nicht in starrer Symmetrie, sondern mit lebeneinhauchenden Abweichungen (Abb. 115). Dabei ließ sich der Bauherr von Paulus Beheim aus Nürnberg, von Kronsdorfer aus München und Oprikam aus Heidelberg beraten. Bei den Restaurierungsarbeiten wurden vor einem Jahrzehnt die Sgrafitti in Schwarz-Weiß-Technik freigelegt und auch die Fassadenfarben gesichert, so daß sich der Eindruck eines südlichen Schloßhofes verstärkte. Der massige Osttrakt wurde erst unter Pfalzgraf Philipp Wilhelm 1665–68 nach Plänen von Jeremias Doctor aufgerichtet, wobei ältere Bauten zu beseitigen waren. 1824 schließlich ließ Regierungsbaumeister von Morell das Obergeschoß des Westflügels mit zwei Renaissancegiebeln abnehmen. Bedeutend ist die SCHLOSSKAPELLE, der älteste evangelische Kirchenraum Bayerns. Die Wandfresken, 1543 von dem Salzburger Hans Bocksberger angetragen, zeigen Szenen aus dem Alten und Neuen Testament, in Medaillons die ägyptischen Plagen und die zwei Sakramente Abendmahl und Taufe; die Decke wird von einem großen Gemälde der Himmelfahrt Christi eingenommen. Die auf Geheiß des Pfalzgrafen Wilhelm übertünchten Fresken hat man 1933 wieder freigelegt. Schon 1540 war die Galerie mit ihren marmornen Konsolen und Pilastern stuckiert worden. Zwei Jahre jünger ist der Altar, dessen Triumphbogen aus Marmor über den Kreuzen Christi und der Schächer die Inschrift des Kirchenherrn OTTHAINRICH PFALCGRAF trägt. Schöpfer des Altars war der Eichstätter Martin Hering, Sohn des Loy.

Da das Schloß von Bränden heimgesucht wurde, später eine Unteroffiziersschule usw. beherbergte, ist von der alten Ausstattung nur das Niet- und Nagelfeste erhalten, so im Ostflügel einige Stuckdecken und die Grottenanlage mit reichem Muschelwerk von 1670, eine fürstliche Spielerei, die im Barock sehr beliebt war und mit der Blauen Grotte in Schloß Linderhof 1880 einen späten Nachfahren fand. Geplant ist, ab 1976 in den renovierten Flügeln ein Pfalz-Neuburger Museum, eine große Sammlung für Vor- und Frühgeschichte, eine Galerie der nordschwäbischen Maler des Barock und die Bibliothek des Historischen Vereins unterzubringen.

Auf dem Rückweg sollte man das HEIMATMUSEUM im Weveld-Haus am Karlsplatz aufsuchen, um die hervorragenden Gobelins zu besehen, die Ottheinrich um 1535 fertigen ließ (Abb. 114). Abbilden ließ er jeweils vor reichem Hintergrund sich selbst, seine Reise nach Palästina, seinen Bruder Philipp und seine Gemahlin Susanne. (In Heidelberg z. B. finden Sie im Kurpfälzischen Museum einen Gobelin aus dieser Folge.) Einige hervorragende Bürgerhäuser stehen in der Amalienstraße (so A 18 Laßberghaus, A 41/42 Dunzenbäckerhaus, A 15 Gebsattelhaus usw.), die uns zur Pfarrkirche ST. PETER führt, die schon im Pappenheimer Urbar (1214–19) genannt wird. Ihr jetziges Aussehen stammt aus den Jahren 1641–47, die Ausstattung von 1671 mit einem effektvollen Hochaltarbild *Kreuzigung Petri*. – Am Westende der Amalienstraße liegt das Kaffee-Restaurant ›Schöne Aussicht‹, die Sie nach Westen und Norden genießen können. Einheimische erklären Ihnen gerne, was Sie bei längerem Aufenthalt noch besichtigen können (ehem. Ursulinenkirche; Spitalkirche; Jesuitenkolleg).

Jagdschloß Grünau

Auf einer Lichtung in den weiten Auwäldern, in denen Ottheinrich zu jagen pflegte, steht sein Jagdschloß Grünau, dessen ›Altes Haus‹ er 1530 für seine ihm ein Jahr zuvor angetraute Susanne hatte bauen lassen, was er in Knittel-Versen unter einer Marmortafel des Loy Hering festhielt, der eine bewegte Jagdszene schilderte. Eine breite Treppe führt in den Oberstock des Baues mit seinen Treppengiebeln, damit der Pfalzgraf, der von Jahr zu Jahr gewichtiger wurde, bequem hinaufreiten konnte, um im ›Dürnitz‹, der Trinkhalle für Männer, auf einen Stuhl zu sinken. Leider ist Grünau ausgeräumt, nur die gemauerten Kamine und die Fresken des Augsburgers Jörg Breu d. J. und des Landshuters Hans Windberger sind geblieben. Sie wurden 1555 vollendet, ein Jahr vor Ottheinrichs Tod, der dazumal schon in Heidelberg residierte. Bereits 1550 war das wohnlichere ›Neue Haus‹ mit den runden Ecktürmen errichtet worden. (Eine Besuchsgenehmigung müssen Sie beim Gutsverwalter in Rohrenfeld beantragen.)

Ingolstadt

Eher als Neuburg erscheint Ingolstadt als *die* bayerische Stadt, obwohl sie aus einem fränkischen Hofgut hervorgegangen ist, das 806 genannt wird. Die junge Siedlung,

INGOLSTADT

seit 841 im Besitz des Klosters Niederaltaich, wird Anfang des 10. Jh.s von den Ungarn zerstört. Erst im späten 11. Jh. bildet sich wieder ein Ort, der nach mehrfachem Besitzwechsel 1228 endgültig in den Besitz der Wittelsbacher übergeht. Ludwig der Strenge baute Ingolstadt ab 1253 zur Residenzstadt aus, Ludwig der Bayer bestätigte 1312 die Stadtrechte. Zur Handelsstadt wird die Residenz der Herzöge von Bayern-Ingolstadt erst, als die Donau künstlich 1363 an die Siedlung gelenkt wird, eine Parallele zu Heilbronn. Damals zog man um die Stadt einen neuen kreisförmigen Mauerring, von dem Türme und das wuchtige Kreuztor von 1385 (Abb. 125) noch erhalten sind. Seitdem ist Ingolstadt am wichtigen Übergang über die Donau, trotz Eroberungen und Schleifung (1800) bis 1918 bayerische Festungsstadt geblieben. Die letzten Bastionen wurden erst nach dem Zweiten Weltkrieg geschleift, nur die klassizistischen Tore der Fortifikation nach 1820 sind erhalten geblieben.

Wenn wir von Neuburg her über die Donaubrücke in die Altstadt kommen, sollten wir beim Neuen Rathaus verweilen. Gegenüber steht die SPITALKIRCHE ZUM HL. GEIST, von Kaiser Ludwig dem Bayern 1319 gestiftet, eine dreischiffige Halle, die zu Beginn des 18. Jh.s barockisiert wurde. Sehenswert sind der reiche Stuck und die umfangreichen Fresken aus dem 16. Jh. – Nebenan steht das Alte Rathaus, 1882 durch Gabriel von Seidl aus vier gotischen Häusern kombiniert. – Schräg gegenüber die Kirche ST. MORITZ, die 1234 geweihte, daher älteste Kirche der Stadt, deren Neubau aus der 1. Hälfte des 14. Jh.s stammt, mit dem Einziehen von Netzgewölben 1489 vollendet wurde. Kontrastreich das Äußere wegen der Türme, wobei der nordwestliche auf romanischen Fundamenten steht, der ›Pfeifturm‹ im Südosten der ehem. Stadtturm ist. Kontrastreich das dreischiffige Innere mit dem düsteren Langhaus und dem lichtdurchfluteten Chor (Abb. 119).

Durch die Dollstraße gelangen wir nach Westen und zur HOHEN SCHULE; 1439 von Herzog Ludwig im Bart als Spital gegründet, nahm das Gebäude 1472 die bayerische Landesuniversität auf, an der u. a. Joh. Eck, der entschiedene Gegner Luthers, lehrte. Die Universität wurde 1800 nach Landshut und 1826 nach München verlegt. Das Gebäude nahm jüngst Sammlungen zur Universitäts- und Wissenschaftsgeschichte auf. – Wenige Schritte nach Norden bringen uns zum LIEBFRAUENMÜNSTER, 1425 als zweite Pfarrkirche von den Meistern Conrad Glätzel und Heinrich Schellmüller begonnen. Der Bau wurde von Herzog Ludwig im Bart sehr gefördert, der lange Zeit am französischen Hof gelebt hatte, vermutlich auch die Übereckstellung der Türme nach dem Vorbild von Rouen anregte. Erst 1500 beendete Hans Rottaler das Gewölbe (Abb. 123), 1525 fügten Erhard und Ulrich Heidenreich die Seitenkapellen an. In den Gewölben dieser Seitenkapellen, vor allem in den sechs der Westseite exaltiert das doppelte Rippensystem, verschlingt sich zu Astwerk (Abb. 116) und hängt wie Stalaktiten von der Decke. Stilgeschichtlich interessant ist der 1572 von Hans Wisreuther geschaffene HOCHALTAR, ein spätgotischer Schrein mit Predella und Sprengwerk, der aber bemalte Retabeln mit Rollwerk, Pilastern und Gebälk der Renaissance besitzt. Vorzüglich sind die Gemälde des Münchners Hans Mielich mit der Anbetung Mariens durch die Familie des Stifters Albrecht V., flankiert von Szenen aus dem Leben Christi und Mariens. Die

Rückseite zeigt u. a. die Disputation der hl. Katharina, der Schutzpatronin der Hochschule, vor der getreu porträtierten Ingolstadter Professorenschaft. Das *Glasgemälde* im Chormittelfenster, 1527 von Melchior Feselen mit Mariae Verkündigung und den Bildnissen der Herzöge Wilhelm IV. und Ludwig X. geschmückt, gehört zu den wenigen Glasarbeiten, die uns aus der Renaissance überkommen sind. Von den Denkmälern sind bemerkenswert die Bronzetafel für Joh. Eck († 1543) in der 5. Kapelle, eine Bronzetafel für Kurfürst Maximilian I. († 1651) mit einer Engelsfigur von Hans Krumper in der 8. Kapelle, sowie der Grabstein des Professors Permetter (Abb. 118). (Einzelheiten s. Kirchenführer.) Vom Liebfrauenmünster sind es nach Westen auf der Kreuzstraße nur wenige Schritte zum wohlerhaltenen Kreuztor.

Wer sich aber über die Konviktstraße nach Norden begibt, der findet in der Neubaustraße die hochgiebelige Kirche SANTA MARIA DE VICTORIA, zu der 1732 die vier Fakultäten der Universität den Grundstein legten. Veranlaßt wurde der Bau durch die Jesuiten, die 1556 ein Kolleg in Ingolstadt gründeten und nahezu alle Lehrstühle innehatten. Für die Studenten hatte 1577 Pater Franz Coster die Kongregation ›Mariae Verkündigung‹ gegründet, die Anfang des 18. Jh.s solchen Zulauf hatte, daß der Gebetsraum im Jesuitenkolleg nicht mehr ausreichte, weshalb 1732–36 der NEUE SAAL, das Prunkstück des bayerischen Rokoko, gebaut wurde (Abb. 120, 121). Nachdem bei der Säkularisation Bibliothek und Bauakten als Altpapier verkauft wurden, kann nur durch Stilvergleich Egid Quirin Asam (1692–1750) als Baumeister festgelegt werden, der mit seinen tüchtigen Gehilfen auch die Stukkaturen antrug. Mit Sicherheit stammt das großartige *Deckenfresko* von 40 Meter Länge und 15 Meter Breite von seinem Bruder Cosmas Damian Asam (1686–1739). Etwa acht Schritte vom Portal entfernt bezeichnet ein Kreis auf dem Fußboden die Stelle, von der aus man den besten Blick auf den Triumph Mariens hat. Der Überlieferung nach soll König Ludwig I. sich hier auf den Boden gelegt und stundenlang das Werk betrachtet haben. (Über die zahlreichen Anspielungen im Fresko – so ist bei den 26 Personen Europas Kurfürst Max Emanuel mit Sohn abgebildet – und über die kostbare Ausstattung informiert erschöpfend der Kirchenführer.)

Eine einzigartige Kostbarkeit ist in der SAKRISTEI verwahrt: die *Prunkmonstranz* mit der Darstellung der Seeschlacht von Lepanto am 7. 10. 1571, in der Don Juan d'Austria, der Sohn Karls V. und der Barbara Blomberg aus Regensburg, die Türken besiegte. Da man den Sieg der Hilfe Mariens zuschrieb, wurde das Rosenkranzfest auf den 7. 10. gelegt, später der Oktober zum Rosenkranzmonat erklärt. Die einen Meter hohe und 36 Pfund schwere Monstranz in getriebenem und teilvergoldetem Silber wurde 1708 von dem Augsburger Goldschmied Joh. Zeckl geschaffen (Abb. 117, 122). Eine bewundernswerte Detailarbeit, denn selbst die Schiffstaue und Strickleitern sind mit feinsten Goldfäden wiedergegeben. (Anmeldung beim Mesner im Bruderschaftshaus Neubaustr. 1 1/2 ist notwendig.)

Auf dem Weg zum Herzogsschloß kommen wir durch die Johannes- zur Schrannenstraße mit der MINORITENKICHE von 1380–1450. Diese schmucklose, strenge Bettel-

KLOSTER WELTENBURG AN DER DONAU

ordenskirche ist der krasse Gegensatz zu Santa Maria de Victoria. Der Chor wird vom
Schiff noch nahe dem Triumphbogen durch einen wuchtigen Hochaltar des 18. Jh.s ge-
trennt. Bemerkenswert sind einige der über 100 unversehrten Grabsteine, so für Prof.
Peißer von Hans Daucher (1516), für den Statthalter von der Leiten (1547) und für
H. Tettenhamer (1545) von Loy Hering.

Über den Holzmarkt rechts hinüber zur Ludwigsstraße und dann links zum Parade-
platz bringt uns der Weg direkt vors NEUE SCHLOSS, das Herzog Ludwig im Bart ins
Südosteck der Stadtbefestigung setzte. Der älteste Teil ist die Donauseite mit den
beiden massigen Türmen aus dem Anfang des 15. Jh.s, die mit ihren hohen Dächern den
Eindruck des Abwehrenden mehren (Abb. 124). Der Hauptbau bietet im Inneren gotische Säle und Zimmer mit schönen Rippengewölben, dazu eine prachtvolle Schloßkapelle. Die große Haupttreppe ist jüngsten Datums, es gab sonst nur Spindeltreppen,
nützt aber den Besuchern des BAYERISCHEN ARMEEMUSEUMS, das seit über einem Jahrzehnt dort untergebracht ist. Auch die Nebengebäude (Statthalterei, Remisen, Zeughaus, Ställe) wurden vor ihrer Übernahme zum Armeemuseum gründlich restauriert.
Die großen Stücke des Armeemuseums, die Feldschlangen und Kanonen etc. sollen ins
Reduit Tilly gebracht werden, eine der drei Bastionen an der Donaubrücke, die nicht
wie die Festungswerke gesprengt wurden, die Ludwig I. nach 1825 durch seinen Hof-
architekten Leo von Klenze (1784–1864) errichten ließ. Amerikanische Pioniere
schleiften diese militärisch bedeutungslosen Forts bis auf einige Tore im klassizistischen
Gewand.

Klosterkirche Weltenburg

An den Raffinerien von Ingolstadt und Neustadt/Donau vorbei gelangen wir auf der
Landstraße nach Weltenburg. Genußreicher ist die Fahrt auf einem Dampfer, der einen
Teil des Donaudurchbruches erleben läßt (Ft. 11; Abb. 127). An diesem einsamen Ort,
hart am Ufer der Donau, hinter sich den Steilhang des Frauenberges, soll bereits 620
durch Abt Eustasius von Luxeuil, einem Schüler des Bayern-Missionars Kolumban, eine
Zelle begründet worden sein. Den Platz soll die fromme Langobardenkönigin Theodo-
linde, die Tochter des Bayernherzogs Garibald I., besorgt haben, die mit Papst Gregor
dem Großen im Briefwechsel stand; er widmete ihr vier Bücher seiner ›Dialoge‹. Herzog
Tassilo III. (748–88), der letzte der Agilolfinger, den Karl der Große absetzen ließ,
erhob die Zelle 760 zur Benediktinerabtei. In den Ungarnzügen des 10. Jh.s und in den
Glaubenskriegen des 16. und 17. Jh.s wurde sie jeweils zerstört. Abt Maurus Bächl
(1713–43) leitete den Wiederaufbau von Kloster und Kirche, wie sie sich heute präsentieren. Zwar wurde die Abtei 1803 säkularisiert, doch 1842 von den Benediktinern
erneut erworben und ist seit 1913 wieder Abtei.

Cosmas Damian Asam, der Baumeister von St. Georg und St. Martin, brauchte auf
Vorgänger keine Rücksicht nehmen, konnte an die Flucht der Konventsgebäude eine

dreiachsige Fassade mit großem Mittelfenster und Dreieckgiebel stellen, die erst im 19. Jh. mit einer Benediktfigur bekrönt wurde. Wir treten in eine niedrige ovale Vorhalle ein, die den Psallierchor der Mönche und die Orgelempore trägt (Abb. 126). Ausgestattet wurde sie erst 1751 mit Stuck von Franz Anton Neu nach Vorlagen der Brüder Asam. Das Deckengemälde *Jüngstes Gericht* ist eine Arbeit von Franz Asam, Sohn des Cosmas Damian, von 1745. Bevor der Gläubige den langgestreckten Hauptraum betritt, wird sein Blick im Durchgang auf die stuckierten Symbole der ›Vier letzten Dinge‹ gelenkt: Tod, Gericht, Hölle, Himmel.

Wer den mit ockergelbem und grauem Stuckmarmor ausgekleideten HAUPTRAUM betritt, erblickt den Altar weit in der Ferne in einer Abfolge von Hell-Dunkel-Kulissen, bewirkt durch die hochsitzenden Fenster. Diesen Effekt hatte der Architekt gar nicht erzielen wollen; erst durch Joh. Konrad Brandensteins Orgel auf der Empore wurde das Licht aus dem großen Westfenster ausgeschaltet. Über den Säulen und Pilastern aus (echtem) Marmor der Umgebung wölbt sich die Kuppel, die jedoch auf halber Höhe abgesetzt wird. Eine gemalte Architektur führt auf der flachen Decke eine Wölbung weiter, beleuchtet aus unsichtbaren Fenstern des Tambours. Im *Deckenfresko* hat Cosmas Damian das Schema der Glorienkuppel, die Anordnung der Heiligen in konzentrischen Kreisen, aufgegeben, dafür eine Hauptgruppe gebildet, die in mächtiger Pyramide bis zu Christus und Gottvater aufsteigt. Von rechts nahen Benedikt und seine Schwester Scholastika samt den Heiligen des Benediktinerordens, dahinter Abt Maurus mit seinem Konvent, dazwischen ein Engel mit den Zügen Egid Quirin Asams, dessen Bruder die Figuren und den Stuck schuf. Auf der anderen Seite kann man unter den Aposteln deutlich Petrus und Johannes ausmachen, die in einem Netz die Herzen der Gottesfürchtigen fischen. Zur Orgel hin scharen sich Frauen und Jungfrauen um die

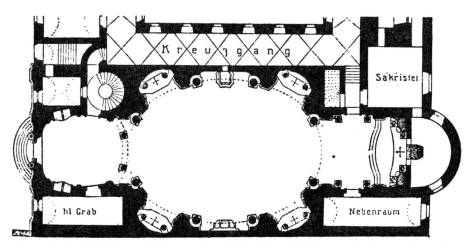

Klosterkirche Weltenburg a. d. Donau   Grundriß   (Nach: Die Kunstdenkmäler von Bayern)

KLOSTER WELTENBURG AN DER DONAU

hl. Cäcilie, Schutzpatronin der Musik. Aus der (gemalten) Laterne senkt sich schließlich die Taube des Hl. Geistes herab. Diese Darstellung der triumphierenden Kirche war keine Schaustellung artistischer Effekte, sondern sollte dem Andächtigen die Verklärung der Himmlischen zeigen, ihn erschüttern und zur Umkehr bewegen.

Als vermittelndes Glied zwischen den Heiligenscharen dient der *Kronreif* zu Füßen der Komposition, der frei zu schweben scheint, ein in Deutschland einmaliges Schmuckstück; nur Borromini hat in S. Carlo alle Quattro Fontane über dem Gesims unmittelbar vor die Mauer einen Reif mit Zacken und Sternen gelegt. Überboten wird dieser Effekt vom theatermäßigen Aufbau des ALTARES (Abb. 128). Aus leuchtender Ferne, erzeugt durch drei unsichtbare Fenster, reitet der hl. Georg, der Patron der Kirche, unter einem Triumphbogen in den Chor der Kirche, begleitet von den Zeugen seines Kampfes: der in der Abwehr erstarrten Prinzessin und dem Drachen, der sich vergeblich gegen das Feuerschwert aufbäumt. Das ›himmlische Licht‹ fällt auch auf den hl. Martin, dessen Gans den Drachen anzischt, und den hl. Maurus, der die Züge des Bauherrn Maurus Bächl trägt. Im Bogenscheitel sitzt das kurbayerische Wappen. Dahinter steigt auf Stuckwolken Maria in den Himmel, wo Christus unter einem Baldachin herabsteigt, seine Mutter zu empfangen. (Dabei wird der im Barock beliebte Übergang von Malerei in Plastik vorgeführt: Christus und die Engel sind gemalt, die Wolken dagegen gehen in Stuck über.) Die Seitenwände des Chors hat Egid Quirin für Oratorien reserviert und darüber versilberte Engel gesetzt, die mächtige Draperien aus rotem Stuck raffen. Das *Fresko* an der Apsiswand, das durch den Altarbogen schimmert, verbindet die Darstellung der Immaculata (der Unbefleckten) mit der Verherrlichung des Georgi-Ritterordens, den Kurfürst Karl Albert 1729 zur Verteidigung der Lehre von der Unbefleckten Empfängnis Mariens wieder ins Leben rief. Von Cosmas Damian hingegen stammen die Fresken im Chorbogen, die Herzog Tassilo III. und den hl. Benedikt samt der Allegorie der Religion zeigen, die Wandfresken im Hauptraum (die Ankunft der ersten Benediktiner in Amerika und die Predigt des hl. Benedikt), schließlich die Fresken im Psallierchor, die zu andächtigem Gebet mahnen.

Weltenburgs Kirche, 1716–18 im Rohbau erstellt, bis 1751 fertig ausgestattet, ist zwar die kleinste Abteikirche an der Donau, aber in Architektur, Licht- und Farbwirkung, dank der Genialität der Brüder Asam, die vorzüglichste. Dank des Bauherrn konnten sie hier ihr ganzes Können ausspielen. Mit diesem reifen Werk des Barock wollen wir die Kunstfahrten zwischen Neckar und Donau abschließen.

Ausgewählte Literatur

Zu Kapitel I: Merian, Heidelberg, XX. Jg., Heft 2, Hamburg 1967 – Heidelberg, Führer durch Stadt, Schloß und Umgebung, 13. Heidelberg o.J. – W. L. Becker-Bender, Heidelberg/Stadtführer, 2. Heidelberg o.J. – Karl Kölmel, Heidelberger Schloß-Führer, 18. Heidelberg 1973 – Adolf Zopf, Der Altstadtwanderer in Heidelberg erzählt, 2. Heidelberg o.J. – Ludwig Merz, Alt-Heidelberg in Kupfer gestochen, Heidelberg o.J. – W. v. Moers-Messmer, Der Heiligenberg bei Heidelberg, 2. Heidelberg 1974 – Peter Anselm Riedel, Die Heidelberger Jesuitenkirche, Heidelberg 1956 – Richard Benz, Heidelberg – Schicksal und Geist, Heidelberg 1961 – Karl Preisendanz, Die Rückgabe der Manessischen Handschrift, *in:* Ruperto-Carola, 7. Jg., Heidelberg 1955 – E. Jammers, Das königliche Liederbuch des deutschen Minnesangs, 1965 H. E. Busse (Hrsg.), Heidelberg und das Neckartal, Freiburg i. Br. 1939 – Reclams Kunstführer, Baudenkmäler Bd. II, Baden-Württemberg/Pfalz/Saarland, Stuttgart o.J. – Die Burgenstraße, Deutsche Heimat, Bd. 26, Stuttgart 1964 – Herold Kulturreiseführer, Bd. 11, Links und rechts der Burgenstraße, München o.J. – Ernst Brüche, Mosbachs große Zeit, Mosbach 1959 – Andreas Michalski, St. Peter zu Wimpfen im Tal, 5. München 1973 – Alma Helfrich-Dörner, Bad Wimpfen im Bild, Schwäbisch Hall 1967 – F. Arens & R. Bührlen, Die Kunstdenkmäler in Wimpfen am Neckar, Mainz 1972 – Merian, Heilbronn, 5. Jg., 3. Heft, Hamburg 1952 – Hans Koepf, Heilbronns Kilianskirche, Heilbronn 1961 – Helmut Schmalz, Heilbronn, Geschichte und Leben einer Stadt, Weißenhorn 1971 – Rudolf Schlauch, Württembergisches Unterland, Nürnberg 1966

Zu Kapitel II: Richard Schmidt, Hohenloher Land, 1956 – R. Schlauch, Hohenlohe-Franken, Nürnberg 1964 – Helgard Ulmschneider, Götz von Berlichingen, Sigmaringen 1974 – Elisabeth Grünenwald, Leonhard Kern, Schwäbisch Hall 1969 – Karl Schumm, Stiftskirche Öhringen, 4. Öhringen o.J. – Hohenloher Land, Bd. 24 der Führer zu vor- und frühgeschichtlichen Denkmälern, Mainz 1973 – Eduard Mellenthin, Kloster Schöntal, 8. 1968 – W. N. Dienel, Wo Kocher, Jagst und Tauber fließen, 2. Gerabronn 1967 – C. Prinz Hohenlohe, Schloß Neuenstein, München 1969 – Joh. Schumm, Heimatbuch Crailsheim, 1928 – Der Kreis Schwäbisch Hall, Aalen 1968 – Merian, Schwäbisch Hall, 28. Jg., 3. Heft, Hamburg 1975

Zu Kapitel III: G. Schörner & H. Schwamberger, Das Altmühltal, Ingolstadt 1975 – Sieghart Malter, Eichstätt/Altmühltal, Nürnberg 1971 – Erich Bachmann, Residenz Ellingen, München 1963 – Reclams Kunstführer Baudenkmäler, Bd. 1: Bayern, Stuttgart o.J. – Georg Schörner, Eichstätt, Ingolstadt 1974 – Domerneuerung Eichstätt 1971–75, Eichstätt 1975 – Karl Busch, Dinkelsbühl, St. Georg, München 1961 – Paul Gluth, Dinkelsbühl, die

231

AUSGEWÄHLTE LITERATUR

Entwicklung einer Reichsstadt, 1958 – G. A. Zipperer, Nördlingen, St. Georg, 1958

Zu Kapitel IV: Jos. Heider, Neuburg a. d. Donau, 8. o.J.; Unser Landkreis Neuburg-Schrobenhausen, München 1973 – Rudolf Koller, Ingolstadt, 1974 – F. Koislmeier & H. Schnell, Santa Maria de Victoria, München

1969 – Otto Kleemann, Geschichte der Festung Ingolstadt, München 1883 – Erika Hanfstaengl, Der Brüder Asam, München 1953; Kloster Weltenburg, Kunstführer Nr. 360 von Schnell & Steiner, München 1965 – Joseph Braun, Die Kirchenbauten der deutschen Jesuiten, 2. T., Freiburg i. Br. 1910

V Praktische Reisehinweise

Was Leib und Seele zusammenhält

Wenn Sie des Schauens müde geworden sind, die gotischen Altäre in Ihrer Erinnerung mit den barocken verschwimmen, dann ist es Zeit, unter die Menschen zu gehen, die ins Visier zu nehmen, die als Nachbarn der Kunstwerke leben, die für sie, die Glücklichen, schon zur Selbstverständlichkeit geworden sind. Damit sich der ermattete Körper zu neuen Taten rüsten kann, habe ich mir ein paar Hinweise erlaubt, damit Sie nicht hungrig oder durstig aus einem gastfreundlichen Gebiet Deutschlands scheiden müssen. Eine Werbung für irgendein Hotel oder einen Gasthof wolle man nicht argwöhnen, nirgends habe ich gratis gewohnt oder gegessen; es sind historisch interessante Stätten oder bei Kunstwerken gelegene, die genannt wurden.

Gaststätten und Bräuche in Heidelberg

Beim Stichwort Heidelberg fällt einem zuerst ein Evergreen ein, Wilhelm Meyer-Försters Schauspiel ›Alt-Heidelberg‹ und das Lied »Ich hab mein Herz in Heidelberg verloren«, das die Spieler an den ›Bierorgeln‹ (Klavieren) diverser Lokale anzustimmen pflegen, wenn genügend Touristen versammelt sind, um die Luft der alten Burschenherrlichkeit zu atmen. In den ›Roten Ochsen‹ (Hauptstr. 217) und den ›Seppl‹ (Hauptstr. 213) gleich nebenan zieht es die bemoosten Philister zurück in die unbeschwerte Jugend, aber auch Tausende von Angelsachsen und Japanern, die Fremden überhaupt, um die von der Decke hängenden Trinkhörner, Leuchterweibchen und Petroleumlampen im ROTEN OCHSEN, erbaut 1703, zu bestaunen, die mit Porträts und Gruppenaufnahmen übersäten Wände und die alten Krüge auf den umlaufenden Borden. Im SEPPL fällt gedämpftes Licht aus bunten Glasampeln auf die zahllosen Aushängeschilder und Hinweise, von längst vergessenen Musensöhnen abmontiert und hier aufgehängt. Hier sitzen Fremde und Studenten eng beisammen, trinken den Pfälzer Wein aus den ein ›Viertele‹ fassenden Gläsern und gleiten hinüber in die unbeschreibliche ›deutsche Gemütlichkeit‹. In all diesen bodenständigen Lokalen gibt es Sauerbraten mit Knödeln, Kartoffelpuffer mit Apfelbrei, Rippchen mit Kraut, das so deftig schmeckt wie einst zu Zeiten der Liselotte von der Pfalz, die den aus Heidelberg nach Versailles reitenden Kurieren

ZU GAST IN HEIDELBERG UND AM NECKAR

auftrug, Sauerkraut mitzubringen. Das in Salzwasser gekochte Rippchen ist kalt, mit Brot und Senf genossen, ein ideales Vesper zu allen Tag- und Nachtzeiten.

Im CAFÉ KNÖSEL (Ecke Haspelgasse/Untere Straße) residieren ›Westfalen‹ und ›Vandalen‹, deren Aktive und Alte Herren mit Band und Mütze neben den Gästen Kaffee und Kuchen verzehren, fleischgefüllte Blätterteigpasteten und hervorragenden Zwiebelkuchen zum ›neuen Wein‹. Die Wände sind inkrustiert mit zahlreichen Fotos und Schattenrissen der Burschen und Füchse verblichener Semester, die alle ihren Fridolin preisen, den großzügigen Vater des jetzigen Besitzers, der gleichfalls so heißt und trotz der Schlägermensuren und Schmisse seiner Stammkundschaft ein zartes Waffelgebäck mit Schokolade, den ›Heidelberger Studentenkuß‹, kreierte. Wem das zu gelassen ist, verfüge sich abends ins SCHNOCKELOCH (Schnakenloch) in der Haspelgasse 8, das schon vor 300 Jahren von Studenten frequentiert wurde. Hier und im nahen GOLDENEN HECHT (Ecke Steingasse/Brückentor) serviert man den Zwiebelkuchen mit Speck und Schmelzkrem, damit der Gaumen den Wein wieder schmecken kann, oder gelegentlich den heimischen ›Specksalat‹, einen warmen Kartoffel- und Krautsalat, mit ausgelassenem Speck (Grieben) heiß übergossen. Der reizvoll ausgemalte ›Hecht‹ besitzt ein Wandbild mit der Unterschrift »Hier hätte Goethe beinahe übernachtet«, denn wegen Überfüllung des Hauses mußte er in die ›Drei Könige‹ ausweichen.

Sehr gut speist man im RITTER, im Parterre des herrlichen Renaissancegebäudes, sowie im PERKEO und im GOLDENEN ENGEL, alle an der Hauptstraße gelegen. Die Engelsköchin bekam vor Jahren einen Preis für ihre Schöpfung ›Zahmer Wildschweinbraten mit Nußtunke und Kartoffelklößchen‹, eine Erinnerung an die Zeiten des Jägers aus Kurpfalz. Zu empfehlen sind ferner die ›Kupferkanne‹ in einem Barockhaus, das ›Güldene Schaf‹, der ›Holländer Hof‹, die ›Backmulde‹ und der ›Schinderhannes‹.

Nachdem die Demonstrationszüge etwas nachgelassen haben, bemerkt der Besucher wieder die alten Umzüge‹, so am Fastnachtsdienstag, so am Sonntag Laetare, wo die Kinder mit den Sommerstecken den ›Winter‹ austreiben und den Sommer einholen. Auch an Martini (11. 11.) ziehen die Kinder mit Laternen durch die Straßen und am 5. 12., dem Vorabend von Nikolaus, beherrschen die ›kleinen Belzenikel‹ die schon weihnachtlich geschmückten Straßen. Der Weihnachts- und Christbaummarkt hält Kornmarkt, Stadtmarkt (beim ›Herkules‹) und Uniplatz besetzt. Für sangeslustige Bürger und Studenten ist die Nacht zum 1. Mai gedacht, in der die Gesangvereine auf dem Marktplatz ihre Kunst hören lassen.

Berühmt sind die Brillantfeuerwerke vor dem dunkelrot ›glühenden‹ Schloß und der Alten Brücke, makabre Erinnerungen an Brand und Zerstörung von Schloß und Stadt 1689 und 1693, an die allerdings kaum ein Betrachter mehr denkt.

Gast auf der Burg und im Schloß

Am unteren Neckar und im Hohenloher Land sind die Burgen und die Schlösser besonders dicht gesät, waren doch wichtige Straßen zu bewachen und brauchten die hohenlohischen Linien doch alle eine Residenz. Die mächtigen Ringmauern, die Tore und die Türme sind aber ihren Eignern inzwischen zur teuren Last geworden, da schon fast zwei Jahrhunderte vergangen sind, seit die letzten fronenden Bauern Hand- und Spanndienste leisteten, wenn es zu reparieren galt. Was Wind und Wetter benagt haben, was der Frost absprengte an Fassaden und Steinen, an Figuren und Dächern, das muß der Burg- und Schloßherr genau so teuer bezahlen wie jeder andere Privatmann auch; es gibt keinen Burgenrabatt. Zwar schießen die Denkmalspfleger in Baden-Württemberg und Bayern bei besonders gefährdeten Objekten etwas zu, aber wer bedenkt, daß allein in Bayern 3 000 Kirchen, Schlösser, Burgen und städtische Ensembles auf Unterstützung warten, kann sich ausmalen, wieviel Zeit vergeht, bis ein Zuschuß eintrifft.

Ein Ausweg aus diesem Dilemma war der Gedanke, Burgen und Schlösser dem anspruchsvollen Gast zu öffnen, der für Tage, müde seines eigenen Heimes oder auf bildender Reise begriffen, inmitten des historischen Mobiliars leben will. Die in der Vereinigung ›Gast im Schloß‹ zusammenarbeitenden Schloß- und Burghotels verpflichten sich nicht nur zur Gastlichkeit, sondern bieten trotz des historischen Rahmens modernen Komfort. Stichwortartig sollen sie vorgestellt werden:

SCHLOSSHOTEL auf der BURG HIRSCHHORN am Neckar, geöffnet vom 15.1.–15.12., auf guter Straße erreichbar, mit Terrasse über dem Neckartal.

Das Gästehaus SCHLOSS HOCHHAUSEN am Neckar (bei Neckarelz und nahe der Notburgakapelle) besitzt nicht nur einen gepflegten Park mit alten Bäumen, sondern im spätbarocken Schloß der Grafen vom Helmstatt eine zweigeschossige Halle von 1895.

GAST AUF BURG UND SCHLOSS · DIE WEINE

Die Hausbibliothek steht Gästen zur Verfügung, die Küche wird u. a. aus eigener Jagd beliefert.

Auf dem rechten Neckarufer wurde ›Im Alten Marstall‹ der BURG HORNBERG ein Hotel mit Burggaststätte eingerichtet, in der nicht nur die Hornberger Weine ausgeschenkt werden, sondern auch Spießbraten am ›Götzen-Grill‹ der wetterfesten Terrasse serviert wird. Kupferstiche, Schmiedearbeiten und eine schöne Zinnsammlung verwöhnen das Auge.

Auf SCHLOSS GUTTENBERG gegenüber hat man sich auf Hochzeiten eingestellt, hält dafür die ev. Burgkapelle bereit, dazu das historische Brunnenhaus mit seinem Hochzeitszimmer für 35 Personen oder die ›Schenke im Falkenhorst‹ für 100 Personen. Nahebei beherbergt die Greifenwart des Ornithologen Claus Fentzloff über 100 Greifvögel und Eulen; dort werden auch Seeadler und andere vom Aussterben bedrohte Großvögel aufgezogen und trainiert. Wem das zu luftig ist, kann sich vom Burgherrn persönlich durch Burg und Museum führen und bei einer anschließenden Weinprobe beraten lassen. Vom schaurigschönen ›Burggeisterfest‹ schwärmen Beherzte.

Das SCHLOSSHOTEL HEINSHEIM am Neckar, östlich Bad Rappenau, ist im Barockschloß der Familie von Racknitz untergebracht. In der Schloßschenke wie im Ahnensaal werden Weine aus eigenem Weingut ausgeschenkt.

Nicht nur zur Festspielzeit, sondern vom 1.4.–15.10. ist das Gästehaus in der GÖTZENBURG ZU JAGSTHAUSEN geöffnet. Mit alten Möbeln eingerichtete Gästezimmer (so z.B. das Weislingen-Zimmer) erinnern an die behagliche Gastlichkeit, die Goethe schon dem Ritter Götz zuschrieb. »Kommt, setzt Euch, tut, als ob Ihr zu Hause wärt, denkt, Ihr seid wieder einmal beim Götz!«, steht daher an der Wand der Gaststube.

Schon im Hohenloher Land nördlich Öhringen liegt, von Wald und prachtvollem Park umschlossen, das Hotel im JAGDSCHLOSS FRIEDRICHSRUH, dessen Besitzer, Fürst Kraft zu Hohenlohe, eigene Weine aus der Schloßkellerei Öhringen ausschenken läßt. Das 1712 von Fürst Joh. Friedrich von Hohenlohe-Öhringen als Sommerresidenz erbaute Jagdschloß ist stilvoll mit antiken Möbeln eingerichtet und bietet als Attraktion einen eigenen Wildpark, Freibad, Hallenschwimmbad und Golfplatz mit 9 Löchern.

Auf der tausendjährigen BURG STETTEN, zwischen Künzelsau und Langenburg am Kocher gelegen, haben die Freiherren von Stetten ein Burghotel eingerichtet, das zusammen mit dem Gästehaus ›Gutshof‹ und dem Torhaus betrieben wird. Hier warten eine Burgkapelle auf Hochzeiter und Islandponnies auf Reiter.

Das Hotel SCHLOSS VELLBERG, südöstlich Schwäbisch Hall, bietet gar einen Hochzeitsturm mit 7 Betten in 4 Zimmern, dazu Trauung in der Schloßkapelle für alle Konfessionen, aber auch einen Rittersaal für 60 Personen. Auf Wunsch wird eine weiße Hochzeitskutsche besorgt, samt Kutscher mit Frack und Zylinder.

Aus EGGERSBERG bei Riedenburg/Altmühl, dem ehem. Jagdschloß der bayerischen Herzöge, wurde ein Burghotel mit antiken Zimmern und einem Theatersaal gestaltet. Für Ausritte und die begehrten Herbstreitjagden steht ein eigener Reitstall, für kontemplative Besucher ein eigenes Angelwasser zur Verfügung.

Von den Weinen am unteren Neckar und am Kocher

Daß man so wenig hört von den Weinen des württembergischen Unterlandes und am Kocher hat seine Gründe; einmal gehört dieses Gebiet, trotz mancher Wiederbepflanzung, zu den kleinsten Anbaugebieten Deutschlands, zum anderen wissen die Einheimischen ihre Gewächse sehr zu schätzen. Justinus Kerner hat einmal in einer schlaflosen Nacht mit Hilfe seines Sohnes ausgerechnet, daß er in 30 Jahren an die 20 000 Liter Wein aus dem Becher getrunken habe, den Nikolaus Lenau ihm vor seiner Fahrt nach Amerika (1834) geschenkt hatte. So hebefreudig ist heute kaum einer mehr, doch gilt das abendliche Viertele als Stärkung, die man sich selten entgehen läßt. Bei der Fahrt längs der Burgenstraße haben wir beim Eintritt ins Muschelkalkgebiet schon die Weinberge erblickt, deren Gewächse auf der Götzenburg Hornberg, in den Gaststätten und Weinstuben zu Gundelsheim und Neckarsulm getestet werden können. Sie lesen richtig: eine der wenigen Industriestädte unseres Gebietes ist eine alte Weingärtnergemeinde wie das benachbarte Heilbronn auch. Größte Sortenvielfalt treffen wir in Weinsberg unterhalb der Burgruine Weibertreu an: Riesling und Silvaner, die sonst die Hänge besetzt halten, aber auch Schwarzriesling, Trollinger, Lemberger und Traminer. Grund ist nicht nur das ausgezeichnete Kleinklima, sondern auch die Weinbaufachschule des Landes, die sich an Züchtungen versuchen muß.

Das nächste Weinbaugebiet liegt östlich davon um Öhringen und Pfedelbach, das in den letzten Jahrzehnten durch Flurbereinigung und subventionierte Neuanlagen sehr gefördert worden ist, um einen Nebenerwerb zur Landwirtschaft zu schaffen. Rebensorten sind hier Silvaner, Riesling, Muskateller und Gutedel, dazu als Rotgewächse (15 % des Bestandes) Trollinger und Portugieser; neuerdings zieht der Müller-Thurgau ein, der früher geherbstet werden kann. Die Winzergenossenschaften können vielfach die alten Zehntkeller benutzen, die noch aus der Zeit überwiegender Naturalsteuern in den Gemeinden stehen. Der größte ist der Herrenkeller (ehem. fürstl. Keller) in Pfedelbach, in dem 14 dörfliche Weinbaugenossenschaften ihre Ernte einlagern. Zu besichtigen ist ein barockes Prunkfaß von 1752, das einst 647 000 Liter faßte, während das im Öhringer Schloßkeller 'nur' 215 000 Liter hielt. Heute geht man nicht mehr auf 'Massenträger' aus, sondern auf Qualitätsweine, die zudem in solch riesigen Fässern nicht ausgebaut werden könnten. Bekannt sind die Weine aus Pfedelbach und Michelbach, aus Heuholz und Verrenberg, wo die Fürsten von Hohenlohe-Öhringen allein 20 ha besitzen. Wer motorisiert ist, kann seinen Beifahrer die Weine von Eschelbach (am Fuß der Waldenburger Berge), etwa den ›Schwobajörgla‹, kosten lassen, oder die von Dimbach, Waldbach und Scheppach, dreier Orte, die zum Brettachtal hin liegen, oder schließlich die Kreszenzen der westlichsten Hohenloher Orte Schwabbach (an der alten Grenze zwischen Franken und Schwaben) und Siebeneich mit dem lieblichen ›Himmelreich‹.

Ein drittes Zentrum des Weinbaus ist das mittlere Kochertal. Spitzenweine sind hier der ›Ingelfinger Schloßgeist‹, die ›Criesbacher Kocherperle‹ und der ›Niedernhaller

237

FESTSPIELE · SCHLOSSKONZERTE · VOLKSFESTE

Distelfink‹, ursprünglich ein Spottname für die Niedernhaller, die daraus einen Ehren-
namen machten. Aber auch die anderen Lagen dieser Orte, so das ›Ingelfinger Kasi-
mirle‹ (mein Tip) bringen spritzige Weine hervor. Probieren sollten Sie auch den Bel-
senberger, den Weißbacher und den Forchtenberger jeweils am Ort und sich die steilen
Hänge besehen, auf denen die guten Tropfen gedeihen.

Vielleicht paßt zum Abschied vom Wein, was Abt Knittel von Schöntal in die
Kelter von Niedernhall schnitzen ließ:

»Wenn Niedernhall im Kochertal wird reich an Most
So freut zumal auch sich Schöntal ob dieser Post.
Gott schütz uns all vor Unglücksfall, Güß, Hagel, Frost,
Vor Krieg und Pest von Nord und West, von Süd und Ost.«

Festspiele – Schloßkonzerte – Kinderzeche

Theater mit festem Ensemble und eigenem Haus konnten sich nur in den großen Zentren entwickeln, in Heidelberg und Ingolstadt, wo ganzjährig, in Heilbronn, wo von
September bis Mai Schauspiel und Operette gespielt werden. Dafür wartet unsere
Region mit vier Festspielen auf, von 'Profis' bestritten und längst aus den Kinder-
schuhen herausgewachsen. Da sind die BURGFESTSPIELE im Burghof von JAGSTHAUSEN
zu nennen, die von Ende Juni bis Anfang August drei- bis viermal in der Woche nicht
nur Goethes ›Götz von Berlichingen‹ an historischer Stätte, sondern stets auch zwei
Stücke meist zeitgenössischer Autoren bieten. Im gleichen Zeitraum werden im KREUZ-
GANG DER STIFTSKIRCHE ZU FEUCHTWANGEN Dramen der Weltliteratur aufgeführt, wobei sich eine gewisse Vorliebe für Shakespeare herausgebildet hat. Im Juli und August
ist dann die berühmte FREITREPPE zur Michaelskirche in SCHWÄBISCH HALL Schauplatz
von Freilichtspielen, deren Stoffe ebenfalls der Weltliteratur entstammen. Freunde von
Oper und Operette werden an den Sonntagen im Juni und Juli im BERGWALDTHEATER,
einem Freilichttheater oberhalb WEISSENBURG, erfreut.

Die Freiherren von Tucher haben ihren herrlichen Rokokosaal in SCHLOSS LEITHEIM
an der Donau für Konzerte – vorwiegend Kammermusik – erstklassiger Ensembles zur
Verfügung gestellt. Musik aus dem Ende des 18. Jh.s harmoniert besonders gut zum
einmaligen Raum.

Von Laien getragen, die viel Zeit und Fleiß anwenden, ist die ›KINDERZECHE‹ IN DIN-
KELSBÜHL, die seit über 300 Jahren Mitte Juli abgehalten wird. Erinnert wird dabei an
die Besetzung Dinkelsbühls durch die Schweden 1632–34 und die milde Behandlung
der Stadt durch ihren Kommandanten, Oberst Claus Dietrich Sperreut(er) aus Wals-
rode, der zwar eine hohe Kontribution forderte, weil die Stadt sich 14 Tage gewehrt
hatte, sie aber unzerstört ließ. In der ›Kinderzeche‹ verbindet sich das historische
Ereignis mit einem alten Sagenmotiv – der Bitte unschuldiger Kinder bei einem Böse-

238

wicht mit Herz – zu einem Spiel, das eine Woche lang im Schrannensaal aufgeführt wird. Anschließend ziehen die Darsteller in einem Festzug durch die Stadt, wozu die bekannte ›Dinkelsbühler Knabenkapelle‹ (mit Dreispitz und schwarz-weißer Uniform Mitte des 18. Jh.s) ihre Märsche spielt. An den Nachmittagen ist auf dem 'Schießwasen' (beim Bahnhof) Volksfest mit Schwertertanz und Zunftreigen.

Volksfeste – Umzüge – Märkte

Schon in Dinkelsbühl sind Sie in eines der Volksfeste geraten, die noch reichlich und unkonventionell zwischen Neckar und Altmühl angetroffen werden. Hier sind keine Regisseure tätig, niemand übt monatelang für die verehrten Touristen, man zeigt sich und der Nachbarschaft etwas ohne Ehrgeiz und ohne Honorare. Daher erwartet man von Ihnen nichts, auch keine billige Kritik. Um etwas Gliederung in die Vielfalt zu bringen, gehen wir im Jahreslauf vor.

Den Auftakt machen Mitte Januar die PFERDEMÄRKTE, die in einem noch von der Landwirtschaft geprägten Gebiet höchstes Ansehen genießen, wie der Roßmarkt in Niederstetten im Vorbachtal nordöstlich Bartenstein oder der ›Kalte Markt‹, der zweitägige Pferdemarkt in Ellwangen. Der Heilbronner Pferdemarkt ist mit dem letzten Montag im Februar besser datiert, und der Pferdeumritt zu Ehren des hl. Gangolf findet in Neudenau stets am 2. Sonntag im Mai statt, wozu schon 450 Reiter gekommen sind. – Achten Sie einmal darauf, wie das Alter der Pferde geprüft wird, wie die Zeichensprache der Roßhändler funktioniert und daß ein Handschlag noch etwas gilt, nämlich genauso viel wie eine notarielle Urkunde.

Heiterer geht es an FASTNACHT zu. In Ellwangen wird am Fastnachtssonntag ›Der Pennäler Schnitzelbank‹ begangen, d. h. die Gymnasiasten verlesen auf dem Marktplatz eine satirische Zeitung, die sie in unermüdlicher Kleinarbeit mit den Schwächen, Abenteuern und Einseitigkeiten der Ortsoberen angefüllt haben, die notgedrungen gute Miene zum Aufspießen machen. Aus dem Erlös der Exemplare wird dann die Bierkasse aufgefüllt. – Eine lange Tradition haben Fastnachtsbräuche im Altmühltal, denn schon Wolfram von Eschenbach erwähnt in seinem Epos ›Parsival‹ (etwa 1200–10 entstanden) das übermütige Treiben der Frauen in der ›vasnaht‹ in Dollnstein. Am originellsten sind heutzutage die ›Kipfenberger Fasenickl‹, die rautenbestickte Gewänder mit Schellen tragen und sich hinter gelb bemalten Masken verbergen, mit rhythmischem Peitschenknallen durch die Straßen ziehen, ursprünglich wohl Dämonen abzuwehren hatten. Gewänder und Masken werden noch im Ort gefertigt und möglichst konform gehalten, die Masken bewußt ausdruckslos.

Am Donnerstag nach Aschermittwoch beginnt in Dietfurt/Altmühl ein Brauch, der seit 1680 geübt wird. In der Fastenzeit finden jeden Donnerstagnachmittag in der Franziskanerklosterkirche PFINGSTAPREDIGTEN (von Pfinztag = Donnerstag) statt, bei

MÄRKTE · KIRCHWEIHEN · MESSEN

denen am Altar biblische Ereignisse dramatisch und musikalisch dargestellt werden, ein später Nachhall der mittelalterlichen Passionsspiele. Bevor aber die Laien die Wunder und Leiden Christi darstellen dürfen, wendet sich ein Franziskaner mit seiner Predigt jeden Donnerstag an einen anderen Stand.

An kirchliche Feste knüpfen MESSEN und MÄRKTE an, wie z. B. der Ostermontagsmarkt mit Festzug in Crailsheim oder das Volksfest ›Mittlere Donau‹ in Ingolstadt, das die Pfingstwoche nutzt. Am 1. Maisonntag beginnt in Eichstätt die Walburgidult (Dult = Jahrmarkt) und am 2. Julisonntag die Willibaldsdult, womit die Eichstätter Lokalheiligen unvergessen bleiben, wie der hl. Jakob in Weißenburg, dessen Sommerfest um seinen Tag (25. 7.) liegt. – VOLKSFESTE IM JULI, die sich nicht um einen kirchlichen Kern gelagert haben, gibt es in Schrozberg, am 3. Sonntag mit Festzug in Treuchtlingen, in Ellwangen begeht man die Heimattage und Ende Juli/Anfang August hat Heilbronn das ›Unterländer Volksfest‹ zu Gast. In Kipfenberg an der Altmühl denkt man in historischen Dimensionen und feiert Mitte AUGUST das ›Limesfest‹ mit Römergruppen und historischen Trachten im Festzug. Das ›Fränkische Volksfest‹ in Crailsheim liegt schon im SEPTEMBER, an dessen letztem Sonntag Feuchtwangens großes Heimatfest ›Mooswiese‹ begangen wird. Zu diesen Heimat- und Volksfesten kommen nicht nur die Einheimischen, sondern auch, wenn sie es sich finanziell leisten können, die Abgewanderten, um ihre Verwandtschaft und ihre Heimat wiederzusehen.

Der Oktober ist der ideale Monat für KIRCHWEIHEN, die zumindest den Samstag, Sonntag und Montag umfassen müssen, soll man in den Nachbargemeinden mit Achtung von den Gastgebern sprechen. Die feierlichste Kirchweih ist schon Ende September in Neuenstadt am Kocher mit dem traditionellen Hammeltanz zwischen dem Schloß der herzoglichen Nebenlinie Württemberg-Neuenstadt und der Lindenanlage. Den meisten Zulauf hat aber die MUSWIESE, ein Handels- und Verkaufsmarkt bei Rot am See, südlich Rothenburg ob der Tauber. Urkundlich schon 1434 erwähnt, gilt der Markt in der Woche um St. Burkard (14. 10.), dem Ortsheiligen von Musdorf, der von Bonifatius 741/42 als erster Bischof von Würzburg eingesetzt wurde. In der ältesten Muswiesenordnung von 1530 werden als Händler bereits Gewürzkrämer, Leinwander, Schreiner, Häfner, Keßler, Messerschmiede, Drechsler u. a. genannt, deren Stände vom Marktvorsteher verlost wurden, während die geringeren Marktleute die schlechten Plätze durch Münzwurf unter sich ausspielten. Aus der Marktordnung von 1700 erfahren wir von neuen Ausstellern wie Buchkrämer, Kürschner, Apotheker, Stein- und Bruchschneider und Ärzte. Glasbläser kamen aus Böhmen, Spitzenhändler aus Annaberg im Erzgebirge, Tuchkrämer aus Sachsen, Gewürz- und Perlenhändler aus Italien und Savoyen. Seinen Höhepunkt hatte der Markt 1832 mit 670 Ausstellern. Seitdem sind manche Gewerbe von der Muswiese verschwunden, wie die Rotgerber und Schuhmacher, andere haben Stände bezogen wie Fotografen, Friseure, Spielwarenhändler und Schausteller aller Art. Was es Neues auf der Muswiese gibt, können Sie bei einem Besuch leicht feststellen. An Bier und Wein fehlt es dort nie, wenn auch der Rekord von 39 Gastwirten des Jahres 1626 nicht mehr erreicht worden ist.

In HARBURG könnten Sie sogar mithelfen, das alte Volks- und Kinderfest auf dem ›Bock‹, dem Hasenbühl zwischen Harburg und Möggingen, zu beleben, das seit 1800 an jedem 24. Juni begangen wurde aus Freude darüber, daß die gefürchtete Beschießung des Städtchens unterblieb. Aus dem Datum ersehen Sie unschwer, daß das BOCKFEST ursprünglich eine Johannisfeier war.

Waren bei all diesen Festen die Einheimischen die Darsteller, deren Ursprünglichkeit Sie beobachten konnten, so gibt es eine Ausnahme: in PAPPENHEIM sind einmal im Jahr Auswärtige die Akteure. Im Mai kommt die Gesellschaft ALTNIEDERLANDT, die sich der Pflege von Kunst, Geselligkeit und gegenseitiger Achtung verschrieben hat, zu ihrer ›Weltumseglung‹ an. Die etwa 500 ›Mynheers‹ haben sich in altniederländische Tracht gesteckt, bringen bei einem Vorabend ihre Gedichte an den Mann und ziehen mit Lampions durchs illuminierte Städtchen. Tags darauf gibt es Standkonzert, Festzug und Festabend (ohne Damen), während vom Burgturm die Losungsworte ›VAN‹ leuchten.

Etwas über die Leute, über Küche und Keller

Die Stämme der Pfälzer und Schwaben, die unser Gebiet im Westen, die Franken, die es in der Mitte und im Osten bewohnen, sind geselliger Natur, reden gerne und viel und wundern sich über die Gäste aus dem Norden, die partout an einem Tisch alleine sitzen wollen, um sich durch ein Abendessen oder Glas Bier durchzuschweigen. Gerade am Neckar, Kocher und der Jagst, wo man seine Schoppen Wein als kräftigende Medizin einzunehmen versteht, kann man Alltagssorgen und hohe Politik bereden, zumal diese in Gelsenkirchen und Flensburg denen in Kocherstetten und Ingelfingen gleichen. Angeberei schätzt man dort ebensowenig wie den Verdacht, man lebe hinter dem Mond, weil Heilbronn keine U-Bahn besitzt, zwischen Weißenburg und Eichstätt keine S-Bahn verkehrt.

Da die Bevölkerung vorwiegend in Dörfern und Kleinstädten wohnt, wird das Jahr noch eingeteilt; neben Lichtmeß (1. 2.), Johanni (24. 6.), Michaeli (29. 9.) und Martini (11. 11.), Weihnachten, Ostern und Pfingsten feiert man noch die bäuerlichen Feste ›Niederfall‹ (Erntedankfest), ›Kärwe‹ (Kirchweihe, s. o.) und ›Metzelsupp‹ (die Hausschlachtung), die im November und im März ansteht. Wer gerade an diesen Tagen durch die Dörfer kommt, sieht sich in Breughelsche Bilder versetzt, denn selbst Kleinbauern 'fahren auf' und machen sich einen 'dicken Tag'. Das Geschlachtete ruft nach Sauerkraut, das mit Bier gelöscht werden muß, gegen Fettes hilft nur ein Schnaps, der genossene Alkohol wird mit Kaffee neutralisiert, zu dem wiederum Kuchen verschiedener Art serviert werden, abends muß man die Wurst probieren, die in vielfacher Zubereitung aufgetischt wird, was wiederum Durst erzeugt; so verbringt man im Nu seine zehn, zwölf Stunden, bevor der Alltag mit seinem schlichteren Speiseplan anbricht. Ähnlich üppig geht es bei den FAMILIENFEIERN wie Taufe und Hochzeit zu, nur

241

AUS KÜCHE UND KELLER

daß weitaus mehr Gäste mitwirken, auch beim Leichenschmaus, der puritanischen Seelen ein Greuel ist. Doch schmaust und zecht man ja nicht, weil man jemanden endlich losgeworden ist, sondern weil sich die weitverzweigte Verwandtschaft und die Nachbarn nach langer Zeit treffen und der Verblichene es so gewünscht hätte, was keine Heuchelei ist. Schon bei Lebzeiten legen vorsichtige Hausväter etwas zurück ›für die Leich‹. Wenn Sie als Fremder, als Sommer- oder Herbstgast zu einer dieser Feiern gebeten werden, dann sollte Ihnen das vorkommen wie einst einem Knappen der Ritterschlag; auch er mußte den Tag vorher fasten.

Die fruchtbarste Landschaft ist das Ries, das daher auch die stolzesten Bauern hat, die noch ihre eigene TRACHT tragen, wenn sie zum Einkaufen, zum Markt in ihre 'Hauptstadt' Nördlingen kommen: hohe schwarze Stiefel, eine schwarzlederne Kniebundhose, einen blauen Kittel mit weißer Achselstickerei, dazu die höheren Semester einen flachen, runden Hut. Sie treffen sich Mitte Juli beim Scharlachrennen (Siegespreis ist seit altersher ein scharlachrotes Tuch), das mit der größten Pferdeschau Süddeutschlands gekoppelt ist.

Östlich der Linie Bartenstein–Hall–Gaildorf hat sich BIER als Getränk absolut durchgesetzt. Viele kleine und mittlere Brauereien – dazu manche Hausbrauereien – verstehen es, ein gutes Gebräu herzustellen. Am besten schmeckt das Bier im Brauereiausschank oder sommers in den Kellerwirtschaften, etwa denen am Rande Weißenburgs. Linienbewußte schwören auf Weizenbier, von dem das schmackhafteste aus Riedenburg an der Altmühl kommen soll. Wer hart arbeiten muß, wem das Bier zu teuer ist, der hat seinen Most im Keller, aus Äpfeln, seltener aus Birnen gekeltert. Als Hausarznei, vorwiegend vorbeugend genommen, gilt der Obstbranntwein, der doppelt gebrannte aus Zwetschgen und Birnen zumal, der milder und aromatischer schmeckt, je älter er ist. Da er in der Regel mehr als 50% Alkohol bietet, ist eine kleinere Dosis als beim Most anzuraten.

Bier, Most und Obstler bekommen Sie frisch und unverfälscht auch in den zahlreichen Gaststätten, die in der Regel so konservativ sind, daß sie noch nicht auf Chrom und Resopal umgerüstet haben, vielfach noch sandgescheuerte Ahorntische und vertäfelte Wände besitzen. Im Hohenlohischen bis hinüber zum Wörnitzgrund gibt es die Besonderheit der VESPERWIRTSCHAFTEN, die von denen frequentiert werden, die zwischen dem Frühstück und dem Mittagessen, das sie zu Hause einnehmen, eine Stärkung an Fleisch und Wurst benötigen, dazu einen kräftigen Schluck Bier oder Most. Doch gibt es natürlich auch die Wirtschaften mit gut bürgerlicher Kost und zivilen Preisen, denn hier lassen sich Gastwirte oft Generationen Zeit, um reich zu werden. Wer gediegen und mit historischer Umgebung essen will, der sollte z. B. in Ellwangen im ›Roten Ochsen‹ (montags und jeden 3. Sonntag im Monat geschlossen) einkehren, in Ellingen im ›Römischen Kaiser‹, in Weißenburg in der ›Goldenen Rose‹, in Eichstätt in der ›Blauen Traube‹ oder im ›Adler‹, in Nördlingen in der ›Sonne‹, in Donauwörth in den ›Drei Kronen‹, in Dinkelsbühl in der ›Goldenen Rose‹, einem Patrizierhaus aus dem 14. Jh. oder dem herrlichen Fachwerkbau ›Deutsches Haus‹. Wer gerne da übernachtet, wo vor ihm bereits Joh. Wolfgang von Goethe sein müdes Haupt zur Ruhe bettete, der sei in Heidelberg auf den ›Goldenen Hecht‹ verwiesen, in Heilbronn ins Restaurant auf dem Wartberg geschickt, wo Goethe den Sonnenuntergang beobachtete und in den ›Adler‹, wo er übernachtete, während sein Held Götz von Berlichingen im Gasthaus ›Zum Anker‹ verkehrte. Im nahen Neckarelz ruhte Goethe von des Tages Strapazen im ›Löwen‹, einem schönen Fachwerkbau, aus, im fernen Gunzenhausen übernachtete er 1788 auf der Rückreise von Italien in der ›Kaiserlichen Reichspost‹, heute einem Gasthof, und 1797 im ›Goldenen Engel‹ in Großenried auf der Rückfahrt von seiner dritten Schweizer Reise nach Weimar. Wen dort der Kaffeedurst plagt, dem sei an renommierten Häusern empfohlen: das Café Pflaumer in Weißenburg, das Café Riederer in Eichstätt, das Café Plank in Öttingen, Café Hummel und Café Engel in Donauwörth, Café Hofmann in Neuburg an der Donau usw.

Wenn ein Gasthaus nachgelassen hat oder gar abgerissen wurde, so vermerken Sie das bitte als zeitgenössischen Verfall. Wenn Sie bessere Lokale angetroffen haben, historische oder gastronomische Sterne, so schreiben Sie es dem Verlag oder dem Autor. Wenn die Leute, die Sie trafen, wortkarger als erwartet waren, so bedenken Sie, daß der Fremdenverkehr dort, die Randgebiete allesamt ausgenommen, noch in der Entwicklung begriffen ist, daß die reellen Preise und die Qualität Sie hinwegtrösten können über den Mangel an Leuchtreklame, Kellerbars und Promenadenkonzerten. Im Michelin hat keines der Lokale auch nur einen Stern, im Baedeker nur Heidelbergs Schloß drei, aber in einem Handbuch des beschaulichen Betrachtens und des ruhigen Genusses müßte es von Sternen blitzen.

Raum für Ihre Reisenotizen

Anschriften neuer Freunde, Foto- und Filmvermerke, neuentdeckte gute Restaurants, etc.

Raum für Ihre Reisenotizen

Anschriften neuer Freunde, Foto- und Filmvermerke, neuentdeckte gute Restaurants, etc.

Raum für Ihre Reisenotizen

Anschriften neuer Freunde, Foto- und Filmvermerke, neuentdeckte gute Restaurants, etc.

Raum für Ihre Reisenotizen

Anschriften neuer Freunde, Foto- und Filmvermerke, neuentdeckte gute Restaurants, etc.

Raum für Ihre Reisenotizen

Anschriften neuer Freunde, Foto- und Filmvermerke, neuentdeckte gute Restaurants, etc.

Namenverzeichnis

A = Architekt, B = Bildhauer, G = Goldschmied,
M = Maler, St = Stukkateur
Bei den wichtigsten Herrschern wurden die Regierungs-
daten angegeben.

Sind mehrere Seitenzahlen angegeben, bedeuten kursive
Ziffern ausführliche Beschreibungen

Abelfingen, Ritter Ulrich von 117
Adelmann, Freiherren von 118
Aëtius, Flavius († 454) 13
Alba, Herzog von 129
Alberthal, Johanna (A) 174, 224
Alberti, Leon Battista (A) 39
Albrecht I. (1298–1308), röm.-dt. Kaiser 194
Albrecht von Brandenburg-Ansbach, Hoch-
meister des Deutschen Ritterordens 70
Albrecht Achilles, Kurfürst von Brandenburg
187
Albrecht Alcibiades, Markgraf von Kulmbach
141, 148
Alexander III., Papst 110
Ansbach, Markgrafen von 114, 115, 140,
148, 200
Antoninus Pius (138–161), röm. Kaiser 16
Anwander, F. A. (M) 199
Arnim, Achim von 58
Arnulf (887–899), fränk. König 139
Asam, Cosmas Damian (M) 15, 113, 143,
227, 228–230; Abb. 121
–, Egid Quirin (B) 15, 227–230; Abb. 128
–, Franz Erasmus (M) 111, 228, 229–230
Aschhausen, Adelsgeschlecht 112
–, Gottfried, Bischof 112
Auvera, Jacob van der (B) 110

Backoffen, Hans (M) 77
Bächl, Maurus (Abt von Kloster Weltenburg)
228, 230
Barbieri, Domenico (A) 176, 223
Barthlme, Sebastian (Kunstschlosser) 174
Bassus, Dominikus von 180
Bauer, Johann (St) 109
Baumgartner, Johann Wolfgang (M) 223
Beauharnais, Eugène de 174

Bebenburg, Ritter Wolfram von 108, 110
Beck, Ulrich (A) 194
Beer, Franz (A) 195, 220
–, Ulrich (A) 217
Beheim, Paulus (A) 224
Bélier, Charles 29
Berengeria von Kastilien 185
Berg, Johann Jakob (B) 173, 174, 175, 179
Bergmüller, Dominikus (B) 219
–, Georg (M) 195
Beringer, W. H. (A) 86
Berlichingen, Grafengeschlecht 13, 105–108,
111
–, Franziska von 108
–, Götz von 68–69, 105–108, 111; Abb. 41
Bernus, A. O. 60
Berwart d. Ä., Georg (A) 148
Beyscher, Hans (B) 131, 132
Bièvre, Marquis de 139
Binder, Mathias (A) 143
Bitterich (Steinmetz) 39
Bligger II. von Steinach 61
Bockmeyer, Andreas (B) 78
–, Joseph (B) 78
Bocksberger, Hans (M) 224
Bocksdorffer, Oswald (B) 77
Boisserée, Gebrüder 31
Boos, Roman (B) 199
Borromini, Francesco (A) 230
Bossi, Materno (St) 174
Branden, Peter van den (B) 31, 39
Brandenstein, Johann Konrad (Orgelbauer)
229
Breitenauer, Josef Anton (B) 175, 224
Brentano, Clemens 58, 60
Brenz, Johannes (Reformator) 129, 132
Bretzenheim, Fürstin 65

NAMENVERZEICHNIS

Breu, Jörg (M) 225
Breunig, J. A. (A) 39, 40, 57
Bschorer, Johann Georg (B) 195, 199, 217
Buchmüller, Kaspar (St) 119
Bunsen, Robert Wilhelm 40
Burkhardt von Hall (Chronist des Klosters Wimpfen) 72–74

Calw, Grafen von 80
Carl Friedrich (1806–1811), Großherzog von Baden 40
Carl Philipp (1716–1742), Kurfürst v. d. Pfalz 39
Carrachi (A) 80
Caus, Salomon de (A) 38
Chlodwig I., fränk. König 13, 137
Clasen, J. (A) 119
Colin, Alexander (B) 34
Colomba, Lucas Anton (M) 110; Abb. 37
Columban (irischer Mönch) 13
Comburg, Grafen von 133–137
Cornelius, Peter 60
Crailsheim, Freiherren von 114
Crespi, Giovanni Battista (M) 80
Creuzer, Georg Friedrich 40
Creycz, Ulrich (B) 193
Crodel, Prof. 83
Cusanus, Kardinal (Nikolaus Krebs aus Kues a. d. Mosel) 71

Daucher, Hans (B) 124, 217, 228
Dayg, Sebastian (M) 200
Deichelmann (Kunstschreiner) 128
Deocar, Abt des Klosters Herrieden 138–139
Dientzenhofer, Johann Leonhard (A) 109, 111, 112
Dietport, Kämmerer von Weinsberg 80
Doctor, Jeremias (A) 224
–, Sigmund (A) 224
Domitian (81–96), röm. Kaiser 15
Dorothea von der Pfalz, Gemahlin Kurfürst Friedrichs II. 34
Drais, Karl Friedrich (Freiherr von Sauerborn) 80
Drechsel, Peter 186
Dupuy, Gebrüder (Bibliothekare) 30
Dürer, Albrecht (M) 77, 137, 185

Eberbach, Grafen zu 63
Ebhardt, Bodo (A) 123, 178

Echter von Mespelbrunn, Julius 114, 133
Eck, Johann 226, 227
Ehrenberg (Adelsgeschlecht) 71
Elisabeth Charlotte (Liselotte) von der Pfalz, Gemahlin des Herzogs von Orléans 30–31
Elisabeth Stuart, Gemahlin Friedrichs V. v. d. Pfalz 32
Elisabeth von Zollern, Gemahlin Ruprechts III. v. d. Pfalz 29
Embhardt, Endres (B) 116, 139
Ende, Joh. Casimir (A) 57
Enderle, Johann Baptist (M) 195
Engel, Jakob (A) 169, 173–176, 177, 179
Engelhardt, J. W. (Ratsherr) 133
Ensinger, Moritz (A) 192
Erbach, Grafen zu 73
Erhart, Gregor (B) 171, 195
Erhart, Michael (B) 132
Eseler, Nikolaus (A) 132, 187, 188, 192
Esterbauer, Balthasar 134
Ettl, Benedikt (A) 176, 177
Eyb, Freiherren von 113

Feichtmayer, Franz Xaver 143
Fernadino (M) 110
Ferradini, J. B. (M) 111
Feselen, Melchior (M) 227
Feuerbach, Ludwig 57
Fichtenmeyer, Johann Wolfgang 128
Fillisch, Johann David (M) 140
Finsterwalder, Thomas 198
Fischer, Johann Michael (B) 110, 219, 223
Fischl, Johanna (B) 172
Flade (M) 112
Flemal (A) 31
Fluhr, Christian (A) 111
Fohr, Carl Philipp (M) 57
Forster, Conrad (B) 33
Fosse, Remy de la (A) 31
Franz, J. M. (M) 174
Franz II. (1792–1806), Österreich. Kaiser 108
Frauenberger, Hans 181
Friedrich I. (1152–1190) Barbarossa 75, 81, 108, 110, 129, 151, 185
Friedrich II. (1215–1250), röm.-dt. Kaiser 63, 80, 113, 188
Friedrich III. (1440–1493), röm.-dt. Kaiser 194
Friedrich (1803–1806), Herzog, 1806 König von Württemberg 112

Friedrich I. der Siegreiche (1449–1476),
Kurfürst v. d. Pfalz 40; Abb. 10
Friedrich II. (1544–1556), Kurfürst v. d.
Pfalz 33, 34, 35
Friedrich III. (1559–1576), Kurfürst v. d.
Pfalz 62
Friedrich IV. (1592–1610), Kurfürst v. d.
Pfalz 30, 35, 59
Friedrich V. (1610–1623), Kurfürst v. d.
Pfalz, König von Böhmen 14, 30,
32, 38
Friedrich V., Burggraf von Nürnberg 184
Fries, Ernst (M) 57
Frosch, Andreas (B) 195
Fugger, Ulrich 30

Gabrieli, Gabriel de (A) 14, 139, 145, 152,
169–176, 177, 179, 200, 217, 222; Abb. 83,
89
Gärtner, Friedrich (A) 183
–, Madern (B) 32
Galli da Bibiena, A. (A) 39
Gallus (irischer Mönch) 13
Gaston, Michael de 139
Gebhard, Bischof von Regensburg 121, 122
–, Michael (M) 143
Geiges, Alf (Glasmaler) 73
Gemmingen, Johann Konrad, Fürstbischof
von Eichstätt 172
–, Reinhard von (Kurpfälzischer Rat) 68
–, Herren von 70, 71
George, Stefan 60
Geyer, Wilhelm (Glasmaler) 117
Glätzel, Conrad (A) 226
Gleichen, Adelsgeschlecht aus Thüringen 127
Gmelin, Johann Friedrich 86
Gneisenau, August Wilhelm Anton Graf von
30
Görres, Johann Joseph von 40
Goethe, Cornelia 60
Goethe, Johann Wolfgang von 11, 31, 32,
60, 68, 108, 242
Götz, Gottfried Bernhard (M) 222;
Abb. 111
Goetz, Sebastian (B) 34
Graimberg, Charles de 31, 33, 57
Greising, Joseph (A) 109, 134
Groff, Willem de (B) 172
Grünewald (Mathis Gothart Nithart) (M)
77

Gundekar, Bischof von Eichstätt 151
Gundolf, Friedrich 40
Günther, Matthäus (M) 113
Guttenberg (Propst) 134

Habrecht, Isaak (Uhrenbauer) 84–85;
Abb. 33
Handschuher, Christian und Veit (B) 169
Hardenberg, Karl August Freiherr von 139
Hariolf von Langres, Bischof 116–117
Harneis, Franz (St) 139
Hartmann von Aue 30
Hartwig († 1140), Abt von Groß-Comburg
133, 134, 136
Haudt, Melchior (St) 119
Hauff, Wilhelm 70, 192
Heideloff, Karl Alexander von 187
Heidenab, Ernst Wilhelm von 140
Heidenreich, Erhard und Ulrich (A) 226
Heinrich II. (1002–1024), röm.-dt. Kaiser
219, 223
Heinrich III. (1039–1056), röm.-dt. Kaiser
180
Heinrich IV. (1190–1197), röm.-dt. Kaiser
113, 136
Heinrich, Urenkel Kaiser Barbarossa 63, 75
Heinzelmann, Konrad (A) 131, 192
Heiß, Johann (M) 169
Helfenstein, Ludwig Graf von 80
Helmholtz, Hermann von 40
Helmstadt, Grafen zu 68
Hemmeter, Karl (B) 144, 150
Henn, Ulrich (B) 84
Hering, Loy (B) 116, 140, 151, 171, 173,
176, 185, 200, 225, 228; Abb. 81
–, Martin 224
Herlin, Friedrich (M) 189, 193
Hermann von Salza, Hochmeister 120
Heuss, Theodor 83
Hirschberg, Sophia Gräfin von 176
Hirschhorn, Ritter Friedrich von († 1632)
63
–, Ritter Hans von 64
Höflich, Klaus (A) 193
Hölderlin, Friedrich 28
Hölltaler (G) 124
Hoffmann (M) 110
Hohenlohe, Grafen von 13, 113, *120–128*,
129
–, Adelheid von 121

NAMENVERZEICHNIS

–, Chlodwig von (Reichskanzler) 127
–, Christian Kraft 123
–, Heinrich von 120
–, Hermann (Reichsstatthalter) 127
–, Konrad von 120
–, Kraft von 121
–, Philipp von 122, 124, 125, 127; Abb. 50
Hohenlohe-Bartenstein, Fürst Alois 128
Hohenlohe-Ingelfingen, Fürst Friedrich
  Ludwig 122
Hohenlohe-Kirchberg, Fürsten zu 115
Hohentrüdingen, Ernst Graf von 200
Holbein d. Ä., Hans (M) 173
Holbusch (B) 80
Holl, Elias (A) 152, 172, 174
Holtz, Seyfried von (Propst) 136
Hornstein, Carl Heinrich von 142, 143
Hout, Ludwig 60
Huber, Candid (Benediktinermönche) 71
Hübsch, Heinrich (A) 60
Husen, Robert von 105

Isabella von Bayern (Königin Isabeau) 180
Isabella von Portugal, Gemahlin Karls V. 33
Ixnard, Michel d' (A) 142, 143

James I., König von England 32
Jaspers, Karl 40
Jocher, Adam (A) 180
Johann Anton I. Knebel von Katzenellen-
  bogen (Bischof von Eichstätt) 169–171
Johann Casimir (1583–1592), Pfalzgraf von
  Zweibrücken 35
Johanna, Pfalzgräfin 67; Abb. 16
Juan d'Austria 227

Kalendin, Heinrich von 223
Karl der Große (800–814) 198
Karl IV. (1347–1378). röm.-dt. Kaiser 81,
  122, 144, 184, 188, 220
Karl V. (1500–1558), röm.-dt. Kaiser 33,
  70, 145
Karl der Kühne, Herzog von Burgund 124
Karl Ludwig (1648–1680), Kurfürst v. d.
  Pfalz 35, 57, 59
Karl Philipp (1716–1742), Kurfürst v. d.
  Pfalz 35
Karl Theodor (1777–1799), Kurfürst v. d.
  Pfalz 25, 35, 38, 60, 65, 67
Karl, Hans 148

Karlmann († 771), Bruder Karls d. Gr. 81
Keller, Franz (A) 118, 142, 143
Keller, Gottfried 57
Kempffenagel, Kilian 132
Kern, Georg (A) 123, 126
–, Leonhard (B) 132
–, Michael (B) 110, 122, 197
Kerner, Justinus 11, 81, 86, 237
Kilian (Märtyrer) 13, 81, 84
Kirchhoff, Gustav Robert 40
Kleist, Heinrich von 86
Klenze, Leo von (A) 150, 183, 228
Knittel, Benedikt (Abt von Kloster Schöntal)
  109, 110, 111–112, 238
Knoll, Chirion (A) 194
Kobell, Ferdinand (M) 197
Köpl, Joseph (St) 223
Körber, Servatius (A) 115
Konrad I. (911–918), fränk. König 218
Konrad II. (1024–1039), Frankenkaiser
  114, 121
Konrad III. (1138–1152), Stauferkönig 80,
  81, 136
Konrad IV. (1250–1254), Stauferkönig
  113, 120
Konradin († 1268) 120, 194
Konrad von Staufen (Pfalzgraf) 59
Konrad, Herzog von Rothenburg (Sohn
  Barbarossas) 185
Kornacher, Lisette 86
Konstanze von Aragon, Gemahlin Kaiser
  Friedrichs II. 63
Krautheim, Edelherren von 112
–, Richiza 112, 120, 122
–, Wolfrat von 113
Kreglinger, Wilhelm (A) 192
Kreuzfelder (M) 115
Krumper, Hans (B) 172, 176, 227
Kurz, Hans (A) 84
Kuhn, Hans (A) 192
Kurr, Konrad 188

Landes, Anton (St) 222
Langenburg, Adelheid von 120
Lauffen, Grafen von 61, 68
Lauterbach, Johannes 86
Lechsgemünd, Heinrich Graf von 220, 221,
  222
Lenau, Nikolaus 74
Leo IX., Papst 180

Leopold IV. (1136–1141), Markgraf von
   Österreich   80
Leutershausen, Herren von (Adelsgeschlecht)
   139
Lichtenauer, Columban (B)   217
Limmich, Stoffel   123
Limpurg, Schenken von   136
Lingonac, Herren von (Adelsgeschlecht)   88
Lobdeburg, Hermann von   200
Loyson, N. (A)   218
Ludwig I. der Fromme (814–840), fränk.
   König   140
Ludwig IV. der Bayer (1314–1347), röm.-dt.
   Kaiser   14, 129, 139, 144, 145, 188, 220,
   226
Ludwig XIV., König von Frankreich   30–31,
   67
Ludwig I. (1825–1848), König von Bayern
   31, 35, 140, 148, 150, *183*, 227, 228
Ludwig V. (1508–1544), Kurfürst v. d. Pfalz
   32, 33, 36, *181*
Ludwig der Reiche, Herzog von Bayern   198
Ludwig II. der Strenge (1253–1294), Herzog
   von Bayern   182, 194, 226
Luther, Martin   71

Magno, Pietro (St)   109
Mangold I. von Mangoldstein (Kaiserl.
   Gesandter)   195, 198
Mannasser, August (B)   198
Marcus, Elias   124
Markus (Kirchenrat)   40
Markgrafen von Baden   65
Mauch, Daniel (B)   217
Maucher, Franz Joseph   124
Maucher, Friedrich (B)   142
Maurer, Jordan (A)   176
Maximilian I. (1493–1519), röm.-dt. Kaiser
   80, 108, 188, 192
Maximilian I. Joseph (1806–1825), König
   von Bayern   174
Maximilian I. (1597–1623), Herzog von
   Bayern   195
Maximilian (1623–1651), Kurfürst von
   Bayern   30
Maximinus Thrax (235–238), röm. Kaiser   16
Mayer, Christoph (Zimmermann)   125
Mayer, Heinrich (A)   118, 119
–, Johann Joseph   199
–, Leonhard (B)   143

Mayer, Robert   86
Mélac, Ezéchiel, Graf von   64
Mercier (B)   142
Merian, Matthäus   40
Mesmer, Franz Anton   86
Metternich, Fürsten von   61
Mielich, Hans (M)   226
Mingolsheim, Hans von (A)   83
Morata, Olympia Fulvia   40
Mörike, Eduard   11
Moulin-Eckart, Grafen du   222
Mozart, Wolfgang Amadeus   218
Multscher, Hans (B)   151
Münster, Sebastian   28, 33

Napoleon I., Kaiser der Franzosen   15, 70,
   112, 120, 122, 141, 174
Naryschkin, russ. Fürst   113
Neu, Franz Anton (St)   229
Neumann, Balthasar (A)   112, 118, 143
Neustetter, Erasmus (Propst)   133, 134, 136

Oettingen, Grafen von   185, 188, 197, 198,
   199, 217–219
Olevianus (Professor in Heidelberg)   40
Onghers, Oswald (M)   110, 134, 143, 169
Ottheinrich (1556–1559), Kurfürst v. d.
   Pfalz   29–31, 33–34, 35, 223–225;
   Abb. 5
Otto I. (936–973), röm.-dt. Kaiser   13
Otto I., Pfalzgraf   67
Otto III., Pfalzgraf   67
Overbeck, Friedrich (M)   60

Palm, Freiherren von   113
Pappenheim, Marschälle von   13, *149*, 172,
   223
Paulus, Melchior (St)   118, 119
Pedetti, Maurizio (A)   173, 174, 179;
   Abb. 88
Perkeo, Clementel (Hofnarr)   35; Abb. 6
Peter der Große, Zar   113
Petrini, Antonio (A)   39
Philip, Herzog von Edinburgh   65
Philipp, Bruder des Kurfürsten Ottheinrich
   29
Pichler, Johann (M)   221
Pigage, Nicolas de   25
Pilgram, Anton (A)   83
Pinck, Johann Anton (M)   142

253

NAMENVERZEICHNIS

Piquini, Emanuele (B) 117
Pozzi, Antonio und Carlo (St) 143
Prahl, Friedrich (A) 118
Prescher, Paulus (Orgelbauer) 219

Quadri, Bernhard (St) 112

Rabaliatti, Franz Wilhelm (A) 39
Racknitz, Freiherren von 71
Rämpl, Wilhelm 199
Rethel, Alfred (M) 60
Retti, Leopold (A) 115
–, Donato Riccardo (A) 117
Rembrandt Harmensz. van Rijn (M) 197
Riemenschneider, Tilman (B) 57, 77, 132,
 197; Abb. 11
Rigl, Vitus Felix (M) 219
Rilke, Rainer Maria 60
Rischer, Joh. Jakob (A) 40
Robijn, Georg (A) 126
Rohrbach, Jäcklein (Bauernführer) 80, 123
Roth, Franz Joseph (A) 118, 142, 143, 198,
 199
Rottaler, Hans (A) 226
Rottmann, Carl (M) 57
Rubens, Peter Paul (M) 224
Rudolf I. von Habsburg (1273–1291) 14,
 60, 61, 129, 220
Ruprecht I. (1353–1390), Kurfürst v. d. Pfalz
 40, 67; Abb. 9
Ruprecht II. (1390–1398), Kurfürst v. d.
 Pfalz 35, 40
Ruprecht III. (dt. König Ruprecht I.,
 1400–1410), Kurfürst v. d. Pfalz 29, 35,
 40, 64
Rygeyssen, Hans (A) 150

Schadow, Wilhelm 60
Schäuffelin, Hans Leonhard (M) 189, 192,
 193, 200
Schaich (M) 128
Schaller, Konrad (A) 132
Scheffler, Thomas (M) 118
Schellmüller, Heinrich (A) 226
Scheyb, Hans (A) 132
–, Jakob (A) 132
Schickardt, Heinrich (A) 123
Schießer, Bernhard (A) 109, 128
Schiller, Friedrich von 86, 149
Schlosser, Fritz 60

–, Joh. Georg 60
Schmid, Christoph von 186–187
Schmutzer, Franz und Johann (St) 176
Schmuzer, Joseph (A) 195
–, Matthäus (A) 199
Schnack, Friedrich 60
Schönborn, Friedrich Carl von (Fürstbischof)
 109
–, Marquard Wilhelm von 174
Schott, Conrad (Conz) 68
Schubart, Christian Fr. D. 11
Schubert, Gotthilf Heinrich 86
Schüpf, Walter von (Reichsdienstmann) 129
Schwab, Gustav 11
Schwanthaler, Ludwig (B) 183
Schweiner, Hans (A) 81–83
Seidl, Gabriel von (A) 226
Seinsheimmeister (B) 110
Senefelder, Alois 151
Seybold, Matthias (B) 139, 152, 171, 172
Seyfer, Hans (B) 83–84; Abb. 28, 34
Sommer, Brüder (B) 123
Speer, Martin (St) 217
Sporer, Bernhard (A) 121
Stefan, Hans (A) 86
Stegle, Georg (A) 126
Steidl, Melchior (M) 119
Steinach, Ritter von 62
Steingruber, J. D. (A) 140
Stetten, Adelsgeschlecht 13
Stieglitz, Hans (A) 117
Stoß, Veit (Werkstatt) 189, 197
Streng, Blasius (B) 85
Ströhlein, Jakob (A) 109

Taeschner 178
Taig, Sebastian (M) 189
Talwitzer, Christian (M) 110
Tassilo III. (748–788), Herzog 228, 230
Textor, Johann Wolfgang 11, 125
Thiotroch von Lorsch (Abt) 58
Thumb, Christian (A) 118
–, Michael (A) 118
Tierstein, Susanne von Abb. 66
Tilly, Tserclaes Graf von 30, 61, 64, 65, 75,
 148
Tischbein, J. H. W. (M) 126, 197
Traitteur, Oberstleutnant 28
Trarbach, Johann von (B) 121
Trübner, Karl (Buchhändler) 30

254

–, Wilhelm (M) 60
Truchseß von Waldburg, Jörg 81
Tübinger, Hans (A) 192

Ulrich VI. (1498–1519), Herzog von Württemberg 80, 81, 105
Ursinus (Professor in Heidelberg) 40

Vältlin, Girg (A) 224
Venningen, von (Oberjägermeister) 57
Victoria (1837–1901), Königin von England 127
Vischer, Peter 117
Volpini, Giuseppe 140
Voß, Johann Heinrich 40

Walberger, Caspar (A) 189
–, Wolfgang (A) 118, 189, 192; Abb. 102
Wallraf, Ferdinand Franz 218
Wärner, Michael (Faßbauer) 35
Waldeck, Grafen von 69
Warsberg, Freiherren von 61
Walther von der Vogelweide 30
Weber, Karl Maria von 60, 65
–, Max 40
Weinbrenner, Friedrich 57
Weinmann (St) 119
Weinsberg, Grafen von 80, 110
–, Konrad IX. 80
Weiß, Georg (A) 199
Weizsäcker (Gelehrtenfamilie) 122
Welf VI. 80

Welsch, Maximilian von 118
Werd, Herren von 194, 195
Weyer, Stephan (B) 192, 193, 194
Wiedemann, Edmund (M) 139
Wilhelm von Oranien 122, 124
Willemer, Marianne von 32, 60
Willibald, Bischof von Eichstätt 152, 172, 176
Windberger, Hans (M) 225
Wisreuther, Hans (Schreiner) 226
Wittelsbacher, Herrschergeschlecht 223–224, 226, 227
Wolf, Balthasar (A) 122, 125
Wolfram von Eschenbach 30, 61, 239
Wolgemut, Michael (M) 185, 188
–, Werkstatt 116
Wrede, Fürst Karl von 141, 142, 143

Ypser, Paul (B) 193

Zanetti, Domenico (M) 224
Zeckl, Johann (G) 227; Abb. 117, 122
Zenkel, Hans (A) 192
Zeppelin, Ferdinand Graf von 112
Zimmermann, Dominikus (A) 198
–, Johann Baptist (M) 198, 219
–, Michael (M, St) 198
Zöpf, Thomas 198
Zollern, Adelsgeschlecht 184
–, Berthold von (Bischof) 152
Zwitzel, Bernhard (A) 195

Orts- und Sachregister

Sind mehrere Seitenzahlen angegeben, bedeuten kursive
Ziffern ausführliche Beschreibungen

Aachen, Pfalzkapelle *72*
Aicholding 180
Akkon 69, 199
Altenmuhr 139
Amorbach 64, 113
Ansbach 113, 114, 139, 174
Arnsberg 178
Augsburg 13, 145, 169, 184, 185
Auhausen 14, *200*

Baldern, Schloß 217–218
Bamberg 39, 121, 219
Banz, Kloster 109
Bartenstein 11, *127–128;* Abb. 51
Bauernkrieg 14, *68*, 69, 70, *80–81*
Beilngries 12, 13, *179;* Abb. 73
   Schloß Hirschberg 178, *179*
Bergen 222–223
Bertholdsheim 222
Bieringen 112
Böbingen 16
Böhming 178
Böttingen 69
Bopfingen 199, 218
Buchenhüll 178
Byzanz 121

Cappel 122
Colmberg 138
Comburg 14; Ft. 7
   Groß-Comburg 133–136; Abb. 61–63,
   65–68
   Klein-Comburg 136–137; Abb. 64, 69
Crailsheim 11, 13, *115–116*, 240

Darmstadt 73
Dettenheim 148

Dietfurt 180, 239
Dilsberg ob Neckargemünd 60–61
Dinkelsbühl 13, 14, 16, 184, *185–188*, 238,
   242; Ft. 9; Abb. 94–98
   Marktplatz 186
   St. Georg 14, *187;* Abb. 98
   Tore 186; Abb. 95–97
Dollnstein 138, *151*
Donauwörth 11, 12, 14, 184, 188, *194–196*,
   242, 243; Abb. 103–105
Dörzbach 113
Dreißigjähriger Krieg 14, 31, 60, 64, 65, 67,
   75, 105, 144, 148, 189
Dünsbach 114
Durlach 67

Eberbach a. N. *59*, *63–64*
Ebrach, Kloster 109
Eggersberg, Schloß 180
Ehrenberg, Burg 71
Eichstätt 12, 13, 14, 16, 139, 140, 148,
   152–177, 178, 179, 240, 242, 243; Abb. 80–89
   Dom 169–173; Abb. 80–83, 85, 86
   Heilig-Geist-Spital 169
   Kapuzinerkirche Hl. Kreuz 175–176;
   Abb. 84
   Leonrodplatz 174
   Marktplatz 176
   Residenz 173–174; Abb. 88, 89
   Sommerresidenz 175
   St. Walburg *176–177*, 178; Abb. 87
   Willibaldsburg 16, *152–169*, 173, 174
Ellingen 14, 16, *141–143;* 148, 242; Abb. 71, 72
Ellwangen 11, 12, 13, 14, *116–118*, 140, 239,
   240, 242; Abb. 44
   Wallfahrtskirche Schönenberg 14, *118–119;*
   Abb. 46

Ersheim 63; Abb. 20
Essing 181–182; Abb. 79

Feuchtwangen *184–185*, 238; Abb. 91, 93
Florenz 39
Friedrichshall, Bad *78–79*, 88
Friedrichsruh, Jagdschloß 236
Füssen 184

Geographische Lage 9–10
Grünau, Jagdschloß 225
Gundelsheim a.N. *68, 69,* 70; Abb. 21
Gungoldinger Wacholderheide 178
Graben 148
Großenried 243
Gunzenhausen 14, 16, *140*, 141, 243
Guttenberg, Burg *70–71*, 236; Abb. 22, 23

Handschuhsheim 58
Harburg a. d. Wörnitz 197; Abb. 106
Heidelberg 11, 13, 14, *25–58*, 59, 63, 152,
   233–234, 243; Ft. 1, 2; Abb. 1–13
   Brücken 25, 26
   Gasthof ›Zum Ritter‹ *28–29*, 31; Abb. 7
   Haus ›Zum Riesen‹ 57
   Heilig-Geist-Kirche 25, 28, *29–31*, 39;
      Ft. 1; Abb. 9
   Heiligenberg 25, *58*
   Jesuitenkirche, Seminar 25, 38, *39–40*
   Karl-Theodor-Brücke 25, *28;* Abb. 1
   Kurpfälzisches Museum 32, *57;* Abb. 6, 10,
      11
   Kornmarkt 31
   Marktplatz 25, 31
   Palais Morass s. Kurpfälz. Museum
   Peterskirche 25, *40*
   Philosophenweg 25
   Providenzkirche 25, 31, *57*
   Rathaus 31
   Schloß 10, 25, 29, 31, *32–38;* Ft. 2; Abb.
      1–5, 8
   St. Anna-Kirche *57*
   Tore 25, *39*
   Universität *40,* 57, *59*
   Universitätsbibliothek 30; Abb. 12
Heidenheim (Kloster) 14, 138, *140–141*, 176;
   Abb. 74
Heilbronn 13, 14, 15, 61, 63, 68, *81–87*, 239,
   243
   Deutschhof 86

Fleischhaus, Histor. Museum 86
Käthchenhaus 86
Rathaus 84–86; Abb. 32, 33
St. Kilian *81–84;* Abb. 28–31, 34
Heiligenberg s. Heidelberg
Heinsheim 71, 236
Hermersberg, Schloß 123
Herrieden 138
Hirsau 133
Hirschberg s. Beilngries
Hirschhorn a. N. *63*, 235; Abb. 15
Hochaltingen 200, 217
Hochhausen a. N. *68*, 235; Abb. 18
Hohebach 113
Hohenaltheim 218
Hornberg a. d. Jagst 115
Hornberg a. N. *68–69*, 236; Abb. 4
Horneck ob Gundelsheim, Deutschordensburg
   69; Abb. 21
Hüttingen 16

Ingolstadt 12, 15, *225–228*, 240; Abb. 116–125
   Armeemuseum 228; Abb. 124
   Liebfrauenmünster 226; Abb. 116, 118, 123
   Minoritenkirche 227–228
   Spitalkirche z. Hl. Geist 226
   Santa Maria de Victoria 15, *227;* Abb.
      117, 120–122
   St. Moritz 226; Abb. 119
Inching 177

Jagstfeld s. Friedrichshall
Jagsthausen 16, *105–108*, 236, 238; Abb. 42, 43

Kaisheim, Abtei 14, 108, *220–221*, 222, 224;
   Abb. 108–110, 112, 113
Karlsruhe 15, 16, 57
Kelheim 11, 12, 138, *182–183;* Abb. 90, 92
Kinding 178–179
Kipfenberg 16, *178*, 239, 240
Kirchberg, Schloß 115, 124
Kochendorf s. Friedrichshall
Köln 31, 80
Kottingwörth 179
Krautheim *112–113*, 114
Künzelsau 16
Kupferzell 125

Langenburg a. d. Jagst 114, *125–127;*
   Abb. 52, 53

ORTS- UND SACHREGISTER

Lauffen 81
Leitheim a. d. Donau, Schloß 14, *221–222*,
238; Abb. 111
Leofels 114, 115
Leuchtenberg 174
Limes 12, *15–16*, 81, 140, 152
Lorch 16
Lorsch, Reichskloster 30, 58, 59, 63, 112

Maihingen 217
Mainhardt 16
Mainz 10, 13, 63
Manessische Handschrift 30, 61;
Abb. 12
Mannheim 25, 39, 223
Maulbronn 108
Mergentheim, Bad 69, 70, 120, 184
Miltenberg a. M. 15, 16
Minneburg 65
Möckmühl 105
Mönchsdeggingen 219
Morstein 114; Abb. 38, 39
Mosbach 15, *66–68;* Abb. 16, 24
Mulfingen 114
München 15, 31, 139, 183, 224, 226
Murrhardt 16

Nassenfels 169
Neapel 120
Neckarelz 65–66, 243
Neckargemünd 60
Neckarmühlbach 70
Neckarsteinach 59, *61–62*
Neckarsulm 15, *79–80*
Neckarzimmern 68
Neuburg a. d. Donau 12, 29, 30, 177, *223–225;*
Abb. 114, 115
Neuburg a. Neckar, Kloster *59–60*, 243
Neudenau 88, 239
St. Gangolf 88, 105
Neuenheim a. N. 25
Neuenstadt am Kocher 240
Neuenstein, Schloß 115, *122–124;* Abb. 45,
47–49
Niedernhall 124
Nördlingen 14, 184, *188–194*, 199, 218, 242;
Abb. 99–102
Hallhaus 194
Museum, ehem. Spital 189
Rathaus 192; Abb. 102

Salvatorkirche 189
St. Emmeram 188
St. Georg 14, 187, 188, *192–193;*
Abb. 101
Tanzhaus 192
Tore und Wehrgang 189; Abb. 99
Nürnberg 10, 68, 139, 185, 186, 188, 192

Obernburg a. M. 16
Öhringen 10, 16, *121–122*, 123; Abb. 50
Oettingen 13, *199–200*, 243; Abb. 107
Ornbau 139
Osterburken 16
Ostheim 140

Pappenheim 138, *149–150*, 241
Pfälzischer Erbfolgekrieg 14, 30, 60, 64
Pfedelbach 122, 124
Pfünz (Altmühl) 16, 169, *177;* Abb. 75
Pommersfelden, Schloß 111
Prag 40
Prunn 181; Abb. 6

Rabenstein, Burg 180
Rastatt, Friede von 195
Rebdorf 151–152
Regensburg 10, 188, 192, 198
Riedenburg 180
Ries 10, 11, 13, *197–219*, 242
Rom 12, 30, 183
Rot am See 240
Rothenburg a. d. T. 13, 138, 184, 185,
186

Säkularisation 15, 31
Sandersdorf 16
Selingenstadt a. M. 15
Solnhofen 150–151; Abb. 77, 78

Schillingsfürst 122, 127
Schönau 62
Zisterzienserkloster 62; Abb. 17
Schöntal a. d. Jagst, Kloster 14, 86, *108–112*,
128; Abb. 35–37, 40, 41
Schrozberg 240
Schwäbisch Gmünd 16, 83, 109
Schwäbisch Hall 10, 14, *129–133*, 238; Ft. 8;
Abb. 54–59
Keckenburg 133
Schwetzingen 25, 38

258

Stetten, Burg 236
Stöckenburg s. Vellberg
Stolzeneck, Burg 64
Straßburg 67, 72, 73
Stuttgart 15, 16, 80, 114, 185

Tachenstein, Burg 180
Treuchtlingen 138, 148, 240
Triesdorf 139

Unterregenbach 114

Vellberg *137*, 236; Ft. 5; Abb. 60
 Stöckenburg 12, *137*
Vierzehnheiligen 198

Waldenburg 125
Walldürn 16
Wallerstein 217
Weinsberg 68, *80–81*, 123; Abb. 27
Weißenburg 13, 14, *144–145*, 148, 240, 242,
 243; Ft. 10; Abb. 76
Weltenburg a. d. Donau 13, 15, *228–230;*
 Ft. 11; Abb. 126–128

Welzheim 16
Wemding 189, *198*
 Wallfahrtskirche Maria Brünnlein 198
Westernbach 16
Widdern 105
Wien 40, 108, 196, 217
Wimpfen 13, 14, 15, 114
 Wimpfen am Berg *75–78*, 88; Ft. 2; Abb.
  19, 25
 Wimpfen im Tal *72–75*, 88; Abb. 26
Windsheim 57
Wörth a. M. 13, 16
Worms 13, 73, 75
Wülzburg 148
Würzburg 13, 74, 81, 105, 108, 109, 111, 114,
 134, 152, 184

Xanten 74

Zwingenberg a. N. 60, *65*; Abb. 14
 Wolfsschlucht 60

Fotonachweis

Lala Aufsberg, Sonthofen Abb. 3, 4, 5, 16, 17, 19, 20, 51, 58, 73, 74, 83, 85, 87, 88, 95, 96, 97, 98, 101, 104, 105, 107, 108, 109, 112, 116, 118, 120, 124

Albrecht Brugger, Stuttgart Abb. 45 (freigeg. durch das Innenministerium Baden-Württemberg unter Nr. 2/13329), 52 (freigeg. durch das Regierungspräsidium Nordwürttemberg unter Nr. 2/9004), 60 (freigeg. durch das Regierungspräsidium Stuttgart unter Nr. 2/34057), 94 (freigeg. durch das Innenministerium Baden-Württemberg unter Nr. 2/24240), 100 (freigeg. durch das Innenministerium Baden-Württemberg unter Nr. 2/22655)

Deutscher Kunstverlag, München Abb. 72

Eduard Dietl, Ottobrunn Abb. 113, 115

Foto Eisenmenger, Heilbronn Abb. 28, 29, 30, 34

Dieter Geißler, Stuttgart Abb. 22, 27, 36, 39

Robert Häusser, Mannheim Abb. 1, 2, 6, 8, 11, 13, 18, 31, 35

Foto-Studio Hengstler, Heidelberg Abb. 10

Pressebild M. Jeiter, Aachen Abb. 106

Klammet & Aberl, Ohlstadt Ft. 2 (freigeg. durch die Regierung von Oberbayern unter Nr. G 43/1157), 7 (freigeg. durch die Regierung von Oberbayern unter Nr. G 43/693),

11 (freigeg. durch die Regierung von Oberbayern unter Nr. G 43/155); Abb. 14 (freigeg. durch die Regierung von Oberbayern unter Nr. G 43/171), 15 (freigeg. durch die Regierung von Oberbayern unter Nr. G 43/170), 43 (freigeg. durch die Regierung von Oberbayern unter Nr. G 43/249)

Bildarchiv Foto Marburg Abb. 9, 12, 26, 71, 110, 126

Gebr. Metz, Tübingen Abb. 23, 42

Werner Neumeister, München Abb. 38, 54, 55, 59, 61, 62, 64, 65, 66, 67, 68, 69, 78, 79, 80, 81, 86, 114, 117, 119, 121, 122, 123, 125, 128

Ursula Pfistermeister, Fürnried Abb. 24, 75, 76, 84, 89, 91, 99, 102, 111, 113

Helga Schmidt-Glassner, Stuttgart Abb. 7, 41, 47, 48, 49, 50, 63, 90

Toni Schneiders, Lindau Ft. Einband Vorderseite, Innenklappe, 4, 5, 6, 8, 9, 10

Walter Storto, Leonberg Ft. 1; Abb. 21, 32, 33

Werner Stuhler, Hergesweiler Abb. 25, 37, 40, 44, 46, 53, 56, 57, 70, 77, 82, 93

Württembergische Landesbibliothek, Stuttgart Abb. S. 106/107

ZEFA – J. Baudisch Abb. 127

ZEFA – Herfort Ft. Einband Rückseite

ZEFA – Puck/Kornetzki Ft. 3

Die »Richtig reisen«-Führer wollen für Urlaub und Reise gegen das konfektionierte Tourismus-Angebot Möglichkeiten eines individuellen, erlebnisreicheren und interessanteren Reisens aufzeigen. Unter solcher Zielsetzung erschließen sie neu Weltstädte – wie London, Amsterdam, Istanbul – oder größere Ziele des Fern-Tourismus.

»Richtig reisen«: Paris
Von Ursula von Kardorff und Helga Sittl. 277 Seiten mit 34 farbigen und 167 einfarbigen Abbildungen, Karten und Plänen, praktische Reisehinweise

»Richtig reisen«: London
Von Klaus Barisch und Peter Sahla. 251 Seiten mit 8 farbigen Abbildungen und 189 einfarbigen Abbildungen, Stadtpläne, Karten und praktische Reisehinweise

»Richtig reisen«: Ferner Osten
Von Charlotte Peter und Margit Sprecher. 302 Seiten mit 8 Seiten farbigen Abbildungen und 120 einfarbigen Abbildungen, Stadtpläne, Karten, praktische Reisehinweise

»Richtig reisen«: Amsterdam
Von Eddy de Boer und Henriette Posthuma de Boer. 203 Seiten mit 8 Seiten farbigen Abbildungen und 130 einfarbigen Abbildungen, Stadtpläne, Karten, praktische Reisehinweise

»Richtig reisen«: San Francisco
Von Hartmut H. Gerdes. 252 Seiten mit 33 farbigen und 158 einfarbigen Abbildungen, Karten und Plänen, praktische Reisehinweise

»Richtig reisen«: Mexiko und Zentralamerika
Von Thomas Binder. 326 Seiten mit 32 farbigen und 122 einfarbigen Abbildungen, Karten und Plänen, praktische Reisehinweise

»Richtig reisen«: Istanbul
Von Klaus und Lissi Barisch. 257 Seiten mit 28 farbigen und 173 einfarbigen Abbildungen, Zeichnungen, Karten und Plänen, praktische Reisehinweise

»Richtig reisen« – das ist eine neue Reihe aus dem Verlag M. DuMont Schauberg. Moderne, handliche und übersichtlich gestaltete Reiseführer. Frische, manchmal auch freche Sprache, gute Fotos und auch voller Geschichten, die dem flüchtigen Reisenden sonst kaum zugänglich werden.
Die Welt

DuMont Kunst-Reiseführer

»Kunst- und kulturgeschichtlich Interessierten sind die DuMont Kunst-Reiseführer unentbehrliche Reisebegleiter geworden. Denn sie vermitteln, Text und Bild meist trefflich kombiniert, fundierte Einführungen in Geschichte und Kultur der jeweiligen Länder oder Städte, und sie erweisen sich gleichzeitig als praktische Führer.«　　　　　Süddeutsche Zeitung

»Kann Bestes noch verbessert werden? Es kann! Die Kunstreiseführer des Kölner Verlags werden von Jahr zu Jahr, von Band zu Band perfekter: Immer detailliertere Pläne begleiten die Erklärungen, immer noch typischere Illustrationen erläutern den Text.«　　　Basler Nachrichten

Ägypten	**Ägypten – Geschichte, Kunst und Kultur im Niltal** Vom Reich der Pharaonen bis zur Gegenwart. Von Hans Strelocke.
Äthiopien	**Äthiopien – Kunst im Verborgenen** Ein Reisebegleiter ins älteste Kulturland Afrikas. Von Hans Helfritz
Algerien	**Algerien – Kunst, Kultur und Landschaft** Von den Stätten der Römer zu den Tuaregs der zentralen Sahara. Von Hans Strelocke
Belgien	**Belgien – Spiegelbild Europas** Eine Einladung nach Brüssel, Gent, Brügge, Antwerpen, Lüttich und zu anderen Kunststätten. Von Ernst Günther Grimme
Deutschland	**Franken – Kunst, Geschichte und Landschaft** Entdeckungsfahrten in einem schönen Land – Würzburg, Rothenburg, Bamberg, Nürnberg und die Kunststätten der Umgebung. Von Werner Dettelbacher
	Zwischen Neckar und Donau Kunst, Kultur und Landschaft von Heidelberg bis Heilbronn, im Hohenloher Land, Ries, Altmühltal und an der oberen Donau. Von Werner Dettelbacher
Frankreich	**Das Tal der Loire** Schlösser, Kirchen und Städte im ›Garten Frankreichs‹. Von Wilfried Hansmann
	Die Provence Ein Reisebegleiter durch eine der schönsten Kulturlandschaften Europas. Von Ingeborg Tetzlaff
Griechenland	**Athen** Geschichte, Kunst und Leben der ältesten europäischen Großstadt von der Antike bis zur Gegenwart. Von Evi Melas
	Kreta – Kunst aus fünf Jahrtausenden Minoische Paläste – Byzantinische Kirchen – Venezianische Kastelle. Von Klaus Gallas

DuMont Kunst-Reiseführer

Die griechischen Inseln
Ein Reisebegleiter zu den Inseln des Lichts. Kultur und Geschichte. Herausgegeben von Evi Melas

Tempel und Stätten der Götter Griechenlands
Ein Reisebegleiter zu den antiken Kultzentren der Griechen. Herausgegeben von Evi Melas

Alte Kirchen und Klöster Griechenlands
Ein Begleiter zu den byzantinischen Stätten. Herausgegeben von Evi Melas

Iran

Iran
Kulturstätten Persiens zwischen Wüsten, Steppen und Bergen. Von Klaus Gallas

Irland

Irland – Kunst, Kultur und Landschaft
Entdeckungsfahrten zu den Kunststätten der ›Grünen Insel‹. Von Wolfgang Ziegler

Italien

Rom
Kunst und Kultur der ›Ewigen Stadt‹ in mehr als 1000 Bildern. Von Leonard von Matt und Franco Barelli

Oberitalien
Kunst, Kultur und Landschaft zwischen den oberitalienischen Seen und der Adria. Von Fritz Baumgart

Florenz und die Medici
Ein Begleiter durch das Florenz der Renaissance. Von My Hellmann

Venedig – Geschichte und Kunst
Erlebnis einer einzigartigen Stadt. Von Marianne Langewiesche

Von Pavia nach Rom
Ein Reisebegleiter entlang der mittelalterlichen Kaiserstraße Italiens. Von Werner Goez

Das etruskische Italien
Entdeckungsfahrten zu den Kunststätten und Nekropolen der Etrusker. Von Robert Hess

Apulien – Kathedrale und Kastelle
Ein Kunstführer durch das normannisch-staufische Apulien. Von Carl Arnold Willemsen

Japan

Japan – Tempel, Gärten und Paläste
Von Thomas Immoos und Erwin Halpern

Jugoslawien

Jugoslawien – Kunst, Geschichte, Landschaft
Ein Reisebegleiter zwischen Adria und Donau. Von Frank Rother

DuMont Kunst-Reiseführer

Marokko
Marokko – Berberburgen und Königsstädte des Islam
Ein Reiseführer zur Kunst Marokkos. Von Hans Helfritz

Mexiko
Die Götterburgen Mexikos
Ein Reiseführer zur Kunst Alt-Mexikos. Von Hans Helfritz

Nepal
Nepal – Königreich im Himalaja
Geschichte, Kunst und Kultur im Kathmandu-Tal. Von Ulrich Wiesner

Portugal
Portugal
Ein Begleiter zu den Kunststätten von Porto bis zur Algarve-Küste. Von Albert am Zehnhoff

Rußland
Kunst in Rußland
Ein Reiseführer zu den russischen Kunststätten. Von Ewald Behrens

Skandinavien
Skandinavien – Dänemark, Norwegen, Schweden, Finnland
Kultur, Geschichte, Landschaft. Von Reinhold Dey

Spanien
Zentral-Spanien
Kunst und Kultur in Madrid, El Escorial, Toledo und Aranjuez, Avilla, Segovia, Alcalá de Henares. Von Anton Dieterich

Südamerika
Südamerika: Präkolumbianische Hochkulturen
Ein Reisebegleiter zu den indianischen Kunststätten in Peru, Bolivien und Kolumbien. Von Hans Helfritz

Türkei
Städte und Stätten der Türkei
Ein Begleiter zu den Kunstwerken Istanbuls und Kleinasiens. Von Kurt Wilhelm Blohm

---

»Diese Einführungen in Kunst, Kultur, Geschichte und Landschaft eines Landes gehören zum Besten, was man heute zur Vorbereitung einer Reise in die Hand nehmen kann. Der Informationswert liegt sehr hoch, die vielen Abbildungen geben Anregung und Erinnerung. Selbst auf einen Teil mit mehr praktischen Hinweisen wurde nicht verzichtet.«   Literaturreport

»DuMont Kunst-Reiseführer füllen eine Lücke. Sie umfassen praktische und historische Informationen, die touristischen Hinweise sind deutlich durch gelbes Papier abgesetzt. Die Darstellungen sind wissenschaftlich exakt und konzentriert gegeben. Was sie so attraktiv macht, ist die zuweilen anekdotische Verflechtung der Geschichte der bildenden Kunst, der Literatur und Musik mit dem Komplex der politischen Landesgeschichte.«
Wissenschaftlicher Literaturanzeiger

Alle Bände mit vielen, zum Teil farbigen Abbildungen; dazu Zeichnungen, Karten, Grundrisse, praktische Reisehinweise